講談社文庫

永遠の0《ゼロ》

百田尚樹

講談社

プロローグ 7

第一章 亡霊 …… 11
第二章 臆病者 …… 27
第三章 真珠湾 …… 55
第四章 ラバウル …… 122
第五章 ガダルカナル …… 194
第六章 ヌード写真 …… 256
第七章 狂気 …… 299
第八章 桜《おう》花《か》 …… 376
第九章 カミカゼアタック …… 415
第十章 阿修羅 …… 452
第十一章 最期 …… 503
第十二章 流星 …… 531

エピローグ 571

永遠の0《ゼロ》

プロローグ

あれはたしか終戦直前だった。正確な日付は覚えていない。しかしあのゼロだけは忘れない。悪魔のようなゼロだった。

俺は空母「タイコンデロガ」の五インチ高角砲の砲手だった。俺の役目はカミカゼから空母を守ることだった。狂気のように突っ込んでくるカミカゼを撃ち墜とすのだ。

我々の五インチ砲弾は近接信管といって、砲弾を中心に半径五〇フィート（約十五メートル）に電波が放射されていて、その電波が飛行機を察知した瞬間に爆発する仕組みになっていた。最高の兵器だ。それを何百発と撃つんだ。ほとんどのカミカゼは空母に近づく前に吹き飛んだ。

初めてカミカゼを見た時にやってきた感情は恐怖だった。俺が「タイコンデロガ」に乗り込んだのは一九四五年初めのこと。噂に聞いていたカミカゼを目の当たりにし、こいつらに地獄の底まで道連れにされると思った。スーサイドボンバーなんて狂気の沙汰《さた》だ。そんなものは例外中の例外だと思いたい。しかし日本人は次から次へとカミカゼ攻撃で突っ込んでくる。俺たちの戦っている相手は人間ではないと思った。死ぬことを怖れないどころか、死に向かって突っ込んでくるんだ。こいつらには家族がいないのか、友人や恋人はいないのか、死んで悲しむ人がいないのか。俺は違う、アリゾナの田舎には優しい両親がいたし、許嫁《いいなずけ》もいた。

しかし我が軍の砲は素晴らしかった。近接信管の威力は驚異的だった。それを全艦艇が一斉に撃ちまくるんだ。弾幕で空の色が変わるほどだった。それを突破出来るカミカゼはほとんどいなかった。弾幕を抜けてやって来るカミカゼには四〇ミリ機銃と二〇ミリ機銃のシャワーのような洗礼が待っている。ほとんどのカミカゼは爆発するか、燃えながら海に墜ちた。

やがて恐怖も薄らいだ。次にやってきた感情は怒りだった。神をも恐れぬ行為に対する怒りだった。いや、もしかしたら恐怖を与えられた復讐心から出たものかもしれない。

俺たち銃砲手は砲と機銃に怒りのエネルギーを乗せて撃ちまくった。

最初の恐怖が過ぎると、ゲームになった。我々はクレー射撃の標的を撃つようにカミカゼを撃ち墜とした。

奴等はたいてい浅い角度で突っ込んで来る。その頃の日本軍パイロットは新人ばかりで、深い急降下で突っ込んで来られる奴はほとんどいなかった。我々の砲はたいていの角度に合わせることが出来るが、垂直に近い角度から突っ込まれると砲の照準がついていかない。しかし飛行機の方もそんな角度で突っ込めば、艦に体当たりするのが非常に困難になる。飛行機に詳しい奴が言っていたが、スピードが出過ぎると、舵《かじ》が利かなくなるらしい。急降下で突っ込んで、目測《もくそく》を誤って海にダイブしたカミカゼも多く見た。

しかしカミカゼを撃つのも次第に辛くなってきた。標的はクレージャない、人間なんだ。

もう来ないでくれ！　何度そう思ったかわからない。

しかしやって来れば撃つ。そうしないと俺たちが死ぬからだ。カミカゼの体当たりを喰らって沈められた艦艇は少なくない。艦には何千人も乗っている。それが沈むということは何百人か死ぬということなんだ。たった一人の日本人のためにアメリカ人が何百人も死ぬ、それは許せることじゃない。沈まなくてもカミカゼアタックを喰らえば、何人ものアメリカ人が死ぬ。

五月の沖縄戦の後、我々の対カミカゼ防御はほぼ完全な形になった。ほとんどのカミカゼは、本隊の一〇〇マイル前方に配置したピケット艦によって二〇〇マイル先からレーダーで捕捉され、艦隊のはるか手前の洋上で待ちかまえた迎撃機に撃ち墜とされた。

その頃はもうカミカゼに護衛の戦闘機もつかず、いうなれば番犬のいない羊の群のようなものだった。重い爆弾を抱えて動きも悪いカミカゼが我々の最新式戦闘機に敵《かな》うはずがない。

そんなわけで、ほとんどのカミカゼは機動部隊上空にたどり着くことさえ出来なくなった。

夏が来る頃には、我々高角砲の砲手の仕事も開店休業といった有様だった。八月に入ると、戦争はまもなく終わるだろうと多くの兵士が噂していた。

あの悪魔のようなゼロを見たのはそんな時だった。

第一章　亡霊

スターウォーズのテーマで目が覚めた。携帯電話の呼び出し音だ。時計を見ると、昼を過ぎていた。

電話は姉からだった。

「今何してるの？」

「散歩だよ」

「寝てたんでしょう」

「昼から、就職活動をする予定なんだ」

姉はちょっと黙ったが、すぐに「嘘つけ」と言った。

「いつまで仕事もしないでブラブラしてるのよ。健太郎《けんたろう》みたいな男をニートって言うのよ」

「ニートって、何の略か知ってる？」

姉はその質問を無視した。

「もし、今何もしていないんだったら、いいアルバイトを紹介してあげる」

またその話かと思った。

たしかに二十六歳にもなって、仕事もしないでぶらぶらしているのは自分でも情けないとは思う。司法試験浪人と言えば聞こえはいいが、今年は試験も受けていなかった。大学四年生の時から四年連続で受けて不合格だった。最初の年が一番惜しかった。最難関と言われる論文式試験をパスしながら、口述試験で大ミスしたのだ。あの時はゼミの教授を大いに失望させた。

翌年はまず大丈夫だろうと皆が思っていた。論文式をパスした者は翌年の筆記試験は免除されることになっていたからだ。ところが翌年も口述試験で躓《つまず》いた。筆記試験を免除されたことによる油断だった。それでミソがついたのか、翌年は論文式で落ち、更に翌年は短答式試験で落ちてしまった。この年は学生時代から付き合っていた恋人にふられて、精神的にも最悪の状態で受けた試験だった。

それ以降、自信もやる気も失せてしまい、毎日ぶらぶらと時間をつぶすようになってしまった。ゼミの中では一番に司法試験に受かるだろうと言われていたのに、同期の中でも落ちこぼれの部類に入ってしまった。たまに塾講師のアルバイトや、気が向けば肉体労働の仕事などもやったが、どれもこれも時間つぶしのためにやっているようなものだった。

真剣に勉強すれば合格する自信は今でもあったが、肝心のやる気が戻ってこなかったのだ。何かのきっかけさえあれば、エンジンさえかかれば、という気持ちはあったのだが、そんなこともなく、一年以上の月日が流れていた。その間、法律の本はすっかりほこりをかぶっていた。

「アルバイトって、何？」

「私のアシスタント」

「遠慮させてもらうよ」

姉の慶子《けいこ》はぼくより四歳年上で、フリーのライターをしている。といってもまだ駆け出しだ。情報誌を扱う出版社に四年ほど勤めてから、フリーになったのだ。もっとも仕事の大半が元の会社の雑誌のインタビュー記事だ。それでも一人で都内のマンションを借りているのだから、収入的には何とかやっていけているようだ。本人はいずれ一流のノンフィクションライターになると言っているが、まあ夢みたいな話だろう。しかし姉の野心は相当強かった。

「あのね、正確に言うと、仕事のアシスタントじゃないの。実は祖父のことを調べたいのよ」

「おじいちゃんの何を調べるの？」

「おじいちゃんじゃないの。その——おばあちゃんの最初の夫」

「ああ、なるほど」

祖母は最初の夫を戦争で失っていた。特攻隊で死んだと聞いている。結婚生活は短かったらしいが、その短い間に生まれた子供がぼくの母だ。祖母は戦後再婚したが、その相手が今の祖父だった。

それを知ったのは六年前に祖母が亡くなった時だ。四十九日が済んでしばらくして、ぼくと姉は祖父に呼ばれ、そこで初めて実の祖父のことを聞かされたのだ。ぼくにとってはそのことよりも、本当の祖父と思っていた人が実は血の繋がらない人だと知ったことの方が衝撃的だった。

祖父は小さい時からぼくと姉を実の孫として可愛がってくれた。またなさぬ仲の母とも非常に仲が良かった。祖母は祖父と再婚した後、二人の弟（僕の叔父たちだ）を生んだが、母と叔父たちも仲は良かった。

実の祖父の存在を知っても、その人に対して特別な感情は抱かなかった。ぼくの生まれる三十年も前に死んだ人だし、家には一枚の写真も残されていなかったから、シンパシーを感じろという方が無理だ。喩《たと》えは悪いが、突然、亡霊が現れたようなものだ。

祖父も祖母から前夫のことはほとんど知らされていなかったらしい。ただ一つわかっている事実は、神風で戦死した海軍航空兵ということだけだ。彼に関しては、母もまったく記憶がなかった。戦死したのは母が三歳のときだったが、そのずっと前から父親は戦地にいたという。

「どうして、その人のことを調べるの？」

ぼくはあえて「その人」と言った。ぼくにとって祖父は今のおじいちゃん一人だったし、今さら実の祖父に対して「おじいちゃん」という言葉を使うのには抵抗があった。

「お母さんがこの前ふと、死んだお父さんて、どんな人だったのかなって言ったのよ。私はお父さんのことを何も知らないって――」

「うん」と言いながら、ぼくはベッドから体を起こした。

「それを聞いた時、何とかしてあげたいと思ったの。お母さんの気持ちはわかるわ。だって実の父親なんだもん。もちろん、お母さんにとって、おじいちゃんは大切な人よ。おじいちゃんこそ本当のお父さんと思っているわ。でも、なんて言うのかな、その感情とは別に、本当のお父さんがどんな人だったのか、知りたいのよ」

「今頃になって？」

「多分、年を取ったせいもあるんじゃないかな」

「おじいちゃんはその人のこと何も知らないの？」

「知らないみたい。おばあちゃんも前の夫のことはおじいちゃんにほとんど話さなかったらしいから」

「ふーん」

ぼくは祖父が好きだった。司法試験を目指したのも弁護士である祖父の影響だ。祖父は国鉄職員だったが、三十歳を過ぎてから司法試験に合格して弁護士になった努力の人だ。もっとも早稲田大学の法学部出身だったからそれなりの学力はあったのだろう。祖父は貧しい人たちのために走り回る弁護士だった。使い古された言葉で言うなら清貧の弁護士だ。ぼくはその姿を見て弁護士を目指したのだ。

祖父は、ぼくが何度も司法試験を落ちた末にぶらぶらしていても、まったく怒らなかった。それどころか、相談に行った母に向かって「あの子は、いずれしっかりやるさ。心配ない」と言った。この言葉は母と姉をがっかりさせたようだ。

「ところで、その——祖父の調査に、何でぼくが必要なの？」

「私は忙しいし、これにかかりっきりになれないし。それにこれは健太郎にも関係することだしね。でも、タダで使うつもりはないわ。報酬は払うわよ」

ぼくは苦笑したが、やってみてもいいかなと思った。どうせ暇な身だ。

「でも、どうやって調べるの？」

「やる気になってくれた？」

「いや、調べる手がかりは何かあるのかなと思って――」

「何の手がかりもないわ。親戚がいるのかどうかも一切わからない。でも、本名がわかってるから、当時どんな部隊にいたのかくらいはわかるでしょう」

「まさか同じ隊にいた人を捜して、どんな人だったか聞けっていうんじゃないだろうね？」

「健太郎くん、頭いいわね」

「やめてくれよ――。第一、六十年も昔の話だよ。仮にその人のことを知ってる人がいたとしても、覚えているとは思えないな。それに、もうほとんど死んでるよ」

「あなたの本当のおじいさんのことなのよ」

「そうだけど――、別に特に知りたいとは思わない」

「私は知りたい！」姉は強い口調で言った。「私の本当のおじいさんがどんな人だったのか、とても興味があるわ。だってこれは自分のルーツなのよ。あなたのルーツでもあるのよ」

　そう言われても別に心は動かなかったが、姉の言葉を否定する気はなかった。

「どうするの。やるの、やらないの？」

「わかった。やるよ」

　ぼくにも祖父のことを知りたい気持ちはないわけではなかったが、姉の申し出を受けた本音は退屈しのぎに過ぎなかった。それにお金が入るのも有り難かった。

翌日、姉と渋谷で会った。昼ご飯を一緒に食べながら、話をしようということになったのだ。もちろん姉の奢《おご》りだ。入ったところはチェーン店のイタリア料理店だった。

姉は相変わらず化粧もほとんどせず、着古したジーパンを穿いていた。

「実は私、今度大きな仕事やらせてもらうかもしれないの。来年の終戦六十周年の新聞社のプロジェクトのスタッフに入れたのよ」

姉はちょっと誇らしげに言うと、大手新聞社の名前をあげた。

「へえ、すごいね。チンケな雑誌から一挙にレベルアップだね」

「チンケな、なんて言わないでよ」姉は口をとがらせた。

ぼくは謝った。

「それでね、うまくいけば本も出してくれるかもしれないの」

「本当なの？　どんな本？」

「戦争体験者の証言を集めた本よ。まだ出るかどうかわからないんだけどね。多分、共同執筆になると思うけど、とにかくそんな話があるのよ」

姉は目を輝かせて言った。なるほど、そういうことかと合点がいった。姉は祖父の調査で予行演習を兼ねようとしているのだ。祖父のことを知りたいという思いも、母のために調べてあげたいという気持ちも本心だろうが、それよりも今度の調査でライターとしての腕を上げたいという気持ちの方が強いのだろうと思った。これまで姉の口から死んだ祖父の話が出たことなど一度もなかったのだから。

正直に言うと、姉はジャーナリストには向いていないと思っていた。気は強いが、気を遣い過ぎる性格だから、おそらく取材対象者に嫌な質問や深く突っ込んだ質問は出来ないタイプだ。それに感情がすぐに表に出る性格もマイナスだろうと思っていた。こんなことはぼくに言われるまでもなく、姉自身も自覚していたはずだ。それだけに今度の終戦プロジェクトで、脱皮をはかって飛躍したいと思っているのだろう。

「ところで、祖父が特攻で死んだのは本当なの？」とぼくは聞いた。

「おじいちゃんはそう言っていたけど」

姉はパスタを巻きながら言った。それから他人事みたいに「身内にすごい人がいたのねえ」と言った。

ぼくもまた「本当だね」と他人事みたいに相槌《あいづち》を打った。

「でも、特攻隊ってテロリストらしいわよ」

「テロリスト？」

「これは仕事関係で会った新聞社の人の言葉だけど、神風特攻隊の人たちは今で言えば立派なテロリストだって。彼らのしたことはニューヨークの貿易センタービルに突っ込んだ人たちと同じということよ」

「特攻隊がテロリストというのは違うような気がするけど」

「そのへんは私もよくわからないけど、そういう見方もあるらしいわよ。その人に言わせると、時代と背景が全然違うから違って見えるけど、構造は同じだって。いずれも熱狂的愛国者で、殉教《じゆんきよう》的という共通項があるって言ってたわ」

大胆な意見だったが、姉の言葉には、なるほどと思わせるものがあった。

「これを話してくれた人はすごく優秀な人で、前は政治部の記者をしていた人なの。この前、一緒にご飯食べてる時に、祖父が特攻隊員だったって言ったら、特攻隊員の遺書を集めた本を貸してくれたの。そこには報国だとか忠孝だとかの文字がずらりと並んでいたわ。驚いたことに特攻隊員たちは死ぬことを全然怖れていないの。むしろ散華《さんげ》する喜びすら感じている文章もあった。それを読んだ時、ああ、日本にもこんな狂信的な愛国者が大勢いた時代があったのかと思った」

「そうなのか——。でも、ぼくのじいさんがテロリストだったなんて、ピンとこないな」

「イスラムの自爆テロリストの孫も六十年後にはそんなことを言ってるかもね」

姉はパスタを口に頬張《ほおば》りながら言った。それからごくごくと水を飲んだ。色気も何もなかった。弟のぼくが言うのも何だが、結構な美人なのに、およそ身だしなみや行動にかまうところはなかった。

「祖父は遺書を残したの？」

「残さなかったらしいわね」

「人生の形跡がまったくないんだね」

「だから、調べるんじゃない」

「で、ぼくは具体的に何をすればいいの？」

「おじいさんを知っている戦友たちを捜して欲しいの。私、今すごく忙しくて、なかなかそこまで手が回らないの。だから健太郎にリサーチ役をお願いしたのよ。前金を渡すから、頼むわね」

姉は早口でそう言うと、ハンドバッグから封筒を取り出してぼくに渡した。

「どうせ暇なんでしょう。調査は電話とファックスで何とか出来るでしょう。戦友さえ捜し当ててくれれば、その人たちに会ってのインタビューは私がするから」

ぼくは少しうんざりした気分で封筒を受け取った。

「ところで、祖父が生きていたら、何歳なの？」

姉はポケットから手帳を取り出してページを繰った。

「大正八年生まれよ。生きていたら、八十五歳ね」

「戦友に会うのは難しいかもしれないな。戦地に行った人たちは、あと数年でほとんど死に絶えることになるね」

「うーん」と姉は言った。「少し遅すぎたのかな」

引き受けると言ったものの、一週間以上何もしなかった。

しかし姉に何度も電話でせっつかれ、やっと重い腰を上げた。前金でお金を貰った以上、何もしないわけにはいかなかった。

祖父の軍歴は、厚生労働省に問い合わせてわかった。

「宮部久蔵《みやべきゅうぞう》、大正八年東京生まれ。昭和九年、海軍に入隊。昭和二十年、南西諸島沖で戦死」

一行で書けば、祖父の人生はそういうことだ。もちろん、その間を詳しく書こうと思えばいくらでも書ける。最初は海兵団に入り兵器員となり、次に操縦練習生となってパイロットとなり、昭和十二年に支那事変に参加、昭和十六年に空母に乗り真珠湾攻撃に参加、その後は南方の島々を転戦し、二十年に内地に戻り、終戦の数日前に神風特別攻撃隊員として戦死。

彼は十五歳から二十六歳までの十一年間、まさに人生で最高の時を軍隊に捧げ、後半の八年間はずっとパイロットとして戦い続けてきた。そのあげくに特攻で死に追いやられたのだ。しかも不運なのは、あと数日早く戦争が終われば助かっていたことだ。

「生まれた時代が悪かったんだなあ。久蔵さんよ」

と、ぼくは思わず呟《つぶや》いた。

私生活では、昭和十六年に祖母と結婚している。母が生まれたのは十七年だ。結婚生活はわずかに四年、しかもその間はほとんど戦地にいたのだ。内地に帰っても、実際どれくらいの期間一緒に暮らせたのかはわからない。祖母がおじいちゃんに前の夫のことを語らなかったのも、隠していたのではなく、語るべきものが何もなかったのかもしれない。

軍隊の履歴を並べても祖父の人間性は何も出てこない。祖父がどんな人だったかを知るには、彼を覚えている人物に当たらないことにはどうにもならない。八十歳を超える当時の戦友たちもほとんど亡くなっているだろう。

ちょっと遅すぎたかな、と姉と同じ言葉を心の中で呟いた。しかし見方を変えれば、今が間に合う最後の時かもしれないと思った。

厚生労働省から旧海軍関係者の集まりである「水交会」の存在を教えてもらい、そこに問い合わせていくつかの戦友会を教えてもらった。

戦友会は海兵団の同期組のものもあれば、航空隊や航空母艦が一緒だった隊員の集まりもあった。ただ戦友会も会員の高齢化に伴い、この数年、多くの会が解散しているということだ。今まさに戦争経験者が歴史の舞台から消えようとしているのだった。

教えてもらった戦友会の中に祖父のことを知っている人たちがどれだけいるかだが、いたとしても六十年前のことなどどれだけ覚えていられるものだろう。ぼくが六十年後、現在の友人のことを聞かれて、はたしてどんな記憶を甦《よみがえ》らせることが出来るだろうか。

しかしそんなことを考えていても何も始まらない。ぼくは戦友会に手当たり次第に手紙を書いて、祖父のことを知っている人物がいるかどうかを尋ねた。

二週間後、ある戦友会から返事が届いた。返事をくれたのは戦友会の幹事をしている人で、祖父と同じラバウルでパイロットだった人がいるという知らせだった。大変な達筆で書かれていた上に、知らない漢字まである。全部は読めず、その手紙を持って姉と会った。

姉は仕事で忙しいらしく、ようやく会えたのは、深夜のファミレスだった。

文学部出身の姉も「達筆」の判読には苦労したようだった。

「六十年も世代が違うと字も読めなくなるんだなあ」

ぼくは手紙と睨《にら》めっこしている姉を見ながら、自分のことは棚に上げて言った。

「私たちは新字しか知らないし、正字を全然習ってないからね。中には元の字と似ても似つかない字もあるわ。たとえばこの字――」

姉は手紙の一字を指さした。「これ読める？」

読めなかった。

「私はたまたま知ってたから読めた。これは連合艦隊よ」

「これが『連』か。全然、違う字じゃないか。しんにゅうが耳偏だし、つくりも全然違う」

姉は笑った。

「それに、この手紙は草書で書かれているから、読むのに苦労したわ」

ぼくはため息をついた。「なんか、全然違う人種を相手にしてる気分だよ」

「同じ日本人よ。おじいちゃんが違う人種に見える？　あ、これは今生きてる方のおじいちゃんよ」

「ぼくだって、おじいちゃんを違う人種とは思わないよ。でも、身内以外の八十過ぎの老人は、ぼくにとっては別人種に近いよ」

姉は手紙をテーブルに置くと、アイスコーヒーを飲みながら言った。

「向こうもそう思ってるかもね」

そんな人たちを相手にしていくのかと思うと、少々気が重くなった。

第二章　臆病者

元海軍少尉、長谷川梅男の家は埼玉県の郊外にあった。長谷川の旧姓は石岡《いしおか》だったから、戦後、養子にでも行ったのかもしれない。

東京から一時間、降り立った駅の周辺は一応、町の形をしていたが、少し歩くと風景は一変して田圃だらけになった。太陽は頭の真上にある。雲一つない。七月に入ったばかりというのに日差しはきつく、虫の声がやたらやかましかった。

都会の暑さとはまた違う刺すような日差しだった。本物の夏、という感じがした。

「暑いな」

ぼくは隣を歩く姉に言った。

「私は結構楽しいよ」

答えになってないと思った。何かいらいらしてきた。

姉は、インタビューは自分がすると言ってたのに、直前になってぼくについて来てくれと言い出したのだ。「最初だけ、お願い」と姉に強く頼まれると、ついつい断れずに了承してしまったのだが、暑い田舎道を歩きながら大いに後悔した。

「ところで、戦争のことについて、ちょっとは勉強したの?」

「そんな暇ないわよ」と姉は言った。

「それに、余計な先入観を持たないでインタビューしたいしね」

相変わらず勝手なことを言うと思ったが、黙っていた。

駅から三十分は歩いただろうか、全身が汗でびっしょりになった。さすがの姉も途中からほとんど喋《しゃべ》らなくなった。


教えられた住所を頼りにして着いた家は、小さな農家だった。

平屋で、築五十年くらいは経っている感じだった。周囲は畑で、玄関前の空き地には軽トラックが置いてあった。どちらかというとみすぼらしい家だった。元海軍少尉という肩書きから、立派な家を想像していたぼくは、少し肩すかしを喰らった気分だった。姉を見ると、彼女もまた家を観察するようにしげしげと眺めていた。

ぼくはガラス戸の横についていた呼び鈴のボタンを押したが、いくら待っても何の応答もなかった。どうやら壊れているようだった。

ガラス戸越しに声をかけた。すぐに中から、どうぞ、という張りのある大きな声が返ってきた。

玄関を入ると、やせ細った老人が立っていた。その姿を見た時、どきっとした。老人の着ていた青い開襟シャツの左半袖《そで》部分からは先に腕がなかったからだ。それが長谷川だった。

玄関横の応接室に通された。なにかとってつけたような部屋で、狭い四畳半くらいの部屋の中に、木製のテーブルが置かれてあった。壁には複製の絵が掛けられ、天井には安っぽいシャンデリアが下げられていた。ただ部屋の中は恐ろしく暑かった。多分、プレハブで応接室を増築したのだろう。部屋に入った途端、体中から汗が噴き出したが、クーラーをつけてくれとは言えなかった。

長谷川は白髪をオールバックにして、口髭《ひげ》を生やしていた。人を値踏みするような細い目つきでぼくたちを見た。

姉は、黙っている長谷川に、あらためて今回の訪問の目的を話した。すなわち自分たちの祖父である宮部久蔵がどんな人だったかを知りたいということをだ。

その間、長谷川はぼくたちの顔を交互に見つめていた。部屋の暑さで汗がどんどん出てきた。

「手紙には男性の名前が書かれていたが？」

長谷川は聞いた。

「連絡は弟に任せていましたから」と姉は説明した。

長谷川は納得したように頷《うなず》いた。それからもう一度二人の顔をじっと見つめた。

「あのう」と姉が口を開いた。「長谷川さんは祖父をご存じだとか？」

「知っている」長谷川は間髪入れずに言った。「奴は海軍航空隊一の臆病《おくびょう》者だった」

ぼくは、えっ、と思った。

「宮部久蔵は何よりも命を惜しむ男だった」

姉の顔がさっと赤くなった。ぼくはテーブルの下で姉の膝《ひざ》に手を当てた。姉は、大丈夫というふうにぼくの手を押さえた。

姉は努めて冷静な声で聞いた。

「それはどういうことなのでしょう」

「どういうことなのでしょう？」

長谷川は姉の言葉を繰り返した。

「そのものずばり、命が惜しくて惜しくてたまらないという男だった。我々飛行機乗りは、命は国に預けていた。わしは戦闘機乗りになった時から命は自分のものとは思っていなかった。絶対に畳の上では死なないと思っていた。なら、考えることはただ一つ、だ。どう死ぬか、だ」

長谷川は言いながら、右手で左肩を触った。腕のない左袖が揺れた。

「わしはいつでも死ねる覚悟が出来ていた。どんな戦場にあっても、命が惜しいと思ったことはない。しかし宮部久蔵という男はそうではなかった。奴はいつも逃げ回っていた。勝つことよりも己の命が助かることが奴の一番の望みだった」

「命が大切というのは、自然な感情だと思いますが？」

長谷川はじろりと姉を睨《にら》んだ。

「それは女の感情だ」

「どういう意味でしょう？」

ぼくは小さな声で、姉さん、と言った。しかし彼女は聞こえないふりをした。

「男も女も同じだと思います。自分の命を大切にするというのは当たり前のことじゃないですか」

「それはね、お嬢さん。平和な時代の考え方だよ。我々は日本という国が滅ぶかどうかという戦いをしていたんだ。たとえわしが死んでも、それで国が残ればいい、と。ところが宮部という男は違った。あいつは戦場から逃げ回っていたんだ」

「それって素晴らしい考えだと思いますけど」

「素晴らしいだと！」長谷川は声を上げた。「戦争で逃げ回る兵隊がいたら戦いになるか」

「みんながそういう考え方であれば、戦争なんか起きないと思います」

長谷川はぽかんと口を開けた。

「あんたは学校で何を習ってきたんだ。世界の歴史を学ばなかったのか。人類の歴史は戦争の歴史だ。もちろん戦争は悪だ。最大の悪だろう。そんなことは誰もがわかっている。だが誰も戦争をなくせない」

「戦争は必要悪って言いたいのですか？」

「今ここで戦争が必要悪であるかどうかをあんたと議論しても無意味だ。そんなものはあんたが会社に戻って、上司や同僚と思う存分やれ。それで戦争をなくす方法が見つかれば、本にでもすればいい。世界の首脳たちに贈れば、明日にでも戦争はなくなるだろうよ。なんなら、今も紛争を続けている地域にでも行って、みんなで逃げ回れば紛争はなくなります、と説いて回ればいい」

姉は唇を嚙《か》んだ。

「いいか。戦場は戦うところだ。逃げるところじゃない。あの戦争が侵略戦争だったか、自衛のための戦争だったかは、わしたち兵士にとっては関係ない。戦場に出れば、目の前の敵を討つ。それが兵士の務めだ。和平や停戦は政治家の仕事だ。違うか」

長谷川は言いながらまた右手で腕のない左肩を触った。

「宮部はいつも戦場から逃げ回っていた」

姉は答えなかった。

「祖父のことが嫌いだったのですね」とぼくは聞いた。

長谷川はぼくの方を見た。

「わしが宮部を臆病者と言うのは、奴が飛行機乗りだったからだ。奴が赤紙で召集された兵隊なら、命が惜しいと言ったところで何も言わん。だが奴は志願兵だった。自ら軍人になりたいと望んでなった航空兵だ。それゆえわしは奴が許せん。こんなわしの話が聞きたいか」

黙っている姉の代わりに、ぼくが「お願いします」と言った。

長谷川は鼻をふんと鳴らした。

ぼくはボイスレコーダーを使っていいかを尋ねた。長谷川はかまわんと言った。ぼくがボイスレコーダーのスイッチを入れると、長谷川は言った。

「よかろう。では、話そう」

わしが海軍に入ったのは昭和十一年の春だ。わしは埼玉県の農家に生まれた。八人兄弟の六番目だ。家は小作農だった。生きていくのが精一杯の、いわゆる水呑み百姓だ。

まあ聞け。軍隊と飛行機乗りのことを知らなければ、わしがなぜ奴のことが嫌いなのかも理解出来ないだろう。

わしは尋常《じんじょう》小学校の時から勉強が出来た。自慢ではないが、ずっと首席だった。しかし高等小学校に行かせてもらうのが精一杯で、中学には進めなかった。その頃の村の子供たちはほとんどがそうだった。中学へ進んだのは庄屋の倅《せがれ》ぐらいなもんさ。先生は「こんな優秀な子が中学へ進めないのは惜しい」と父に言ってくれたが、どうしようもないことだ。わしの三人の兄も優秀だったが誰も中学には行っていない。

高等小学校を卒業すると、口減らしのために奉公に出された。奉公先は大阪の豆腐屋だった。仕事は辛かった。朝が早くて、夜が遅かった。冬の辛さと言ったらなかった。冷たい水に手を浸《つ》け続けていると、指の感覚がなくなってくる。わしはしもやけになりやすいタチで、冬の間はずっと悩まされた。指が赤黒く変色し、皮が破れて、血が出た。それが治りきらないうちに、別の皮が破れた。その指を冷たい水に浸ける時は、激痛が走った。

わしは何度も泣いた。しかし主人は厳しい男だった。しもやけなど出来るのは甘ったれた性格だからと言われた。俺は何十年もこの仕事をやっているが、一度もしもやけになったことがない、と。

主人には何度も殴られた。今にして思えば、あれは一種の病気だったたな。残忍な性格だった。人を殴るのが好きだったのだ。まるでわしを雇ったのは殴るためかと思うくらいに毎日殴られた。泣いているだけで殴られた。

奉公に出る時の夜間中学に通わせてやるという約束もすぐに反故《ほご》にされた。しかし耐えるしかなかった。逃げて帰るところはどこにもなかったからだ。二年後、わしは六尺近くになっていた。体重も二十貫近くになっていた。

主人はその変化に気がついていなかったようだ。ある日、虫の居所が悪かったらしく、いつものようにわしを殴りつけた。わしに非はなかった。わしは怒り、生まれて初めて主人を殴った。主人は怒り狂った。殺してやると、棍棒《こんぼう》で殴りかかってきた。わしは棍棒を取り上げて、逆にそれで打った。主人は急に泣きながら謝った。許してくれと何度も言いながら、土下座した。主人の嬶《かかあ》も飛んで来て、許してやってくれと頼んだ。今までわしが散々殴られていても、一度も止めなかった女が、亭主が殴られるのを見ただけで、泣きながら止めるのだ。それを見た途端、これまで以上に激しい怒りを覚えた。こんな奴らにわしは何度も殴られていたのか。わしは女を蹴り倒すと、主人を棍棒で何度も殴りつけた。主人は泣きながら許してくれと叫んでいたが、そのうちに気を失った。

わしは店を飛び出し、駅に向かった。帰るところは故郷《くに》しかなかった。しかし始発電車が来る前に警察に捕まった。未成年と言うことで、刑務所に入れられることはなかったが、警官には気絶するほど殴られた。

もう行くところは軍隊しかなかった。わしは海軍を志願して、入隊が認められた。海軍では巡洋艦の機関兵になった。そこでも毎日殴られた。いったい日本の軍隊ほど人を殴るところはないだろう。陸軍もひどいというが、海軍はそれ以上だったという話だ。なぜなら陸軍の兵隊は鉄砲を持っているからだ。いざ前線に出ると、弾は前から飛んで来るとは限らない。あまりに恨みを買うと、戦場で後ろから撃たれるということもあったらしい。それで殴る時も陸軍ではほどほどのところでやめたということだ。しかし海軍の兵隊は銃を持っていない。それで海軍では上官が兵隊を思う存分殴れたという。嘘か本当かは知らん。しかし散々に殴られたことはたしかだ。

海軍に入って三年目、航空兵を募集していることを知った。わしは航空兵になることを夢見て、必死で勉強した。艦隊での勤務が終わって、わずかな自由時間に勉強した。

試験は合格した。たいそうな競争率だったと聞いている。我ながらたいしたものだと思う。

こうしてわしは操縦練習生となった。いわゆる海軍の伝統の操練だ。そう言えば、宮部の奴も操練出身だったな。奴はわしよりも何期か上だ。

霞ヶ浦航空隊での訓練は厳しかった。しかしそれまでの艦隊勤務に比べたら、何ほどのものではなかった。それにわしは飛行機に惚《ほ》れ込んだ。飛行訓練のすべてが好きになった。

小学校を卒業して以来、生まれて初めて生きる喜びを味わった。わしの生きるところはここだと思った。当時、飛行機乗りになるということは、命を捨てる覚悟が必要だった。飛行機乗りはいざ戦争になったら、常に敵地深く攻め込み、敵と正面から戦う。あるいは我が軍まで深く攻め込んで来る敵と戦う。そうでなくとも飛行機は常に死と隣り合わせだ。当時の飛行機は信頼性が高くない。故障は珍しくなかったし、事実、訓練中にも尊い犠牲は少なくなかった。しかしわしは怖いと思ったことはない。わしらは平時の安全飛行の訓練をしているのではない。ぎりぎりの場での命のやりとりをする訓練をしているのだ。

自分のすべてを飛行機に懸《か》けようと決めた。大袈裟ではなく全身全霊で訓練に打ち込んだ。

練習生の多くもわしと同じ気持ちだったと思う。皆訓練には必死で取り組んだ。文字通り死に物狂いだった。なぜなら練習生が全員、操縦員になれるとは限らないからだ。適性を見て、操縦員に不適となれば、爆撃機や攻撃機の偵察員や通信員になる。操縦員になれなかった奴らは泣いた。

その操縦員も更に技量と適性を見て、戦闘機と爆撃機と攻撃機に分けられる。最も優秀な練習生が戦闘機の搭乗員になる。わしは戦闘機乗りに選ばれた。

操練を卒業すると、中国の漢口《かんこう》に配属になった。昭和十六年の初めだ。中国では最初九六《きゅうろく》式艦上戦闘機に乗っていた。零戦ほどではないが、これはいい戦闘機だった。わしは九六艦戦で中国機を何機も墜とした。

その年の暮れ、大東亜戦争が始まった。真珠湾攻撃のことを知った時、地団駄を踏んだ。

わしの夢は第一航空艦隊の空母「赤城《あかぎ》」に乗ることだったんだ。母艦搭乗員になって米国と戦いたかった。もし「赤城」に乗れたら死んでもいいと思っていた。

しかしその願いはかなえられなかった。飛行機は九六艦戦から零戦に変わったが、空母への転属命令は来ず、来る日も来る日も中国空軍と戦った。ただし、その頃には中国空軍は零戦との戦いを徹底的に避けるようになっていたから、零戦での撃墜の機会はついになかった。

年が明けて三月、わしは第三航空隊に転属となり、ボルネオへ行った。前年にフィリピンの米軍基地を台南航空隊が撃滅してから、日本軍はまさに破竹の進撃で、東南アジアから蘭印《らんいん》を次々に支配下に置いていった。まさに向かうところ敵なしといった状況だった。

わしらも日本軍の侵攻に合わせて、ボルネオ、セレベス、スマトラ、ジャワへと進出した。ジャワはどこへ行っても色の黒い先住民がいた。男も女も裸同然の恰好で、「冒険ダン吉」の世界だと思った。あいつらはわしらを不思議そうに見ていたな。

最終的に行き着いたのはチモール島のクーパンという基地だ。そこがオーストラリアのダーウィン攻略の拠点となった。

そこでわしは生まれて初めて米英の戦闘機と戦った。初陣でＰ40を墜とした。米英機は中国空軍とは違うぞと言われていたので警戒していたが、たいしたことはなかった。

わしはあらためて零戦のすごさを知らされた。あれは本当に素晴らしい戦闘機だった。米英機も、零戦にはまったく歯が立たなかった。格闘戦で旋回戦に入ると、苦もなく後ろにつくことが出来た。二十ミリ機銃を撃つと、敵機は吹っ飛んだ。Ｐ39、Ｐ40、ハリケーン、欧州でドイツ空軍を苦しめたというイギリスのスピットファイアとも戦った。どれも零戦の敵ではなかった。

零戦はまさに戦いの申し子のような飛行機だった。出撃のたびに、多くの敵機を屠《ほふ》った。部隊として百機以上は撃墜しただろう。その間、我が方の損害は十機もなかったはずだ。わしも五機撃墜した。

わしはいつも敵戦闘機にとことん肉薄して弾を撃ち込んだ。「石岡の体当たり戦法」と仲間内で呼ばれていた。その頃のわしの名前は石岡だ。

弾というものはなかなか当たるものではない。訓練では百メートルの距離で撃てと教えられていたが、実戦になると、たいていの者は恐怖心から二百メートル以上離れている距離から撃ち出す。これでは当たらない。わしはいつも五十メートル以内に近寄って撃つ。それくらい近づくと敵機は照準器から大きくはみ出る。だからわしは発射レバーを引いて外したことは滅多にない。

それにしても実戦に勝る訓練はない。その頃、わしらの技量はかなりのものだった。母艦搭乗員は優秀と言われていたが、わしらとは実戦での経験数がまったく違う。空母に配属になった時には高い技量を持っていただろうが、所詮《しょせん》は発着艦の上手《うま》さや模擬空戦の上手さに過ぎない。

模擬空戦がいかに強くとも、それは実戦ではない。命のやりとりを毎日繰り返した者とそうでない者の差はとてつもなく大きい。喩《たと》えてみれば、道場剣法と実戦剣法の差だ。竹刀《しない》での打ち合いが強くとも、真剣で勝てるとは限らない。むしろ何度も人を斬った者の方が強い。わしは母艦搭乗員よりも腕があるという自負を持っていた。

わしがラバウルに配属になったのは、昭和十七年の秋だった。

その年の夏に始まったガダルカナルの攻防戦で、三空の一部がラバウルに進出したのだ。わしらは台南《たいなん》航空隊の指揮下に入った。

ガダルカナルは厳しい戦場だった。ラバウルから長駆《ちょうく》千キロを飛んで行くのだが、これまでこんな距離を侵攻したことはない。何しろ片道三時間だ。それに敵戦闘機はポートダーウィンの奴等よりはるかに骨があった。出撃初日で、わしと共にラバウルに来た三空のベテランが二人未帰還になった。

こいつはえらいところに来たぞ、と思った。

出撃はほぼ毎日あった。そのたびに多くの未帰還機が出た。こんなことはクーパンではあまりなかった。しかしラバウルの連中は別に驚きもしない。ここではこれが当たり前なのだった。帰投した飛行機もたいてい銃弾を受けていた。無傷で帰って来るなどということは少なかった。

だが、そんな戦場でも宮部はいつもまったくの無傷で帰って来た。出撃した半数近くがやられるような激しい戦いでも、奴はしれっとした顔で帰って来たし、その機体も出撃の時と同じきれいなままだった。奴が率いていた列機もたいていは無傷で帰って来た。

腕があると言いたいのだろう。だが、それは違う。

わしはラバウルの古参搭乗員に、なぜ宮部がいつも無傷なのかを聞いた。腕があるのか、と。すると、そいつは苦笑いしながら言った。
「あいつは逃げるのが上手いからなあ」

いいか、空の戦場は地面の上とはまったく違う。一旦敵味方の飛行機が入り乱れて乱戦になると、もうどいつが敵か味方かもわからない。ある意味、平地の戦場よりも恐ろしい。空の上では塹壕《ざんごう》などというものもない。全部がむき出しだ。敵は前後左右どころか、上下にもいるのだ。目の前を敵が逃げていく。それを追う。しかしその後ろから敵が追う。そしてその敵をさらに味方が追う。さらにその後ろには、今度は味方がそれを追う。敵側と味方側に別れての戦いとは根本的に違う。

そしてわしは見た。

あれはたしか九月の半ばだった。ガダルカナル上空で、待ちかまえていた敵戦闘機と乱戦になった。敵はグラマンＦ４Ｆだった。ずんぐりむっくりした頑丈な奴だ。こいつは零戦のような軽快性はないが、その代わりめっぽう打たれ強かった。

わしは列機とはぐれ、二機のグラマンにつかれた。二機のグラマンは上手い追尾を見せた。わしが一機のグラマンの後方につくと、すぐにもう一機がわしの後方についた。それを振り切って、その機の後ろにつくと、今度は先程の一機がわしの後方につく。我々も編隊戦闘では、互いに列機の死角を補うように戦うのが決まりだったが、こうまで徹底してはいなかった。おそらく無線性能の違いだろう。当時の我々の無線ときたらまったくお粗末なもので、雑音ばかりで何も聞き取れなかった。わしなどは操縦席から無線機を外し、アンテナをのこぎりで切り落としていたくらいだ。無用の長物の無線機の重量を減らしたかったし、アンテナのわずかな空気抵抗さえも惜しかったのだ。

しかし零戦の性能は一対二くらいで不利になるほどのものではない。わしは何度目かにグラマンに後ろにつかれた時、慌てて逃げるフリをして、わしが標的にしていたもう一機のグラマンの前に飛び出した。瞬間的に二機のグラマンに同時に追われる形にしたのだ。二機のグラマンは同時にわしを追った。わしはこの時を待っていた。

操縦桿を思い切り引いて、宙返りに持ち込んだ。二機は同時に宙返りでわしを追った。それが命取りだった。零戦に宙返りで勝てる飛行機はない。零戦の旋回半径の短さは桁《けた》外れだ。それは敵も知っていたはずだが、目の前のチャンスに一瞬それを忘れたのだ。一回の旋回で、一機の後方にぴたりとつけた。一連射でグラマンは火を噴いた。もう一機は全速急降下で逃げた。追おうとしたが、宙返りで速度を失っていたから、あきらめた。

その時、わしは戦場から大きく離れているのに気がついた。飛行機というものは旋回を繰り返すと、高度を大きく下げる。わしは二機のグラマンと戦っているあいだに、二千メートルくらい高度を下げていたのだ。上空では、まだ多くの飛行機が入り乱れて戦っている。わしは再び戦場に戻るために、機首を上げた。その時、ふと上空を見ると、戦場からはるか離れたところに、三機の零戦がゆうゆうと飛んでいるのが見えた。それが宮部の小隊だった。

奴は二機の列機を連れていち早く戦場を離れ、高みの見物をしていたのだ。もちろん証拠はない。わしと同じようにたまたま戦場から離れたところだったのかもしれん。しかしそうではないと思っている。これはわしの確信だ。

──なぜか、だと。奴は、大変な臆病者だったからだ。

奴は飛行中もとにかく偏執的に見張りを欠かさない男だった。飛行機乗りにとって見張りほど重要なものはない。一流と呼ばれる奴はみんな目が良かった。見張りを欠かさず、必ず先に敵を見つけていた。ところが、奴の見張りは度を越していた。とにかく飛んでいる間、ずっと周囲をきょろきょろ見張ってばかりいた。これには皆呆《あき》れていた。あいつはよほどの怖がりだと陰口を叩く奴は何人もいた。音に聞こえたラバウル航空隊にこんな搭乗員がいたとは驚いた。

ラバウルは搭乗員の墓場と呼ばれていた。そんなところで奴は生き残り続けた。ふん、そりゃあ生き残るだろう。戦場から逃げてばかりいれば、死ぬことはないからな。

奴の「お命大事」は隊でも物笑いの種だった。奴の「名言」を知らない者はない。「生きて帰りたい」だ。どこで漏らしたのかは知らん。しかし噂になっていたほどだから、何度も吐いた言葉だったのだろう。

帝国海軍軍人なら、絶対に言わない言葉だ。まして航空兵なら死んでも口にしてはならない言葉だ。わしらは赤紙で召集された兵隊ではない。自ら海軍に入り、自ら航空兵を志願したのだ。そんな男が「生きて帰りたい」だと。もしわしがそれを聞いたなら、その場で殴っていただろう。当時、奴は一飛曹で、わしは三飛曹だった。もちろん上官を殴るのだから禁固刑は覚悟の上だ。

何度も言うが、わしらは飛行機乗りだ。飛行機乗りにとっては、「死」ほど身近なものはない。操縦練習生の時から、「死」は常に隣り合わせにあった。旋回訓練や急降下訓練で死んだ同期は何人もいる。零戦が生まれた時も、何人ものテストパイロットが殉職したと聞いている。

それなのに、戦場にあって、「生きて帰りたい」だと――。

毎日のように戦友が未帰還になり、それでも皆が必死で戦っている中で、自分一人が助かりたいとは、どういう神経だ。

まだあるぞ。宮部の臆病ぶりを示す話だ。落下傘だ。

とがある。

奴はいつも落下傘の点検を怠らなかった。わしは一度、そのことで皮肉を言ったこ

「宮部一飛曹、落下傘でどこに降りられるつもりですか」

奴はわしの皮肉に笑って答えた。

「落下傘は大切なものです。自分は列機にもきちんと落下傘をつけさせます」

不思議そうな顔をしているな。落下傘は必需品じゃないかと言うのだろう。それは

とんでもない間違いだ。我々が戦っているのは広大な太平洋の上だ。それも戦場はた

いてい敵地上空だ。落下傘で脱出しても、敵兵に殺されるのがオチだ。また敵地から

の帰途、飛行機がだめになって脱出しても、海の上だ。溺れ死ぬか、鱶《ふか》の餌《えさ》になるの

が関の山だ。

当時、我々戦闘機乗りたちは誰もまともな落下傘なんか持っていなかった。尾籠《びろう》な

話で申し訳ないが、わしらは落下傘の中に小便をしていた。搭乗員は飛行機の中に何

時間もいる。途中で催しても、陸地と違い、道ばたで立ち小便というわけにもいかな

い。実は小便用の紙袋というのがあったのだが、飛行機を操縦しながら、自分の一物

を引っ張り出して、そんな袋に器用に入れるというのは、おそろしく面倒くさい。小

便中にもいつ敵が襲って来るかわからない。むしろそんなものに気を取られている時

が一番危ない。しかも済ませた後、今度はそれをうまく機外に放り出さないといけな

い。風防を少しだけ開けて、中身だけ捨てるのだが、下手《へた》をすると、風を喰らってまともに小便を浴びることになる。小便をかぶったことのない戦闘機乗りはいないだろう。で、どうするかと言えば、落下傘の中にしてしまうのだ。股の間に落下傘を挟んで、少しずつ染み込ませていくのだ。ラバウルの戦闘機乗りたちはほとんどみんなそうしていたはずだ。だからどの落下傘もすさまじい臭いがした。中はいったいどうなっていたのか——想像してみる気もしなかったがな。

確かに戦争末期の本土防空での戦いでは、多くの搭乗員が落下傘をつけていた。これは落下傘脱出して降り立ったところは日本の地だからだ。それに侵攻戦ではないから何時間も空の上にいるわけではない。小便で苦労することもないということだ。

しかし宮部はラバウルでも必ず落下傘を用意していた。それも万が一に備えて、定期的に広げて点検までする念の入れようだ。奴が落下傘を利用する機会があれば良かったのにと思う。

ある日、わしは落下傘を折り畳んでいる宮部に言った。

「そこまで丁寧に点検していれば、万に一つも開かないということはないでしょうね」

奴は皮肉に気がつかなかったのか、さらりと答えたよ。

「そんな機会がないように願いたいものです」

わしは返す言葉がなかったよ。

そうだ——落下傘のことで思い出したことがある。

奴は落下傘で降下中の米兵を撃ち殺したのだ。場所はガダルカナルだ。奴自身が空戦で墜としたグラマンから落下傘脱出した搭乗員を機銃で撃ち殺したのだ。有名な話だ。わしは直接は見ていない。しかしこの時一緒にいた連中から聞いた話だ。目撃者は何人もいた。

その話を聞いた時は虫唾《むしず》が走った。海軍軍人の風上にも置けない奴と思った。

空戦は敵機を撃墜した時点で勝負はついている。米搭乗員は確かに敵だが、既に乗機を失って落下傘で逃げるだけの男を殺す必要があるのか。戦場にも武士の情けというものがあるだろう。奴のしたことは、戦場で武器をなくして戦えなくなって倒れている男を斬ったのと同じことだ。わしはその話を聞いて、宮部という男が心底嫌になった。わしと同じように思っていた奴は少なくなかったはずだ。

わしも空戦以外の機銃掃射をしたことはある。しかしいずれも高射砲台や艦船相手の銃撃で、丸腰の人間を撃ったことは一度もない。それは卑怯者のすることだと思う。

わかるか、奴はそういう男なのだ。危険な戦場からはいつも逃げ回るくせに、無抵抗の人間を平気で撃ち殺す男なのだ。いや、そういう男だからこそ、そんな行為が出来るのかもしれんな。

わしは戦闘機乗りになった時から、立派に戦って立派に死のうと思った。どのみち命はないものと思っていた。だから死ぬ時も勇敢で男らしくありたかった。空戦でも逃げたことはない。それがわしの勲章だ。実際に勲章は貰わなかったが、それだけはわしの誇りだ。

わしは空戦で片腕を失った。ガダルカナルの戦場だ。あれは十七年の十月だった。その日、わしは中攻の直掩機だった。中攻というのは海軍の一式陸攻という中型攻撃機の略称だ。攻撃機は速度が遅い。敵戦闘機に狙われればひとたまりもない。それで中攻には必ず零戦が護衛についた。零戦というのは、本来は護衛戦闘機なのだ。

その日の中攻の目標はガダルカナルの敵輸送船団だった。中攻は十二機、零戦も十二機だった。その中には宮部の奴もいた。

ガダルカナル上空では敵戦闘機が待ちかまえていた。その日の米軍の邀撃《ようげき》は激しかった。「ようげき」というのは迎撃のことだ。帝国海軍では邀撃といった。敵機は四十機以上いたのではないか。わしらは中攻を守りながら、グラマンと戦った。

わしらは懸命に中攻を守ったが、敵は零戦との格闘を避け、中攻ばかりを狙ってきた。敵機を追いかけると、別の奴が中攻に襲いかかる。中攻は次々に火を噴いて、墜ちていった。まるでオオカミの群を相手にするようなものだった。

直掩任務は何よりも中攻を守ることが最優先とされた。敵機を撃墜するよりも中攻を撃墜されないことが大事だった。敵を深追いして中攻から離れた隙《すき》を狙われれば、中攻はやられる。中攻には七人が乗っているし、何よりも敵飛行場を叩くための爆弾を抱えている。中攻の搭乗員はその一撃のために命を懸《か》けている。直掩隊は、自らの身を挺《てい》してでも中攻を守れと言われていた。それがわしらの任務だった。

中攻隊が爆撃針路に入ろうとした時、一瞬、編隊の上に隙が出来た。そこにグラマンが二機襲いかかった。わしは間に合わんと見て咄嗟《とっさ》に中攻隊と敵戦闘機の間に機をすべり込ませた。考えての行動ではない。援護機としての本能的なものだ。

次の瞬間、わしは頭上から撃たれた。風防が吹き飛び、頭に衝撃を受け一瞬目の前が真っ暗になった。しかしすぐに意識を取り戻して、後ろを見た。中攻は無事だった。

その時、わしは左腕がひどく痛むのに気がついた。見ると、肩から下が血で真っ赤だ。わしは一旦空戦域から避退して飛行機を調べた。翼も胴体も穴だらけだったが、幸運なことに燃料タンクと発動機は被弾していなかった。

空襲が終わり、わしはほとんど片腕でラバウルに帰り着いた。途中、痛みと貧血で何度も気を失いかけたが、懸命に飛んだ。その日、中攻は六機が未帰還。零戦も三機が未帰還だった。きつい戦いだった。帰還した零戦もほとんどが機体に弾痕《だんこん》があった。

後に知ったが、この時も宮部の機体にはただの一発も機銃痕《きじゅうこん》はなかったという。これほど厳しい戦場でも、奴はまったくの無傷だったのだ。その日はたしか奴も直掩隊だった。わしらが懸命に戦っている間、奴はどこにいたのだ。わしが左腕を撃たれている間どこを飛んでいたのだ。

結局左腕を失うことになった。内地にいれば、あるいは切断しなくて済んだかもしれん。

わしがラバウルにいたのは二ヵ月足らずだ。これが長いのか短いのかはわからん。戦闘機乗りとして生きたのは正味一年半だった。

わしの戦後の人生は苦難の連続だった。

国に命を捧げて片腕を失ったわしに世間は冷たかった。少尉になって除隊していたが、そんな肩書きは戦後の社会で何も通用しない。それに終戦後に進級した所謂《いわゆる》「ポツダム少尉」だ。片腕の男にやる仕事はなかった。若い頃、口減らしのために田舎を放り出されたのに、結局、ここに舞い戻るハメになってしまった。

それでも世話をする人がいて、嫁を貰った。まあ、正確には入り婿《むこ》だから嫁を貰ったというのは正しくないかもしれんが。もし腕を失わなかったら、もっといい人生が待っていただろう。いや、腕を失わなかったら、大空で死んでいたかもしれんな。それでもよかった。わしは死ぬことは少しも怖れていなかった。こんな田舎で土にまみれて惨めに生きるより、男なら華々しく散る方が素晴らしくはないか――。

この年になって、つくづくと思う。わしも特攻で死にたかった。五体満足であれば必ず志願していただろう。

わしが腕を失った三年後、宮部は特攻で死んだ。おそらく奴は志願はしなかっただろう。命令でいやいやながら特攻に行かされたに違いない。命を投げ出して戦った者がこうして命を長らえて、あれほど命を大事にして助かりたかった男が死んだ。

これが人生の皮肉でないとしたら何だ。

六時を過ぎていたが、陽はまだ明るかった。

駅までの帰路、ぼくの足取りは重かった。それは姉も同じだったろう。姉の顔は険しかった。

姉のハンドバッグの中には長谷川の声が入ったボイスレコーダーがあったが、はたして姉がもう一度聞き直す気があるのかは疑問だった。

不快な対談だった。いや、対談などではない。長谷川が一方的に語っているだけだった。

彼は話せば話すほど、祖父に対する憎しみを思い返すようで、それをぼくらに対しても露骨にぶつけてきた。その悪意と敵意に満ちたまなざしに、ぼくは圧倒された。

「いやな人だったたな」

長谷川の家を出てかなり経ってから、ぼくは言った。

「彼は運命を恨んでるんだろうな。片腕をなくしたことで、自分の人生が奪われたと思っているのかもしれない。腕を失くしたことも祖父のせいにしているんだ」

姉はしばらく黙っていたが、ぽつりと言った。

「可哀相な人だわ」

ぼくは一瞬言葉を失った。

「戦争の話を初めて聞いた。聞いていて辛かった。あの人の気持ちもわかる気がする。きっと戦後も大変な苦労をしたのね」

ぼくは言い返さなかった。それどころか、姉の言葉を聞いて、辛辣《しんらつ》な言い方をした自分を恥ずかしく思った。

二人は数時間前に歩いた同じ道を、しばらくの間黙って歩いた。

「でも、祖父の話は作り話とは思えなかったね」

ぼくの言葉に、姉は小さなため息をついた。

「そうね。だから本当言うと、おじいさんには少しがっかりしたわ。元特攻隊員っていうから、もっと勇ましい人かと思っていたら、臆病者だったなんて——。私は反戦思想の持ち主だから、おじいさんには勇敢な兵士であってほしくないけど、それとは別にがっかりしたわ。健太郎もがっかりこない?」

ぼくは黙って頷《うなず》いた。ぼくの心にも祖父が臆病者だったという台詞《せりふ》はずっしりと残っていた。祖父は命大事に空を逃げ回っていた男だったのだ。その時、初めて「臆病者」という言葉は自分に向かって言われた言葉として受け止めていたことに気がついた。なぜならぼく自身がいつも逃げていたからだ。ぼくには祖父の血が流れていたのか。

もちろん、祖父が逃げていたのは「死」からで、ぼくとは全然違う。それでも祖父が戦闘機乗りの務めから逃げていたことは確かだ。

しかし、ぼくはいったい何から逃げているのだろうか——。

「ああ、もうこの調査するの辛くなってきたわ」

姉は誰に言うともなく呟《つぶや》くように言った。その気持ちはぼくも同じだった。

第三章　真珠湾

長谷川に会った翌週、祖父の家を訪ねた。実の祖父の調査をしていることを言うためだった。

姉からは、わざわざ告げる必要はないと言われていたが、大好きな祖父に隠れて行動するのは嫌だった。言ったところで祖父はそんなことで気を悪くしないと思っていた。

ただ心配なこともあった。祖父は昨年心臓を悪くして以来、自宅で療養していたからだ。ずっと続けてきた弁護士の仕事も数年前からほぼ引退状態で、事務所も人任せだった。身の回りのことは通いの家政婦さんがしてくれていた。

「弁護士になって早く私の事務所に来い」と言うのが口癖だったが、最近はそれも言わなくなった。それはそれで、ちょっと寂しいところでもあったのだが。国鉄職員を十年続けてから司法試験を受かった祖父にしてみれば、三年や四年の回り道などたいしたことはないと思っていたのかもしれない。

祖父の家には先客がいた。昔、祖父の事務所でアルバイトをしていた藤木秀一《ふじきしゅういち》だ。藤木はかつて司法試験を目指していた苦学生で、卒業後も祖父の事務所で働きながら勉強を続けてきた。しかし数年前に実家の父が病気で倒れ、家業の鉄工所を継ぐために、司法試験を断念して故郷に帰ったのだ。

前日に、大学時代の同窓会があり、久しぶりに祖父を訪ねて来たのだった。

「藤木さん、久しぶりです」

「こちらこそ」

藤木と会うのは二年ぶりだった。藤木は上京した折は必ず祖父の家に顔を出してくれていた。

「それにしても健ちゃんは立派になったなあ。ぼくが先生のところを辞めた時は高校生だったもんな」

この台詞は前に会った時も言われた。

ぼくは彼の口から「今年はどうだった?」という言葉が出るのが怖かった。藤木には、ずっと「健ちゃんみたいな頭のいい子は見たことないよ。司法試験なんて、学生時代に受かってしまうよ」と本気で言われていたからだ。彼にはよく可愛がってもらった。しかし藤木はぼくの現在に関しては何も触れなかった。ぼくは彼の優しさを感じた。

「藤木さんの鉄工所はどうなの？」

「うまくいかない」藤木さんはそう言って笑った。

「やればやるだけ赤字みたいな会社で、本当は工場もたたみたいんだけど、従業員がいるから、そういうわけにはいかないし――」

藤木はそう言って白いものが見えはじめた頭をかいた。疲れた中年男という感じだった。いつも明るくて万年青年みたいだった藤木のそんな姿を見るのはちょっと辛かった。その司法試験浪人のなれの果ての姿は、何かぼくの将来の姿を見るような気もした。

「藤木さんは結婚してるの？」

「いや、まだだよ。工場で必死に働いているうちに三十六歳になってしまった」

藤木はそう言って笑った。

藤木はまもなく祖父とぼくに挨拶して帰って行った。

藤木が帰った後、祖父は言った。

「あいつが事務所に来ていた頃は、私もまだ現役で頑張っていたなあ」

そして少し物思いにふける顔をした。

「おじいちゃん」と、ぼくは思い切って言った。「今、宮部久蔵さんのことを調べているんだ」

祖父の顔が一瞬固くなったような気がした。ぼくはしまったと思った。やはり祖父にとっては不快なことだったのだ。

「松乃《まつの》の前の夫だな」

ぼくは姉に頼まれたこと、母が実の父について知りたがっていることを慌てて説明した。

「清子《きよこ》が――」

祖父はそう言った後で、そうか、と小さく呟《つぶや》いた。

「お母さんの気持ちはぼくにもわかるよ」

祖父はじっとぼくの目を見つめた。その目はちょっと怖いようなまなざしだった。

祖母が亡くなった時、祖父は遺体にすがりついて号泣した。祖父が泣く姿を初めて見た。病院の看護婦まで思わずもらい泣きするほど激しいものだった。祖父は心の底から祖母を愛していたのだ。

それだけにかつて祖母が別の男の妻だったという事実は、祖父にとっては嫌な思い出かもしれないと思った。古い時代の男性は女性に純潔を求めたと言うし、まして祖母は別の男の子供まで生んでいたのだ。祖父にとって宮部久蔵という男は決して歓迎すべき存在ではないだろう。

「調べてみると、おばあちゃんと宮部久蔵は、ほとんど一緒に暮らしてなかった。彼は結婚してからずっと軍隊にいたみたいだ」

ぼくは祖父の気持ちを慮《おもんぱか》って言ったが、祖父は軽く頷《うなず》いただけだった。

「それで、どうやって、その人のことを調べているんだ」

「いくつかの戦友会に手紙を書いて、宮部久蔵を知っている人を捜してもらってる。今のところ話を聞けたのは一人。ラバウルで二ヵ月だけ一緒にいたという人。久蔵さんと同じ飛行機乗りだった人だ」

「その人は何と？」

ぼくはちょっと躊躇《ちゅうちょ》したが、祖父には正直に言った。

「臆病《おくびょう》者だったらしい。いつも戦場から逃げていた人だった、って――」それから自嘲気味につけ加えた。「ぼくにガッツがないのも、久蔵じいさんの血が入っているせいかもしれないね」

「馬鹿なことをっ！」

祖父は叱《しか》りつけるように言った。

「清子は小さい時から頑張り屋だった。どんな時にも弱音《よわね》を吐いたことがない。夫――お前の父だが――を亡くしてから、女手一つで会計事務所を切り盛りし、お前たちを育て上げた。姉の慶子もその血を受け継いで頑張り屋だ。お前の血の中には、臆病者の血なんか入っていない」

「ごめんよ。そんな意味で言ったんじゃない」

しょげたぼくを見て、祖父は優しく言った。

「健太郎、お前は自分が思っているよりもずっと素晴らしい男だ。いつかそれに気がつく日が来るよ」

「おじいちゃんは、いつもぼくに優しいね。こんなこと言うと、あれだけど、その――」

「血も繋がっていないのに、か」

「うん、まあ……」

「私がお前を好きなのは、心の優しい子だからだ。慶子も気は強いが優しい娘だ」

祖父はそう言って微笑んだ。

「優しいと言えば、藤木も優しい男だったな。あいつは自分が辛い思いをしても人のために頑張る奴だった。そういう性格だから、今の工場でも苦労しているんだろう」

ぼくは頷いた。たしかに藤木は優しくて誠実な男だった。

「ああいう人間こそ、弁護士になるべき男なのだが――」

祖父は悔しそうに言った。

藤木が初めて祖父の事務所に来た時、ぼくはまだ小学生で、姉は中学生だった。彼からはいろんなことを教わった。面白い小説、歴史の話、偉大な芸術家たちの物語――。ぼくも姉も彼の話を聞くのが好きだった。ぼくは彼から弁護士がいかに素晴らしい職業かということも教えられたし、祖父がいかに立派な弁護士であるかということも教えられた。ぼくが弁護士を目指したのは、藤木の影響もあるかもしれなかった。幼いぼくにとって、彼はスーパーマンだった。そしてぼくは彼が大好きだった。

しかし残念なことに彼は優秀ではなかった。というか、司法試験に向いていなかった。法律書よりも小説や音楽を愛する男だった。だから短答式でさえなかなか通らなかった。そんな彼を姉はいつもからかっていたが、それは愛情の裏返しだった。

藤木は故郷へ帰る前の週レンタカーで、ぼくと姉を箱根にドライブに連れて行ってくれた。ぼくが高校三年生、姉は大学四年生だった。箱根のドライブは随分以前にぼくが頼んでいたことだったが、ぼく自身覚えていなかったその約束を彼が律儀《りちぎ》に実行してくれたのだ。姉はこの時、車内で「十年近くも頑張ってきたのにまったく無駄だったね」と言った。そして「山口の田舎で傾きかけた町工場の親父になるのね」と笑った。あの時の姉のからかいはいつもの親愛に溢《あふ》れたものではなかった。しかし藤木は怒ることなく、困ったような笑顔を浮かべていた。代わりにぼくが姉の言葉に本気で腹を立てた。

ぼくは藤木が幸せになって欲しいと思った。

その日の夜、久しぶりに母と一緒に夕食を食べた。

母は会計事務所を経営していたから、夜はいつも遅く、一緒に食事することは稀《まれ》だった。事務所はもともと父と共同でやっていたのだが、十年前に父が病気で亡くなってからは、母が所長だった。

「お母さんはおじいさんのことは何も知らされていないの」

「おばあちゃんは、私には何も教えてくれなかった。もしかしたら、別に好きで一緒になった人じゃなかったのかもしれないね。昔は見合いで一度しか会わないのに結婚したというケースはいくらでもあったから」

「好きだったのか聞いた？」

「十代の頃に、一度だけ聞いたことがある」

「おばあちゃんは、なんて言ってた？」

母は昔を思い出すような顔をした。

「なんて答えて欲しいのって言われたわ」

「それってどういう意味？」

「好きじゃなかったという意味で受け取ったけど——でも、今から考えれば違うかもしれないね」

「好きだったのかな」

「さあ、仮に好きだったとしても、そんなことは言わなかったと思うわ。おばあちゃんは今のおじいちゃんを愛していたし」

ぼくは頷いた。たしかにぼくの記憶にある祖母はいつも祖父のことを考えている人だった。何かあると、すぐに「おじいちゃん」と甘えていた。祖父もそんな祖母を大切にしていた。実は祖母の方が祖父よりも年上だったのだが、そんなふうには見えなかった。だから、祖父と結婚する前に別の男性と結婚していたと聞かされた時は本当に驚いた。

「私の本当の父が母を愛していたかどうか、母も父を愛していたかどうかは、永遠の謎だと思う。でもね、私は父がどんな青年だったかは知りたいわ」

「青年？」

「そうよ。父が亡くなったのは二十六歳の時よ。今の健太郎と同じなのよ」

宮部久蔵の履歴を頭の中で繰った。そしてあらためて、若くして亡くなったのだなと思った。

「父がどんな青年だったのかは、お母さんに教えてもらいたかったわ」と母は言った。

ぼくはあえて聞きにくいことを聞いた。

「もし、久蔵さんが、評判の良くない人だったら?」

「そうなの?」

「いや、仮の話だよ。調査の段階で、知りたくないような話が出てきたとしたらという仮定の話だよ」

「難しいわね」

母は少し考えて言った。

「子供たちに物語が残らなかった人というのは、そのほうが良かったからかもしれないって気もするわね」

母の言葉はぼくを少し暗い気持ちにした。


翌週、ぼくは四国の松山に行った。祖父を知っているという新たな人物に会うためだった。

最初は姉が一人で行くはずだったのに、直前になって「どうしても外せない仕事が入ってしまって、代わりに行って欲しい」と頼んできたのだ。拒否したかったが、「フリーのライターは立場が弱いのよ」と泣きつかれると、断り切れなかった。姉が嘘をついているとは思わなかったが、心のどこかに、長谷川に聞かされたような話をもう一度聞きたくないという気持ちもあったのだろう。

そんなわけで、一人で四国くんだりまで旅するはめになってしまった。自分の人の良さに呆《あき》れながらも、姉から貰った倍額の日当でプチ旅行を楽しもうと気持ちを切り替えた。インタビューは適当に切り上げて、ゆっくり道後温泉にでも入るつもりだった。

元海軍中尉、伊藤寛次《かんじ》の自宅は市内の中心街に近い住宅地にあって、大きな家だった。

伊藤は小柄な老人だった。しかし背筋がぴんとしていて、動きに若さがあった。たしか八十五歳になるはずだが、七十代に見えた。

通されたのは大きな応接室だった。もらった名刺にはいろいろな肩書きが書かれていた。地元の商工会のかなりの大物らしかった。

「会社をやっておられるのですか？」

「いや、もう息子に譲っています。今は悠々自適ですよ。それにたいした会社じゃありません」

家政婦がアイスコーヒーを持ってきてくれた。

「もうすぐ八月ですな。八月が来ると戦争を思い出します」

伊藤はしみじみした口調で言った。

「宮部のお孫さんですね——。あの人にこんなお孫さんがいたのですか」

彼はぼくの顔をまじまじと見た。

「戦争が終わって六十年もたって、宮部の孫が私を訪ねて来るとは思ってもいませんでした。これが人生でしょうか」

ぼくは長谷川の話を思い出して緊張した。それで早口に一気に言った。

「実はぼくは祖父のことは何も知らないのです。祖母は戦後、再婚して家族の誰にも祖父のことは語らずに亡くなりました。母にも祖父の思い出が何もないそうです。それで、今回、自分のルーツを知りたいというか、祖父はいったいどんな人だったのだろうかと思って、こうして祖父のことを知っている方をお訪ねして、お話を伺っています」

伊藤は黙ってぼくの話を聞いていた。

それから、古い記憶を呼び戻そうとでもするかのように小さく頭を振った。そして何から話そうかというように天井を見つめた。

ぼくが先に口を開いた。

「祖父は、臆病者のパイロットだったと聞きました」

伊藤は、うん？　というふうにぼくを見た。

「臆病者ですか？　——宮部がですか」

伊藤は疑問符をつけて繰り返した。しかしその言葉は否定しなかった。彼はそして少し考えるように上に目を向けた。

「たしかに宮部は勇敢なパイロットではなかったと思います。しかし優秀なパイロットでした」

電話でも申し上げましたが、宮部との思い出は多くはありません。もちろん話をしたことはあります。しかし六十年以上も昔のことで、それらのすべてを思い出すことは難しいです。

宮部とは真珠湾からミッドウェーまで半年以上にわたって同じ戦場で戦い続けていました。二人とも空母「赤城《あかぎ》」の搭乗員でした。

空母というのは飛行機を積んだ軍艦で、航空母艦の略です。艦全体が小さな飛行場のようになっていて、飛行機が発着出来ます。大東亜戦争では、最強の軍艦でした。

私は高等小学校を出て、予科練《よかれん》に入りました。幼い頃から実家の近くにある岩国の海軍航空隊の飛行機を見て育った私は、飛行機乗りに憧《あこが》れていたからです。典型的な軍国少年だったんですね。当時の予科練はすごい人気で競争率は百倍くらいありました。合格した時は飛び上がって喜びました。予科練と操練は違います。予科練は最初から航空兵として海軍に入りますが、操練は一般の水兵から航空兵を募ったものです。宮部は操練出身でしたね。

飛行訓練を終えて最初に配属になったのは横須賀航空隊でした。横空に二年以上いて「赤城」の乗組員になったのは昭和十六年の春でした。その時初めて新鋭戦闘機零戦に乗りました。そうです、ゼロ戦です。ただ当時私たちは新型戦闘機とかレイセンと呼んでいました。

——なぜ「零戦」と呼ばれたか、ですか。

零戦が正式採用になった皇紀二六〇〇年の末尾のゼロをつけたのですよ。皇紀二六〇〇年は昭和十五年です。今は誰も皇紀など使う人はいませんね。ちなみに、その前年の皇紀二五九九年に採用になった爆撃機は九九《きゅうきゅう》式艦上爆撃機、その二年前に採用になった攻撃機は九七《きゅうなな》式艦上攻撃機です。いずれも真珠湾攻撃の主力となりました。零戦の正式名称は三菱零式艦上戦闘機です。

零戦は素晴らしい飛行機でした。何より格闘性能がずば抜けていました。すごいのは旋回と宙返りの能力です。非常に短い半径で旋回出来ました。だから格闘戦では絶対に負けないわけです。それに速度が速い。おそらく開戦当初は世界最高速度の飛行機だったのではないでしょうか。つまりスピードがある上に小回りが利くのです。

本来、戦闘機においては、この二つは相反するものでした。格闘性能を重視すると速度が落ち、速度を上げると格闘性能が落ちます。しかし零戦はこの二つを併せ持った魔法のような戦闘機だったのです。堀越二郎《ほりこしじろう》と曾根嘉年《そねよしとし》という情熱に燃える二人の若い設計者の血のにじむような努力がこれを可能にしたと言われています。

また機銃は通常の七・七ミリに加えて強大な二十ミリが搭載されていました。七・七ミリ機銃弾は飛行機に穴を開けるだけですが、二十ミリ機銃は炸裂弾でしたから、敵機に当たると爆発します。相手は一発で吹き飛びました。ただ二十ミリは発射初速が遅く、弾数が少なかったのが難点でしたが。

しかし零戦の真に恐ろしい武器は実はそれではありません。航続距離が桁《けた》外れだったことです。

三千キロを楽々と飛ぶのです。当時の単座戦闘機の航続距離は大体数百キロでしたから、三千キロというのがいかにすごい数字か想像つくでしょう。

余談ですが、ドイツはイギリスを攻め陥とすことはついに出来ませんでした。ドイツに海軍力がなかったからですが、そのため爆撃機でイギリスを攻めました。いわゆる「バトル・オブ・ブリテン」です。連日のようにドイツ軍爆撃機がドーバー海峡を越えてイギリスに攻め込みましたが、イギリス空軍は総力を挙げて迎撃し、ついにルフトバッフェはイギリス空爆を断念しました。

ドイツ空軍がイギリス空軍に敗れたのは、戦闘機が爆撃機を満足に護衛できなかったからです。重い爆弾を抱えている爆撃機は、速度も遅く小回りも利きませんから、敏捷《びんしょう》な戦闘機に襲われればひとたまりもありません。そのために爆撃機には護衛戦闘機が必要なのですが、ドイツの戦闘機はその任務を十全にこなせなかったのです。

ドイツはメッサーシュミットという素晴らしい戦闘機を持っていましたが、この戦闘機には致命的な欠点がありました。それは航続距離が短いということです。そのためイギリス上空で数分しか戦闘出来なかったのです。戦闘が長引くと、帰路ドーバー海峡を渡りきれず、海の藻屑《もくず》となってしまったようです。わずか四十キロのドーバー海峡の往復が苦しかったなんて――。

零戦なら、ロンドン上空で一時間以上戦うことが出来たでしょう。完全にロンドン上空を制圧することが出来たはずです。こんな仮定は馬鹿げていますが、もしドイツ空軍が零戦を持っていたら、イギリスは大変なことになっていたでしょう。

零戦がこれほどまでの航続距離を持っていたのは、広大な太平洋上で戦うことを要求された戦闘機だったからです。海の上では不時着は死を意味します。だから三千キロもの長い距離を飛び続けることが必要だったのです。それにまた広い中国大陸で戦うことも想定されていました。中国大陸での不時着も死を意味するということでは海の上と同じです。

名馬は千里を走って千里を帰ると言いますが、零戦こそまさに名馬でしたな。

卓越した格闘性能、高速、そして長大な航続距離、零戦はこのすべてを兼ね備えた無敵の戦闘機でした。そして更に驚くことは、陸上機ではなく、狭い空母の甲板で発着出来る艦上機ということです。

当時、工業国としては欧米にはるかに劣ると言われていた日本が、いきなり世界最高水準の戦闘機を作り上げたのです。これは真に日本人が誇るべきものだと思います。

戦争の体験は決して自慢出来るものではありませんが、私は今でも、零戦に乗って大空を駆け巡ったことは、人生の誇りにしています。私は今年で八十五歳になります。八十五年の生涯から見れば、零戦に乗って戦った二年足らずの時間は束の間のことです。しかしその二年の何という充実したことだったでしょう。それは人生の晩年になって更に重みを増していきます。

いや、こんなことを若い人に言っても仕方ありませんね。私自身、終戦後は戦闘機に乗っていた体験など忘れていました。食べることに精一杯で、家族を養うことなどで一所懸命でした。本当に必死で働いてきました。

晩年に自らの人生を振り返って初めて、若い頃の輝きが見えてきたということかもしれません。あなたもいずれ年老いて、人生を振り返った時、今の自分がまったく違って見える時が来るでしょう。

話がそれましたね。

宮部が空母「赤城」の搭乗員となったのは十六年の夏です。彼は中国大陸の部隊からやって来ました。同じ頃、中国から何人かの戦闘機乗りが母艦に転属になりました。

彼らが母艦乗りになって最初に行うのが着艦です。陸上の滑走路と違い、大きく揺れる艦の甲板に降りる着艦というのは非常に難しいもので、初めて行う者にとってはなかなかの恐怖です。

海軍の飛行機は陸軍の飛行機と違って、三点着陸が基本です。なぜなら尾部のフックを艦の制止索に引っかけないといけないからです。索はワイヤーで出来ていましたが、これにうまくかからないと空母の短い甲板には着艦出来ません。

ところが三点着陸は尾部を下げるため機首が上がります。すると操縦席からは飛行甲板が機首に遮られて見えなくなります。見えない甲板に勘だけを頼りに降りないといけないのです。着艦を急げば艦尾に激突です。またそれを怖れて慎重過ぎれば、制止索にフックを引っかけることが出来ず、艦首近くに設けた制動板にぶつかります。下手《へた》をすれば艦首から海にドボンです。実際、着艦にミスして飛行機が海中に突っ込むのは決して珍しい光景ではありませんでした。そのため空母の着艦訓練には必ず

「トンボ釣り」と呼ばれる駆逐艦が後方を走っていました。着艦に失敗して海中に落ちた飛行機をクレーンで吊り上げる様子がトンボを釣っているようだったからです。

ついでに言うと、まれに制止索も切れることがあり、それは非常に恐ろしいものでした。切れたワイヤーがムチのように飛行甲板を走るのです。私は、整備員の脚が切り飛ばされる光景を目撃したことがあります。さすがにその日は一日飯が喉を通りませんでした。もっともその後、戦場でもっと酸鼻な光景を何度も目撃して、少々のものでは動じなくなりましたが――。

我々は中国からやって来た連中のお手並み拝見と、飛行甲板に出て彼らの着艦訓練を見物しました。

案の定、連中の初めての着艦はお粗末でした。いずれも大陸で戦ってきた熟練搭乗員たちばかりだったので、何とかこなしてはいましたが、中には着艦に失敗して海中に落ちる者もいました。我々は腹を抱えて笑いました。

そんな中、見事な着艦を見せた者がいました。浅い角度でふわりと真ん中近くに降り、艦首に一番近い制止索に引っかけて制動板ぎりぎりに飛行機を止めました。これは理想的な着艦でした。

制止索は艦尾から艦首に向かって十本前後張られているのですが、艦首に一番近い索に引っかけて止めると、整備員が飛行機の移動をしやすく、時間をあけずに後続の飛行機の着艦が出来るのです。しかし艦首に近い制止索に止めようとして失敗すると、制動板に飛行機をぶっつけたり、艦首から落ちたりする危険性も高いというわけです。ところが、その機は一番前方の索に楽々と引っかけて着艦したのです。

我々も思わず、ほーと声を漏らしました。

「まぐれだろう」と誰かが言いました。それが宮部でした。

私は着艦を終えた宮部に声をかけました。同じ一飛曹という気安さもありましたが、着艦訓練の上手《うま》さに敬意を持ったからです。宮部は背の高い男でした。六尺近くはあったでしょうか。

「見事な着艦でしたね」

私の言葉に宮部はにっこり笑いました。その笑顔は実に人なつっこいものでした。

「空母の着艦は初めてでしたが、先任搭乗員の教え通りにやれば出来ました」

初めての着艦であれほど上手く出来るということは相当機体に対する感覚がよくないと出来ません。私はその時までに着艦の回数は三十回を数えていましたが、着艦のたびに緊張しました。

「空母のことは何もわかりませんから、よろしくお願いいたします」

宮部はそう言って、頭を下げました。私は少々面喰らいました。こんな話し方をする軍人は珍しかったからです。もちろん我々も上官に対する時は丁寧な言葉で話します。そうしないと殴られたからです。しかし宮部は同じ階級どころか下の階級の人にも丁寧な口調で話していました。こんな軍人は帝国海軍では少なかったです。

宮部が搭乗員仲間に軽んじられるところがあったのは、多分にその話し方のせいだったと思います。

海軍というところはバンカラなところがあり、特に搭乗員の世界は、言葉は悪いですが、ゴロツキの集まりのようなところがありました。これは明日をも知れぬ身の上だったことも大いに与《あずか》っていると思います。そういう世界に身を置いていると、若い連中もみんなそういう雰囲気になってくるものですが、宮部だけはそうではありませんでした。

私はなぜか最初に会った時から宮部が好きになりました。私は宮部とは反対に血の気が多く、隊でもよく喧嘩をする暴れん坊でした。逆の性格だったから惹《ひ》かれるところがあったのでしょうか。

下の階級の連中も宮部のことをどこか舐《な》めたような態度で接していましたが、宮部はそんなことも気にせず、いつも丁寧な受け答えをするものですから、余計に馬鹿にされていたようです。

しかし面と向かって宮部を馬鹿にする奴はいませんでした。理由は、彼がこと操縦の腕に関しては一流だったからです。

最初の着艦の時、口の悪い連中は「まぐれだろう」と言いましたが、それは間違っていました。宮部はその後も必ず艦首近くに着艦しました。いつしか宮部の着艦は、多くの搭乗員たちが見たがるものになりました。もしかしたら着艦に関しては帝国海軍一の腕前ではなかったでしょうか。

もっとも着艦能力と戦闘能力とは別です。ところが宮部は模擬空戦でも相当な腕前でした。聞けば、中国大陸で十機以上の敵機を撃墜しているということでした。当時は五機以上撃墜した者は猛者《もさ》と呼ばれていました。外国ではエースと呼ばれるようですね。

彼の場合、その実績と普段の雰囲気の違いが、余計に仲間たちの陰口を誘っていたようです。

ところで私たちの戦いを理解するには、「艦攻《かんこう》」と「艦爆《かんばく》」のことを知っていただく必要があります。耳慣れない言葉と思いますが、日米両国とも「艦攻」と「艦爆」ほど、その身を犠牲にして激しく戦った飛行機はありません。そしてその搭乗員の死亡率は一番高かったのです。

「艦攻」というのは三人乗りの艦上攻撃機の略で主に魚雷攻撃を行う飛行機です。魚雷は何も潜水艦だけの武器ではありません。魚雷攻撃のことを「雷撃」と言うのですが、これは艦船にとって最も恐ろしい攻撃です。船の下っ腹に穴を開けられるのですから。そこから大量の水が艦内に流れ込み、艦《ふね》は沈みます。不沈戦艦と言われた「大和」も「武蔵」もこれで沈められました。

「艦爆」というのは二人乗りの艦上爆撃機の略で急降下爆撃を主任務とします。もちろんこれも恐ろしい攻撃です。二千メートル以上の上空から急降下して爆弾を投下するのです。爆弾は艦の甲板を突き破って、艦内で爆発します。軍艦の艦内には砲弾や燃料などが一杯です。それらに引火すれば大惨事を引き起こします。また推進機関に当たって爆発しても致命的な損傷となります。

これらの航空機攻撃に対抗するのは艦の対空砲と機銃ですが、これはなかなか当たるものではありません。秒速百五十メートル以上の速度で飛ぶ飛行機を砲と機銃で撃ち墜とすことは至難です。

そこで「艦攻」や「艦爆」からもっとも効果的に艦を守るのが戦闘機です。戦闘機は艦が襲われる前に艦攻や艦爆を撃ち墜とすのです。先程も言ったように艦攻も艦爆も重い爆弾や魚雷を抱えていますから、身軽な戦闘機に襲われればひとたまりもありません。そこで彼らを守るために戦闘機が護衛するわけです。「艦戦《かんせん》」つまり艦上戦闘機というのは、敵の艦攻と艦爆から艦を守る任務と、味方の艦攻と艦爆を護衛する二つの任務のために作られた飛行機なのです。

私と宮部は艦上戦闘機の搭乗員でした。

私たちは「赤城」の搭乗員になった時から猛烈な訓練を始めました。本当に休みなしに、死ぬほどの訓練を何ヵ月もやりました。そう「月月火水木金金」です。その頃の第一航空戦隊と第二航空戦隊の搭乗員たちの飛行時間は軽く千時間を超えていました。もう超ベテランばかりです。自分で言うのも何ですが、当時の我々の戦闘能力は世界最強だったでしょう。何しろ世界最高の飛行機に、世界最高クラスの搭乗員が乗っていたのですから。

厳しい訓練を終え佐伯湾に集結した機動部隊は、十一月の半ば北に針路を取りました。

搭乗員には防寒服が支給されましたが、行き先はまったく知らされてはいませんでした。何かしら特別なことが行われるというのは感じていましたが、それが何なのかはまったくわかりませんでした。

当時は日中戦争の真っ最中で、中国一国相手にも手を焼いている状況でした。しかし米英が日本にものすごい圧力をかけているのは知っていました。同盟国ドイツは既に英国と戦争状態に入っていましたから、日本もいずれ英米と戦うことになるかもしれないという空気はありました。それに、海軍は長い間、米国を仮想敵国として訓練してきたのです。

着いたところは択捉島《エトロフ》の単冠湾《ヒトカップ》です。十一月のオホーツク海は非常に寒かったのを覚えています。

冷たい霧の中で、連合艦隊の多くの艦艇が揃《そろ》っていました。それは壮観でした。

そして十一月二十六日、全空母から搭乗員が全員集められ、そこで飛行隊長から「宣戦布告と同時に真珠湾の米艦隊を攻撃する」と教えられました。

驚きましたが、同時に「来るべき時がいよいよ来たか」と思いました。体中にかつて感じたことのない緊張感が漲《みなぎ》りました。他の搭乗員たちも同じ気持ちだったはずです。真珠湾攻撃を臆《おく》するような者は一人もいませんでした。憎っくき米国に一泡吹かせてやると皆、心中期するものがありました。

その後、編成搭乗割が発表されました。

攻撃隊の名簿の中に私の名前はありませんでした。目の前が真っ暗になりました。私の任務は艦隊の直衛でした。敵の攻撃機から母艦を守るために艦隊上空を哨戒して護衛するのです。

私は真珠湾の攻撃隊に参加させてくれるように、泣きながら飛行隊長に訴えました。しかし、どうにも出来るはずがありません。わかっていても言わずにおれなかったのです。私の他にも攻撃隊から漏れた搭乗員や予備に回された搭乗員たちが泣きながら上官に訴えていました。搭乗員割が発表された夜は、搭乗員同士の喧嘩沙汰もいくつもありました。その気持ちはわかります。みんな苦しい訓練を続けてきたのは、ひとえにこの日のためだったのです。作戦が成功したなら、たとえ死んでも悔いはありません。特に艦爆と艦攻の搭乗員で予備に回された者たちの落胆ぶりはすごいものがありました。

その夜、後部甲板で宮部に声をかけられました。「赤城」には飛行甲板の下、艦首と艦尾に甲板がありました。もともとは巡洋戦艦として作られるはずの艦を空母に改造した名残です。

「伊藤さん、艦隊直衛は大切な任務です」

宮部は第一次攻撃隊の制空隊に選ばれていました。

「俺の悔しさがわかるか」

「直衛は攻撃よりも大事な任務と思います。母艦を守ることは大勢の人の命を守ることですから」

「だったら、代われ」

「代われるものなら代わりたいです」

「それなら代われ！」

しかしそんなことが出来ないのは二人ともわかっていました。飛行隊長の決めた編成搭乗割を搭乗員同士の意志で変えられる道理がありません。

私は甲板に座り込みました。また悔し涙がこぼれてきました。宮部は私の隣に座りました。

私はぼんやりと暗い海を見つめていました。凍えるような寒い夜でしたが、私は寒さなど感じませんでした。

宮部は何も言わずに、私の横に座っていました。しばらくすると、だんだんと気持ちが落ち着いてきました。おそらくただ黙ってそばにいてくれた宮部のお陰です。

不意に宮部はぽつりと言いました。

「私が結婚していることは言いましたね」

私は頷きました。

「上海から戻って大村に行く前に、結婚したのです。新婚生活はたった一週間でした」

それは初耳だったので、私はちょっと驚きました。

「真珠湾攻撃に参加するとわかっていたら、結婚はしませんでした」

宮部はそう言って笑いました。

その話はそれで終わりましたが、この時の会話はなぜかよく覚えています。なぜあの時、宮部はそんな話をしたのでしょう。

――恋愛結婚だったか、ですか。いや、それは聞いていません。ただ我々の時代には恋愛結婚などというものはめったにありませんでした。結婚は、周囲の人が勧めるままにするものでした。当時は戦地に行く前に急いで結婚するということもままありました。戦死するかもしれない前に、せめて結婚させてやりたいと親や親戚が考えるのでしょう。もちろん死ぬ前に跡取りを作っておきたいという気持ちもあったのかもしれません。

当時は結婚を大袈裟《おおげさ》には受け取りませんでした。というより結婚はするものだと思っていました。何のためにとは考えたことはありません。

今の若い人はそうは考えていないようですね。結婚は人生の最良のパートナーを見つけた時にするものと思っているとか。私の孫娘もそう考えているようで、もう三十半ばになるのにいまだに独身です。いい相手が見つからなければ一生独身でもいいと思っているようです。困ったものですな。

宮部が慌ただしく結婚した理由は知りません。もしかしたら恋愛結婚だったのかもしれませんね。真珠湾攻撃に参加するのがわかっていたら結婚しなかったというのは、どちらとでも取れる言葉ですね。

搭乗割が発表になった夜は、喧嘩騒ぎなどもありましたが、翌日になると、私も含めすべての搭乗員たちが何の遺恨もなく、自分に与えられた役割をこなすために各自の最善を尽くしました。私もまた空母直衛を全うすべく気持ちを引き締めました。

十二月八日、私は夜明けと共に発艦し、艦隊上空を哨戒しました。

それからまもなく第一次攻撃隊が飛び立って行きました。私は編隊に敬礼して見送りました。

作戦中、母艦上空に敵機はついに現れず、私は一度も戦うことはありませんでした。


ご存じのように、真珠湾の奇襲は完全に成功しました。

史上初の航空機だけによる艦隊攻撃は、二次にわたる攻撃によって、戦艦五隻沈没ないし着底、三隻大破。基地航空機二百機以上撃破という空前の戦果を挙げました。

真珠湾攻撃が大成功に終わった直後は、乗員も我々搭乗員も大変なお祭り騒ぎでした。

ただ一人、宮部は違いました。

「どうしたんだ、宮部。楽しそうじゃないな」

「今日、未帰還機が二十九機出たらしいです」

それは私も知っていました。

「残念なことだな。でもあれだけの戦果の割には、被害はほとんどないと言えるんじやないか」

宮部は黙って頷きました。その顔を見た時、私は水を差されたような気持ちになりました。

「戦争なんだから必ず誰かが死ぬ」と私は言いました。

「今日、眼の前で、艦攻が自爆するのを見ました」

と宮部は静かに言いました。

「雷撃してから、敵戦艦の上空を通過する時に、対空砲火で被弾したようです。艦攻は一旦、上空に上がりました。私はその機に近寄りました。翼から燃料が流れて白い筋を出しているのが見えましたが、幸いにして火は点いていませんでした。艦攻は帰艦する方向に機首を向けましたが、急に大きく旋回すると、再び真珠湾の方に引き返しました。私も旋回して横に並びました。すると操縦員が私に向かって眼下を指さしました。それから急降下して、敵の戦艦に体当たりしたのです」

宮部の話を聞いて、私は身震いしました。実際、本日の未帰還機の多くが自爆したと聞いていました。我々は、攻撃中に被弾して帰還が困難と思われた時には自爆せよと命じられていました。生きて虜囚の辱めを受けずと教えられていましたから、そうするのが当然と思っていました。

「急降下の直前、三人の搭乗員は私に向かって笑顔で敬礼しました」

「真の軍人だな」

宮部も頷きました。

「一旦上空に逃れて、再び真珠湾に機首を戻すまで数分もなかったと思います。その間に彼らは飛行機の被害状況を見て、帰艦をあきらめたのでしょう。燃料が持たないと見たか、あるいは発動機がやられていたのかもしれません。いずれにしてもそのわずかな時間に、三人は自爆を決意したのです」

艦上攻撃機は操縦員、偵察員、通信員の三人が乗っています。海軍では同じ飛行機に乗る搭乗員をペアと呼んでいました。ペアは一心同体でなければなりません。ペアの呼吸が一つに揃わなければ、完全な雷撃は出来ないとも言われています。ペアの結びつきはなまじの友情などよりはるかに強いものがありました。刎頸《ふんけい》の友という言葉がありますが、攻撃機や爆撃機のペアは文字通り刎頸の友です。

おそらく機長が自爆を決意して、他の二人に伝えたのでしょう。そしてその決断を聞いた二人は即座にそれに同意したのでしょう。

「彼らの笑顔はすがすがしいものでした。死にいく人間の顔とは思えませんでした」

「十分な戦果を挙げることが出来たからだろうな」

私の言葉に、宮部は少し考えて「そうですね」と答えました。

「俺も死ぬ時は、十分な戦果を挙げて、満足して死にたいな」と私は言いました。

宮部はしばらく黙っていましたが、ぽつりと呟きました。「私は死にたくありません」

その言葉には驚きました。こんな言葉が帝国海軍の軍人の口から出るとは思ってもいませんでした。

もちろん軍人でも死にたくないという気持ちはあります。人なら当然のことです。しかし軍人はそれではいけないのです。人は人間社会で生きていくのに多くの本能や欲望を制御して生活していくように、軍人は「生きたい」という欲望をいかに消し去ることが出来るかが大切だと思っています。そうでしょう。命が助かることを第一に考えていたら戦闘は成り立ちません。

今回の戦いは我が軍の大勝利でした。それでも二十九機の未帰還機と五十五人の犠牲が出ました。今ならわかることがあります。その時に亡くなった搭乗員の身内にとっては、大勝利の喜びよりも、家族が亡くなった悲しみの方がはるかに大きかったということが――。何千人が玉砕《ぎょくさい》した戦闘であっても、あるいはたった一人の戦死者を出した戦闘であっても、遺族にとってみれば、他にかけがえのない家族を失ったことは同じなのです。何千人の玉砕の場合、そうした悲劇の数が多いだけで、個々の悲劇はまったく同じなのです。

しかしその時はわかりませんでした。宮部の「死にたくない」という言葉に、ただ激しい嫌悪感を覚えました。帝国海軍軍人なら、まして戦闘機の搭乗員なら絶対に言ってはならない言葉です。我々は飛行機乗りになった時から「畳の上では死ねない」という覚悟が出来ていたはずなのです。

「なぜ、死にたくないのだ」

私の質問に、宮部は静かに答えました。

「私には妻がいます。妻のために死にたくないのです。自分にとって、命は何よりも大事です」

私は一瞬、言葉を失いました。その時の気持ちは、実に気色の悪いものでした。盗《ぬす》人《つと》に「なぜ盗んだのか」と問うて「欲しかったから」と答えられたような気持ちでした。

「誰だって命は大事だ。それに、誰にも家族はいる。俺には妻はいないが――父も母もいるんだ」

それでも死にたくないとは言わん、という言葉はすんでのところで呑《の》み込みました。

宮部は苦笑しながら「私は帝国海軍の恥さらしですね」と言いました。

私は「そうだな」と言いました。

宮部は黙ってうつむきました。

伊藤は突然、黙り込んだ。

腕を組み、目を閉じたまま何も語らなかった。そして、かなりたってから、「宮部は不思議な男でした」と呟くように言った。

「あの頃、私たち搭乗員は非日常の世界を生きていました。そこはすでに条理の世界ではありませんでした。死と隣り合わせの世界というか生の中に死が半分混じり合った世界で生きていたのです。死を怖れる感覚では生きていけない世界なのです。それなのに宮部は死を怖れていたのです。彼は戦争の中にあって日常の世界を生きていたのです。なぜそんな感覚を持つことが出来たのでしょう」

伊藤はぼくに問いかけるように言った。しかしぼくに答えられる質問ではなかった。あるいは伊藤は自問していたのかもしれない。

「戦後、復員して結婚し、家族を持って初めて、宮部が妻のために死にたくないという思いが理解出来るようになりました。しかし――」

伊藤は強い口調で言った。

「それでも、あの時の、命が何よりも大事という宮部の言葉を肯定することは出来ません。戦争は一人で戦うものではありません。時には自分を犠牲にして戦わねばならないこともあるのです」

「ぼくにはわかりません」

「実はこんなこともありました。十七年の二月、ポートダーウィン空襲の時、宮部は機銃の故障で出撃早々に戻って来たことがありました。護衛戦闘機はたとえ銃弾が出なくても相手を追い払うことは出来ます。それに艦爆にしてみれば、そばに零戦がいてくれるだけで、心強かったでしょう。にもかかわらず、宮部は早々に引き揚げて来たのです」

「そうなのですか」

「偉そうに言うようですが、私ならそのまま行ったでしょう。たとえそれで撃墜されても」

ぼくは黙って頷いた。

「誤解しないで貰いたいのですが、彼の信念を非難しているのではありません。ただ、立派な考えであるとは決して言えないと申しています。お孫さんの前でこんなことを言うのは申し訳ありませんが、お許しください」

伊藤はそう言って深く頭を下げた。ぼくは伊藤という老人の誠意を感じた。

その時、ドアをノックして品のいい老婦人が姿を見せた。

「家内です」

夫人はフルーツをテーブルに置くと、「ごゆっくり」と言って部屋を出た。

「あれとは戦後に結婚しました」伊藤はそう言って照れくさそうに笑った。「見合い結婚ですが」

伊藤はサイドテーブルの上にちらりと視線を移した。そこには二人が並んで立っている写真があった。旅行先で撮ったものらしかった。

「優しそうな奥様ですね」

「それだけが取り柄ですよ。うん、本当に私によく尽くしてくれました」

伊藤がしみじみした口調で言った。

「あの写真はどこですか」

「ハワイです。三年前、金婚式の記念に旅行しましてね」

ハワイと聞いて少し驚いた。伊藤はぼくの気持ちを察したかのように、「初めて行きました」とつけ加えた。

ぼくはもう一度写真を見た。青い海をバックに伊藤は「気を付け」の姿勢で立っていた。そして右手はしっかりと夫人の手を握っていた。

「孫が小さい時に、よく言ったものです。おじいちゃんは昔ハワイに行ったのだぞって。でも本当はハワイの空には一度も行っていなかったのです。六十年以上も経って、いまだにそれが心残りですね」

「そうですか」

「しかし、ハワイ上空に行っていたら、孫どころか家内にも巡り会えていなかったかもしれません」

伊藤はそう言って笑った。ぼくは真珠湾で亡くなった搭乗員が五十五人いたという話を思い出した。伊藤もそれを思い出したのか、視線を落とした。

短い沈黙の後、伊藤が口を開いた。

「真珠湾では残念なことがありました」

「何でしょう」

「我々の攻撃が宣戦布告なしの『だまし討ち』になったことです」

「たしか宣戦布告が遅れたのでしたね」

「そうです。我々は、宣戦布告と同時に真珠湾を攻撃すると聞かされてきました。しかしそうはならなかったのです。理由はワシントンの日本大使館職員が宣戦布告の暗号をタイプするのに手間取り、それをアメリカ国務長官に手交するのが遅れたからですが、その原因というのが、前日に大使館職員たちが送別会か何かのパーティーで夜遅くまで飲んで、そのために当日の出勤に遅れたからだといいます」

「そうなのですか」

「一部の大使館職員のために我々が『だまし討ち』の汚名を着せられたのです。いや日本民族そのものが『卑怯《ひきょう》きわまりない国民』というレッテルを貼られたのです。我々は、宣戦布告と同時に真珠湾を攻撃すると聞かされていました。それが、こんなことに——これほど悔しいことはありません」

伊藤は顔を歪《ゆが》めた。

「当時、アメリカは日本に対して強い圧力をかけていましたが、国内世論は逆に戦争突入には反対だったといいます。我々が戦前聞かされていたのは、アメリカという国家は歴史もなく、民族もバラバラで愛国心もなく、国民は個人主義で享楽的な生活を楽しんでいるというものでした。我々のように、国のため、あるいは天皇陛下のために命を捧げる心はまったくないのだ、と。山本長官は緒戦で太平洋の米艦隊を一気に叩きつぶし、そんなアメリカ国民の意気を完全に阻喪せしめようとしたのです」

「まったく逆の結果に出たわけですね」

「その通りです。卑劣なだまし討ちにより、アメリカの世論は『リメンバー・パールハーバー』の掛け声と共に、一夜にして『日本撃つべし』と変わり、陸海軍にも志願者が殺到したということです」

伊藤は続けた。

「更にいえば、戦術的にも大成功だったかと言えば、実はそうとも言えなかったのです。それは第三次攻撃隊を送らなかったことです。我が軍はたしかに米艦隊と航空隊を撃滅しましたが、ドックや石油備蓄施設、その他の重要な陸上施設を丸々無傷で残したのです。これらを完全に破壊しておれば、ハワイは基地としての機能を完全に失い、太平洋の覇権は完全に我が国のものとなっていたでしょう。飛行隊長たちは第三次攻撃を具申しました。しかしそれは受け入れられませんでした。司令長官南雲《なぐも》忠一《ちゅういち》中将は退却を選んだのです。今にして思えば、南雲長官は指揮官の器ではなかったと思いますな。その後、太平洋の至るところで、日本海軍は何度も決定的なチャンスを逃しますが、これらはすべて指揮官の決断力と勇気のなさから生じていると思います」

伊藤は大きなため息をついた。

「話が脱線しましたね。こんなところで海軍批判をしても仕方ないですね。宮部の話に戻りましょう」

真珠湾攻撃を終えて日本への帰途の中、私たちは搭乗員室でハワイ攻撃に参加した戦闘機隊のメンバーに真珠湾の様子を聞きました。多くの搭乗員が我が攻撃隊の素晴らしい攻撃ぶりを語っていました。私たち空母直衛隊は、その話をわくわくしながら、そして同時に嫉妬と羨望《せんぼう》が入り交じった気持ちで聞いていました。

誰かがふと、宮部に「米国の艦船はどうだった」と質問しました。その時、宮部は「空母がいませんでした」と答えたのです。一同はきょとんとしましたが、宮部はかまわず続けました。

「真珠湾にいたのは戦艦ばかりでした」

そんなことはみんな知っていました。空母の姿がなかったことは攻撃隊の搭乗員たちを大いに口惜しがらせていたからです。だから何を今更という気持ちでした。

宮部は私たちのそんな気持ちにかまわず続けました。

「我々が今日やったように、いずれ米国の空母が我々を襲ってきます。そのためにも空母をやっつけておきたかったんです」

「そうだな。米国の空母とはいずれ戦うことになるな」

誰かが言いました。

「楽しみは先にとっておけという事じゃないか」

誰かの軽口に皆が笑いました。私も笑いました。

直衛組の一人が、俺たちの分も残してもらわないとな、と言うと、別の誰かが「そういうことだ。今度は母艦直衛じゃなくて、攻撃隊に参加したいよ」と言いました。

この日、母艦直衛隊の搭乗員たちは口々に、そうだそうだと言いました。全員が笑いました。

しかし宮部だけは笑いませんでした。

「いずれ、その日が来ますよ」と宮部は言いました。

「その日が来たら、米国の空母なんか、イチコロだよ。そうじゃないか」

誰かがそう言うと、宮部も初めてにっこり笑いました。

「そう思います。今日初めて艦爆と艦攻の攻撃を見ましたが、本当に見事なものでした。彼らの技量はまさに神技です。おそらく米空母でも、あの攻撃を受ければひとたまりもないでしょう。米国の攻撃機がどれほどの技術を持っているかは知りませんが、あれほどの技量はないでしょう」

勇ましいだけの男が勢いで言う台詞ではなく、宮部のような物静かな男が淡々と語るので、その言葉は迫力がありました。皆、彼の腕を知っているだけに余計言葉に重みを感じました。

私はその時、真珠湾での我が攻撃隊の必中攻撃を見ることが出来なかったことを心から残念に思いました。

「勝てるよな」

私の言葉に宮部は答えました。

「まともに戦えば、まず、我が方の圧勝と思います」

宮部の言葉はある意味で正しく、ある意味で間違っていました。

南雲長官が率いる機動部隊はその後、太平洋を席巻しました。機動部隊とは空母部隊のことです。空母は戦艦に比べて速力があり、機動性に富むのでそう呼ばれていたのです。

南はニューギニアから、西はインド洋まで、まさに縦横無尽の暴れぶりでした。その間、多くの敵艦船を空母艦上機が沈めました。「半年間は存分に暴れ回って見せます」と山本五十六《いそろく》長官が語ったといわれるように、まさに無敵の戦いでした。

もちろん、我が機動部隊は幾度か敵航空機の攻撃を受けましたが、母艦を守る零戦隊が空母には指一本触れさせませんでした。当時、零戦に勝てる戦闘機はありませんでした。さらに自分で言うのも何ですが、南雲部隊の戦闘機搭乗員の力量は間違いなく世界一だったでしょう。

また攻撃隊の技量も入神の域に近いものがありました。インド洋で英国の巡洋艦と小型空母を沈めた時の急降下爆撃隊の命中率は九十パーセント近かったのです。これは急降下爆撃としては驚異的な数字です。

南雲艦隊は太平洋を制圧しました。今や制海権を取ることが出来るのは、最強の空母を持っている国でした。これはそれまでの軍事常識を打ち破るものでした。

長い間、世界は「大艦巨砲主義」の時代で、海戦というものは戦艦同士の戦いで決着がつくと考えられてきました。戦艦こそ史上最強の兵器であり、制海権を得るには強大な戦艦が必要と考えられていたのです。あの大英帝国が世界を制したのも強い戦艦を何隻も持っていたからです。浦賀に来たアメリカの黒船がどれほど幕府に脅威を与えたかということを見ても、戦艦がいかに凄い兵器だったかがわかります。世界の歴史は戦艦が作ってきたのです。

空母の登場は第一次世界大戦の後です。ただ、その頃の飛行機は複葉機で、空母も補助的な役割を担う艦にすぎませんでした。飛行機による攻撃の有効性は一部で言われていましたが、小型艦船は沈めることが出来ても、戦艦などの大型艦を沈めることは不可能と考えられていました。

しかしその後の航空機の驚異的な発達により、いつのまにか空母の力が増していたのです。

これを世界に証明したのが、開戦劈頭《へきとう》の真珠湾攻撃です。航空機の攻撃だけで戦艦を一挙に五隻も沈めてしまったのです。この瞬間、何百年もの間、制海権を巡る戦いの主役であった戦艦は、その座を空母に譲ったのです。

海の主役が戦艦ではなく飛行機だという象徴的な戦いがもう一つありました。

それは真珠湾の二日後、マレー半島東沖で英国の誇る東洋艦隊の新鋭戦艦「プリンス・オブ・ウェールズ」と巡洋戦艦「レパルス」を航空機攻撃で沈めた戦いです。サイゴン基地などから飛び立った三十六機の九六式陸上攻撃機が二隻のイギリス戦艦に魚雷攻撃を敢行して撃沈したのです。チャーチルが後に「第二次大戦でもっともショッキングな事件だった」と言った海戦です。

真珠湾攻撃で沈められた戦艦は停泊しているところを奇襲されたものでしたが、英国の二隻の戦艦は完全に戦闘状態のところを撃沈されたのですから、その衝撃度はある意味で真珠湾以上のものがあったでしょう。この海戦で、護衛戦闘機を持たない戦艦は航空機の餌食《えじき》となることが証明されました。

もはや日露戦争のような戦艦同士の艦隊決戦は起こり得ないこととなりました。真の艦隊決戦は空母同士の戦いとなったのです。当時、我が軍の正規空母は六隻、対する米太平洋艦隊の空母は五隻でした。我々はいつの日か戦うことになるであろう空母同士の決戦に、腕を撫《ぶ》していました。

その機会は、開戦から半年後にやって来ました。

昭和十七年五月、ニューギニアのポートモレスビー攻略作戦で陸軍の輸送船を支援していた我が軍の空母と、モレスビー攻略作戦を阻止せんとする米軍の空母が正面から激突したのです。世界海戦史上初の正規空母同士の戦いです。ちなみに今日まで、空母対空母の戦いは日米以外にはありません。

残念ながら、私の乗っている「赤城」はその戦いには参加しませんでした。我が方は五航戦の「翔鶴《しょうかく》」と「瑞鶴《ずいかく》」、敵は「レキシントン」と「ヨークタウン」です。

この珊瑚海海戦では、我が方は「レキシントン」を沈め「ヨークタウン」を大破せしめました。損害は「翔鶴」が中破のみで、「瑞鶴」は無傷でした。史上初の空母同士の戦いでは日本海軍に軍配が上がったのです。

当時、搭乗員の技量が一番高いのが「赤城」と「加賀《かが》」に属する第一航空戦隊と言われていました。略して一航戦です。次に続くのが「飛龍《ひりゅう》」と「蒼龍《そうりゅう》」の二航戦。「翔鶴」と「瑞鶴」の五航戦は搭乗員の腕がやや落ちると言われていました。「チョウチョウ、トンボも鳥ならば、五航戦も鳥のうち」という戯《ざ》れ歌があったほどです。それで珊瑚海海戦のことを聞いた私たち一航戦の搭乗員たちは「俺たちなら、米空母を二隻とも沈めてやったのに」と口惜しがったものです。

我々も早く敵空母と一戦交えたいという気持ちがふつふつと起こっていました。そしてその機会は一ヵ月後にやってきました。

そうです、ミッドウェー海戦です。

この戦いはあまりにも有名ですね。結果は、日本軍の空母四隻が一挙に沈められました。海軍の誇る最強部隊である一航戦の「赤城」「加賀」、二航戦の「飛龍」「蒼龍」の四隻です。

戦後になって、ミッドウェーの敗北の原因をいろいろ本で読んで知りました。すべては我が軍の驕《おご》りにあったようです。

ミッドウェーの作戦は事前に米軍にすべて筒抜けだったのです。それは暗号が解読されていたからです。ただ、この時米軍の暗号解読チームも、日本軍の攻略目的地「AF」と呼ばれている場所がどこなのかはわからなかったのです。そこで米軍はミッドウェーの基地から平文《ひらぶん》で「蒸留装置が故障して真水が不足している」とニセ電文を送ったのです。日本軍はその日のうちに「AFは水が足りない様子」と暗号で送り、そこで米軍は「AF」がミッドウェーであることを知ったわけです。

米軍は手ぐすね引いて我が軍を待ち伏せていたのです。もちろん連合艦隊の司令部もそのことは予想していました。もともとミッドウェー島攻略作戦は米空母部隊をおびき出して撃滅する目的が含まれていたのです。逆に言えば、まんまと米空母がやって来たというわけです。

戦う前から、海軍全体には楽勝気分が蔓延《まんえん》していました。参謀たちは、もしかしたら米空母は我が軍を怖れて出てこないのではないかと考えていたようです。戦後知ったことですが、作戦中、参謀室で、ある司令が航空甲参謀の源田実さんに「ミッドウェーで敵空母がやってきたらどうする」と尋ねた時、源田さんは「鎧袖一触《がいしゅういっしょく》です」と答えたらしいですが、さもありなんです。更にその少し前、山口の柱島で、参謀たちが敵味方に別れてミッドウェー作戦の図上演習をしたところ、日本の空母に爆弾が九発命中したそうです。その時、宇垣参謀長は「今のは三分の一の三発にする」と言って、演習を続け、作戦を考え直すことはまったくしなかったそうです。これでは何のための図上演習かわかりません。

油断はまだあります。ハワイ沖に米空母部隊の出撃を知らせるための潜水艦部隊を配備することになっていましたが、実際に配備されたのは、既に米空母がハワイを出た後でした。これもおそらく米空母は出撃しないだろうという思い込みのせいです。

あの日のことは、六十年以上たった今もよく覚えています。まさに海軍にとって、いや日本にとって最悪の日でした。もちろん、それ以上にひどい敗北はその後何度も繰り返しました。しかしすべてはあのミッドウェーから始まったのです。

その日、私は朝からミッドウェー島の陸上基地を攻撃するための爆撃隊の直掩機として攻撃に参加していました。

この作戦はミッドウェー島の陸上基地を攻撃することでした。さらに敵機動部隊がやって来れば、これを撃滅するという二方面作戦でした。そのため常に索敵隊が出ていたのです。

空母同士の戦いは索敵で決まります。広い太平洋の上を高速で動き回る機動部隊を敵より一秒でも早く発見し、攻撃をかける。それこそが空母の戦いです。

さっきも言いましたが、初めての空母同士の戦いは「珊瑚海海戦」です。実はこの時の戦いでは奇妙なことが起こっています。日米とも互いに相手を見つけて攻撃隊を送ったものの双方共に接敵出来ず、一回目の攻撃は不発に終わっているのですが、この時、事件が起こりました。

我が五航戦の攻撃隊が敵機動部隊を発見出来ずに、夜間になって空母に戻って来たのですが、夜間の着艦というのは非常に難しい。それで最初の一機は着艦のタイミングが合わず、そのまま空母の上を通り過ぎたのですが、何とその時に、その空母がアメリカの空母であることがわかったのです。この時の操縦員は随分驚いたことでしょう。さんざん探し回って見つけられなかった敵空母が、味方母艦と思って帰って来たところにいたのですから。

高速機動部隊の戦いというのはこれほど厄介なものなのです。互いの空母は毎時五十キロ前後の高速で移動します。二時間で彼我の距離は最大二百キロも位置がずれるのです。このため、味方攻撃隊も、母艦に戻る時は出撃した位置とは大幅に違っていることが当たり前なのです。そんなわけで、あわや敵空母に着艦するという事件が起こったのです。おそらく敵空母も泡を食ったことでしょう。

結局、その攻撃隊は敵空母から逃れ、その後、味方の空母に帰り着きましたが、まさに笑い話のような出来事でしょう。

翌朝、双方の空母部隊は再度、索敵のために偵察機を出しました。この時「翔鶴」の偵察機は敵空母を発見した後、燃料ギリギリまで敵艦隊と接触を続け、その位置を知らせました。「翔鶴」と「瑞鶴」からただちに攻撃隊が発進しましたが、その途中、攻撃隊は母艦に帰還中の偵察機とすれ違いました。その時、偵察機は反転し、味方攻撃隊を敵空母まで誘導したのです。偵察機が帰艦途中ということは燃料がもうないということです。その飛行機が味方攻撃隊を敵まで誘導するということは、自分たちがもう生きて戻れないことを意味します。

その偵察機は九七式艦上攻撃機で、機長は偵察員の菅野兼蔵飛曹長という人です。同機の操縦員は後藤継男一飛曹で電信員は岸田清治郎一飛曹でした。三人は味方攻撃隊の必勝を願って自らの命を捨てたのです。

すいません、この年になると、涙もろくなってしまって――。

攻撃隊はしかし菅野飛曹長たちの犠牲を無駄にはしませんでした。敵機動部隊に襲いかかり、先ほど申し上げたように、「レキシントン」を沈め「ヨークタウン」を撃破しました。

同じ頃、「翔鶴」と「瑞鶴」も敵攻撃機の攻撃を受けましたが、上空直衛の零戦の威力は凄《すさ》まじく、敵の爆撃機と攻撃機をほとんど撃ち墜としました。「翔鶴」が爆弾三発を受けたものの「瑞鶴」は無傷でした。この時、瑞鶴の直衛には後に日本一の撃墜王となる岩本徹三さんがいました。

しかしながらこの戦いは戦術的には勝利しても戦略的には負けだったと言われています。なぜなら日本軍の当初の目的であったポートモレスビー攻略という作戦は頓挫《とんざ》したからです。

五航戦の任務は陸軍上陸部隊の輸送船団護衛にあったのです。しかし空母戦のあと、井上成美《しげよし》長官は輸送船団を退却させました。敵機動部隊は既にはるか後方に避退していたにもかかわらず、それを怖れて作戦を中断したのです。結果として、第一線で勇敢に戦った兵士たちの努力を無にするような決断でした。このために、後に陸軍はポートモレスビー攻略のために兵隊たちに片道分の食料しか持たせず、陸路でオーエンスタンレー山脈を越えるという無謀極まりない作戦を決行し、何万人という犠牲を出しています。

戦略的な見方はともかく、珊瑚海では、空母同士の戦い、つまり搭乗員同士の戦いでは勝利をおさめました。続くミッドウェーでは五航戦よりも更に強い一航戦と二航戦です。負けるはずはないと思うのは当然でしょう。

ミッドウェーでは五航戦は参加しませんでした。珊瑚海海戦で翔鶴が損傷し、大量に飛行機と搭乗員を損失したからです。しかしこれもおかしいと思います。少なくとも「瑞鶴」は無傷だったわけですし、飛行機の補充も何とかなったはずです。連合艦隊司令部の本音は、何も全部の空母を使うことはあるまいというものだったのでしょう。

ここらあたりが米軍とまったく違っていました。米軍は修理に一ヵ月はかかるという「ヨークタウン」を三日間の応急修理で間に合わせ、ミッドウェーの海戦に参加させていたのです。艦内にはまだ修理の工員が多数いたといいます。スプルーアンス提督はたとえ沈められてもミッドウェーに参加させると言ったと言います。我々はアメリカ人というものは陽気なだけの根性のない奴らと思っていましたが、そうではなかったのです。彼らはガッツというものを持っていました。

話を六月五日のミッドウェーに戻しましょう。

あれは私がミッドウェー島の第一次攻撃から戻り、艦内の待機所で休んでいる時でした。突然、甲板上に待機していた攻撃機の魚雷を陸上用爆弾にする換装が始まったのです。どうやら、ミッドウェー島の二次攻撃をやることに急遽《きゅうきょ》決まったようです。それまでは敵機動部隊に備えて、攻撃機は艦船攻撃用に雷装されていたのですが、索敵状況から敵機動部隊は周辺にはいないとみて再び陸上基地攻撃に作戦が変更になったのでしょう。今にして思えば、これが第一の油断です。

一口に魚雷を爆弾につけ替えると言っても、靴を履き替えるようなわけにはいきません。リフトで一機ずつ格納庫に降ろして、そこで魚雷を外し、爆弾につけ替え、再びリフトで飛行甲板まで上げるという作業の繰り返しです。しかも、ものは爆弾と魚雷ですから、おろそかには扱えません。飛行機は数十機もあります。雷装から爆装へのすべての換装が終わるのにおよそ二時間くらいかかったでしょうか。その間、ミッドウェー基地から何機か敵の攻撃機がやって来ましたが、上空直衛の零戦隊が苦もなく追い払いました。

ようやく換装が終わった頃に、索敵機から、何と敵機動部隊らしきものを発見したという情報が伝わってきました。我々は「いよいよ米空母が来たか！」と思いました。ところが飛行甲板上の攻撃機には陸上攻撃用の爆弾がつけられています。何という間の悪いことでしょう。

南雲司令長官は、再び陸上用爆弾から魚雷への再換装を命じました。この処置は正しい処置と思えました。なぜなら陸上用爆弾では敵空母に損傷を与えても沈めることは出来ないからです。今回のミッドウェー作戦の一番の目的は米機動部隊すなわち米空母艦隊をおびき寄せ、一気に殲滅《せんめつ》することです。米空母をすべて沈めれば、太平洋に敵はいないも同然です。そのためにも一撃で米空母を葬り去る雷撃——つまり魚雷による攻撃が絶対に必要です。

全空母が一斉に爆弾から魚雷への転換を始めました。今し方終えたばかりの作業をもう一度繰り返すわけです。

私はやきもきしながら、その作業を見ていました。何しろ、敵機動部隊がわずか二百浬《かいり》先にいるのですから、とにかく一刻も早く攻撃したい一心でした。先程の換装がなければ、とっくに攻撃隊を発進出来たのにと思うと、何とも情けない気持ちがしました。

宮部がいつのまにか私の横にいました。

「いったい何をのんびりやってるんだ。すぐに攻撃しないと」

宮部は常にはない苛立《いらだ》った口調で言いました。

「陸上用爆弾では、空母は沈まないよ」

「沈まなくたっていい。とにかく先手をとらないと」

「でも、どうせやるなら、沈めたいじゃないか。損傷だけ与えて、一目散に逃げられたりしたら、元も子もない」

「それでもやらないよりはましです」

「今回の作戦の目的は敵空母の殲滅だぜ、逃げられたら意味ないじゃないか」

「それなら、なぜ最初の雷装から爆装に変更したのです。一番の目的が空母なら、雷装のまま敵空母発見の報を待っているべきです」

私は言葉に詰まりました。言われてみればその通りです。たしかに今回のミッドウェー作戦は二方面作戦でした。実はこれは兵法としてはもっとも慎むべき戦法だったのです。

「こうしている間に敵が来るかもしれません」

宮部は独り言のように呟きました。私は愚かにも初めてそのことに気がつきました。私は勝手に、我が方が一方的に敵機動部隊を発見しているとばかり思っていたのです。

その時、上空哨戒機を更に増やそうということで、我々戦闘機隊に命令が届きました。飛行隊長は宮部と何人かに上空直衛を命じました。

宮部は私に軽く手を振ると、「行ってくるよ」と言い、甲板上の零戦の方に走っていきました。宮部と会話をしたのはそれが最後です。

宮部たちが飛び上がってからも、魚雷換装は遅々として進みませんでした。こうしている間にも、敵機動部隊にいつ発見されるかわかりません。敵がいることがわかっていながら、攻撃に行けないもどかしさというものを初めて感じました。私は攻撃隊に入っていませんでしたが、それでもじりじりした気分でいたのですから、攻撃隊の連中は本当に焦りに似た気持ちだったでしょう。

突然、「敵機！」という声が轟きました。見ると、左舷前方に十数機の敵の編隊が低く飛んでくるのが見えました。距離はまだ七千メートル以上ありました。もうその時には、上空直衛機が敵機に向かっていました。敵は雷撃機です。雷撃機とは魚雷を抱いた飛行機です。一発でも魚雷を受けたら、致命傷になります。

全身に緊張と恐怖が走りました。「頼むぞ。直衛機」と心の中で祈りました。

零戦は雷撃機の群れに、猟犬のように襲いかかりました。瞬く間に雷撃機は火を噴いて墜ちていきました。わずか数分で敵雷撃機は全機撃墜されました。実に鮮やかなものでした。あまりの素晴らしさに、思わず甲板の整備員からも拍手が起こったほどです。

その時「右舷！」という声が聞こえました。振り返ると、右舷方向から八機の雷撃機が接近するのが見えました。しかしすでに後方に零戦が三機ついています。雷撃機は射程に入る前に次々と墜とされました。最後に残った二機は魚雷を捨てて上空に逃れようとしましたが、しかしこれも零戦に撃墜されました。

零戦隊の見事な手腕に、甲板に待機していた攻撃隊の搭乗員たちは感嘆の声を上げました。

後方では、「加賀」を襲った雷撃機も同じように直衛機にばたばた墜とされていました。

した。

私はあらためて零戦の威力を見ました。いや零戦の操縦桿を握った男たちのすごさを見ました。まさに彼らは一騎当千の強者でした。

戦いは断続的に二時間近く続いたでしょうか。敵雷撃機は全部で四十機以上来襲し、ほぼ全機が零戦に撃ち墜とされました。魚雷は一発も当たりませんでした。

攻撃を受けている時も、空母の格納庫では必死の換装は続いていました。

その時です――見張員の悲鳴のような叫びを聞いたのは。あの時の声は一生忘れられません。

空を見ると、四機の急降下爆撃機が悪鬼のように降りかかってきたのです。

私は「もうだめだ」という絶望的な思いで、まるで呆《ほう》けたようにその悪鬼たちを見つめていました。四機の爆撃機から、爆弾が離れるところが見えました。時間としては一瞬の事だったのでしょうが、まるでスローモーションの映像のようでした。四つの爆弾がゆっくりと笑うように降りかかって来ました。空気を切り裂くその音はまさしく鬼の笑い声のようでした。おそらく私たちの油断と驕りを嗤《わら》っていたのでしょう。

飛行甲板は轟音と共に大爆発を起こしました。私の体も吹き飛び、艦橋にぶつけられました。艦橋がなければ、海の上に飛ばされていたでしょう。

なかば気を失って、燃える甲板を見つめていました。飛行機が次々に燃えています。搭乗員が火だるまになって、操縦席から飛び出しています。プロペラが回っていた飛行機は今や制御能力を失い、勝手に動き出し、あるものはぶつかり、あるものは海に落ち、甲板上は無茶苦茶な状態でした。格納庫でも爆発が続けざまに起こりました。魚雷や爆弾が火災で誘爆したのです。爆発のたびに巨大な艦が揺れました。右舷の方を見ると、「加賀」も燃えています。はるか後方にもう一隻燃えている空母の姿が見えました。三隻の空母が一瞬にしてやられたのです。

私は燃える飛行甲板から逃れるように、後甲板に降りました。そこには艦攻の搭乗員たちが集まっていました。どの顔もひきつっていました。

負傷者が何人もいました。手のない者、足のない者も大勢いました。床は大量の血で染まっていました。まさに阿鼻叫喚《あびきょうかん》の地獄絵図でした。

格納庫からは断続的に爆発音が響いてきます。我々はバケツで水を運んで消火作業をしましたが、所詮《しょせん》焼け石に水です。そのうちに水も出なくなり、まったくのお手上げとなりました。

艦を燃やす炎は数十メートルにもなり、その煙は数百メートルに達していました。艦全体が焼けるような熱さでした。鉄製のラッタルはすごい熱で、靴底が焦《こげ》るほどでした。うっかり手すりに触われれば、大やけどです。我々は後甲板に閉じこめられたような状況で、どうしていいのかわからず、呆然《ぼうぜん》としているだけでした。

その時、艦首の方から司令部の幕僚たちが退艦して行くのが見えました。内火艇に南雲長官以下多くの士官が乗って艦を離れて行きました。私たちはそれを見てがっくりきました。司令部が艦を見捨てたのだ、もう「赤城」もおしまいだ。

しばらくして駆逐艦のカッターが近づき、我々を救助に来ました。

我々もカッターに乗り込み、「赤城」を後にしました。私はカッターから後ろを振り返って「赤城」を眺めました。世の中にこれほどの炎があるのかと思われるほどの巨大な火の海に包まれていました。その勢いは凄まじく、百メートル以上離れてもその熱波を感じました。

しかし「赤城」は沈みませんでした。魚雷攻撃を受けたわけではなく、爆弾ですから、艦自体は燃え上がっていますが、沈むことはありません。だがそれはかえって断末魔の苦しみが長引く地獄のように見えました。鉄が真っ赤になり、どろどろと溶けています。黒煙はもう上空一キロメートルにも達していました。

見ると、同じような黒煙が二つ昇っていました。全部で三隻の空母がやられたのです。

私は泣きました。カッターに乗った大勢の搭乗員も皆泣いていました。

上空には帰る母艦を失った零戦がむなしく飛んでいました。おそらく宮部もその中にいたはずです。

これが私の見たミッドウェーの戦いです。

戦後になって、この時のことが「運命の五分間」と言われて有名になりましたね。あと五分の猶予があれば、我が方の攻撃隊は全機、換装を終えて発進していただろうから、仮に同じような爆撃を受けたとしても、甲板上の爆弾の誘爆は避けられたから、空母は沈むことはなかったであろうと。そして我が攻撃隊は必殺の攻撃で、敵空母を海の藻屑にしてしまっただろうと。だから、あれは運が悪かったのだと。

しかしそれは嘘です。敵の急降下爆撃を受けた時、換装終了までは程遠かったのです。あとどれくらいで換装が終わったのかはわかりませんが、少なくとも「五分」などということはありません。

歴史にタラレバはありません。あの戦いも運が悪かったわけではありません。やろうと思えば、もっと早くに発進出来たはずなのです。陸上用の爆弾でも何でも、先に敵空母を叩いてしまえば良かったのです。それをしなかったのは驕りです。

またこの時、米軍の雷撃機は護衛戦闘機なしでやってきました。雷撃機が護衛の戦闘機なしで攻撃するなど、自殺行為です。現実に零戦にすべて墜とされました。しかし結果として、それが囮《おとり》の役目になりました。母艦直衛の零戦は雷撃機に気を取られ、上空の見張りがおろそかになりました。その間隙《かんげき》を突かれ、遅れてやって来た急降下爆撃機にやられたのです。

これはたしかに運が悪かったと言えますが、私にはそうは思えません。後に知ったことですが、米軍は日本の空母部隊を発見した時、とにかく一刻も早く攻撃しようと、戦闘機の配備が間に合わなかったにもかかわらず、準備の整った攻撃隊から順次送り込んだというのです。

私はこの時の米軍の雷撃機の搭乗員たちの気持ちを考えると胸が熱くなります。彼らは戦闘機の護衛なしに攻撃するということがどんなことかわかっていたはずです。「ゼロ」の恐怖を十分に知っていたはずです。自分たちはまず生きては帰れないだろうと覚悟したに違いありません。にもかかわらず彼らは勇敢に出撃しました。

そして必死に我が空母に襲いかかり、零戦の前に次々と墜とされていきました。しかしその捨て身の攻撃が、母艦直衛機の零戦を低空に集めさせ、急降下爆撃機の攻撃を成功に導いたのです。

私はミッドウェーの真の勝利者は米軍雷撃隊ではないだろうかと思います。珊瑚海海戦で、燃料切れを知りながら、味方を誘導した我が索敵機の搭乗員も、この時の米軍の雷撃機も、戦争に勝つために自らの命を犠牲にしたのです。

国のために命を捨てるのは、日本人だけではありません。我々は天皇陛下のためという大義名分がありました。しかしアメリカ人は大統領のために命は捨てられないでしょう。では彼らは何のために戦ったのか――それは真に国のためだったということではないでしょうか。

そして実は我々日本人もまた、天皇陛下のために命を懸《か》けて戦ったのではありません。それはやはり愛国の精神なのです。

日本側はこの戦いでなけなしの空母を四隻沈められました。米空母は一隻だけでした。その一隻は珊瑚海海戦で大破した「ヨークタウン」です。ニミッツ大将が応急措置を命じて満身創痍《そうい》のままミッドウェーに参加させた空母です。そして日本の空母群に強烈な一撃を与えて、沈んでいったのです。これがヤンキー魂というやつでしょうか。

それに比べて、同じ珊瑚海で戦い、無傷だったにもかかわらず、瀬戸内海でのんびり休養していた「瑞鶴」――ミッドウェーの戦いは、既に戦う前から負けていたのです。

ただ一つ、我が方にも褒めてやりたいものがあります。それは四隻の中でたった一隻、敵の攻撃から逃れた「飛龍《ひりゅう》」の奮戦です。「飛龍」は三隻の空母がやられた後、司令官、猛将山口多聞《たもん》少将に率いられ、文字通り孤軍奮闘で敵の三隻の空母、ついに「ヨークタウン」と刺し違えて沈んでいったのです。山口少将も龍」と運命を共にしました。ちなみに山口少将は南雲長官の雷装変換に強く反対し、ただちに攻撃隊を発進させることを進言した人です。真珠湾の時も第三次攻撃隊を送ることを強く具申した人でした。

また「飛龍」の攻撃隊の飛行隊長である友永丈市大尉は、燃料タンクを撃ち抜かれた九七式艦上攻撃機で、片道の燃料しか積めないにもかかわらず、敢然と出撃したということです。

これがスポーツなら「ヨークタウン」と「飛龍」の乗員たちは戦いを終えた後に、互いの健闘をたたえ、友情さえ生まれたかもしれません。しかしこれは戦争です。互いに殺し合い、そして両艦とも多くの人が死にました。

一説には、ミッドウェーで多くの熟練搭乗員を失ったことが、日本海軍にとって一番の痛手だったと言われていますが、それは正しくありません。最後まで戦った「飛龍」の搭乗員はほとんどが亡くなりましたが、先に沈んだ三隻の母艦搭乗員の多数は救助されました。

熟練搭乗員が大量に失われたのはその年の秋から始まったガダルカナルの戦いにおいてです。

――宮部ですか？　おそらく燃料が切れるまで上空で戦い続けて海上に不時着したのでしょう。もしかしたら、「飛龍」に着艦した後、「ヨークタウン」の攻撃に参加したのかもしれません。

いずれにしても彼も生きながらえて内地に戻っています。ただ、私はその後一度も会っていません。「赤城」から飛び立っていったのが彼を見た最後の姿です。宮部は、ミッドウェーの後、多くの搭乗員たちと一緒にラバウルに配属になったと聞いています。

私は爆弾の爆風を受けた時に目をやられていて、両目とも〇・二まで視力が落ち、戦闘機には乗れなくなりました。

内地に戻ってからは予科練の教員をやりました。もし眼をやられていなければ、その後も各地を転戦して、生き残ることは出来なかったかもしれません。実際、ラバウルに配属になった多くの母艦搭乗員はソロモンの海に散っていきました。ソロモンの海こそが搭乗員たちの墓場になったのです。十七年の後半からは「ラバウル転属の辞令」は片道切符と言われていたのです。

宮部はそんな地獄の戦場で一年以上も生き残ったと聞いています。もしかしたら、臆病ゆえに命をながらえることが出来たのかもしれません。空の上は勇敢な者から死んでいく世界ですから。

宮部は、珊瑚海海戦で帰還をあきらめて味方攻撃隊を誘導した菅野飛曹長や、ミッドウェー海戦で片道攻撃に出撃した友永大尉のような男ではありませんでした。しかし臆病であったことで、非難される謂《い》われはないでしょう。

ただ、これだけは言っておきます。宮部の操縦技術は一流でした。私の口から言うのは面映ゆいですが、開戦当時、第一航空戦隊に配属されたということは、一流の搭乗員であった証です。その後ガダルカナルでの地獄の戦場で生き長らえることが出来たのも、彼が本当の腕を持った搭乗員だったからです。

目の前の二つのアイスコーヒーはすっかり氷が溶けていた。ぼくはグラスに口をつけることも忘れていた。元海軍中尉、伊藤寛次の話はぼくを圧倒した。これまで太平洋戦争のことなどろくに知らなかったぼくにとって、すべてが驚きだった。

航空母艦の戦いといえど、結局は人間同士の戦いだった。戦力データの差だけが勝敗を決めるのではない。勇気と決断力、それに冷静な判断力が勝敗と生死を分けるのだ。

それにしても当時の兵士たちは何という非情な世界に生きていたのだろう。つい六十年前には、こんな戦いが現実に行われていたのだ。祖父もまたそんな戦場の中にいた兵士の一人だった。

伊藤は祖父のことを、臆病な男だったが確かな腕を持ったパイロットだったと言った。その言葉は、ぼくにささやかな慰めを与えた。

「宮部は特攻隊で亡くなったのですか？」

不意に伊藤が聞いた。

「昭和二十年の八月に南西諸島沖で戦死しました」

「八月ですか——。終戦の直前ですね。その頃は宮部のような熟練搭乗員までも特攻機に乗せたんですね」

「熟練搭乗員が特攻に行くのは珍しいのですか？」

「特攻で散った多くの搭乗員は予備学生と若い飛行兵でした。陸海軍は特攻用に彼らを速成搭乗員にして、体当たりさせたのです」

伊藤は苦しそうな顔をした。

「私も教官として多くの予備学生を教えました。一人前の搭乗員を育て上げるには最低でも二年はかかりますが、彼らは一年足らずで飛行訓練を終えました。体当たりするだけの搭乗員ならそれでいいということだったのでしょう」

伊藤の目に再び涙が光った。

「ひどい話ですね」とぼくは言った。

「そうですね。しかし戦術的には、熟練搭乗員を一回の特攻で殺してしまうのはもったいない話です。熟練搭乗員たちは、特攻機が敵艦隊に到達するまでの護衛の役目が与えられたのです。それに、熟練搭乗員には本土防空の役目もありました。しかし終戦間際にはもう敗北は決定的でしたし、一億玉砕、全機特攻という空気が作られていましたから、宮部のようなベテランにも特攻出撃命令があったのでしょうね」

ぼくは初めて祖父の無念を少し理解出来たような気になった。日中戦争からずっと戦わされ、最後は、特攻として使い捨てられたのだ。あれほど生きて帰りたがっていた祖父にとってどれほど悔しかったことだったろう。

「一つだけ聞かせてください」とぼくは言った。「祖父は、祖母を愛していると言っていましたか」

伊藤は遠くを見るような目をした。

「愛している、とは言いませんでした。我々の世代は愛などという言葉を使うことはありません。それは宮部も同様です。彼は、妻のために死にたくない、と言ったのです」

ぼくは頷いた。

伊藤は続けて言った。

「それは私たちの世代では、愛しているという言葉と同じでしょう」

第四章　ラバウル

「驚いた」

姉は電話の第一声でそう言った。

姉から電話がかかってきたのは、伊藤の話を録音したボイスレコーダーを送った翌日のことだった。

「一気に聞いた」

姉の声はちょっと興奮気味だった。姉は祖父が確かな腕を持ったパイロットだったことを喜んでいたが、それよりも、祖父が祖母を愛していたということの方に感動していたようだった。

姉は手短に感想を伝えると、今夜会えないかと聞いてきた。仕事先の新聞社の人と一緒に食事をしないかというものだった。

「私たちの調査を聞いて関心を持ってくれてるの。それで、一度食事でもどうかって」

ぼくの方には特に予定はなかったから、了承した。

待ち合わせ場所の赤坂のホテルに着くと、姉しかいなかった。新聞社の人は急な仕事が入って少し遅れるということだった。

ぼくと姉は先にレストランに入って、食事しながら待つことにした。

「おばあちゃんは最初の夫に愛されていたのね」

注文を終えた後、姉はしみじみと言った。

「おばあちゃんはどうだったのかな？」

ぼくの質問に姉は少し考える顔をした。

「おばあちゃんはおじいちゃんが大好きだったからね。おじいちゃんの前に愛する人がいたなんて想像も出来なかったわ」

ぼくは頷《うなず》いた。

「でも、人の心の中はわからない。もしかしたら、おばあちゃんも宮部さんのことを愛していたのかもしれないね」

姉は祖父のことを宮部さんと呼んだ。

「でもたった四年の結婚生活で、しかも一緒に暮らした時間がほとんどなかったから、戦死したとしても、忘れるのも難しくなかったんじゃないかな」

ぼくの言葉を、姉は肯定も否定もしなかった。

少ししてスーツを着た背の高い男がやって来た。それが新聞記者、高山隆司《たかやまりゅうじ》だった。彼は遅れたお詫《わ》びを言い、それから急な仕事が入ったためあまり長くいられない旨を告げた。

高山は柔和な顔立ちをしていた。三十八歳と聞いていたが、もっと若く見えた。

「あなたが健太郎さんですね。お姉さんには仕事でお世話になっています」

高山はウェイターに注文をすませると、人なつっこい笑顔を浮かべて言った。姉から大変なやり手と聞いていたから、もっと自信に満ちた押し出しのきくタイプかと思っていたら、そうではなくむしろ、ソフトで優しそうな雰囲気を持った男だった。

彼は、来年は戦後六十年の節目の年にあたり、新聞社として戦後を振り返る特集をいくつも企画していると言った。だから、特攻で亡くなった祖父のことを調べている姉の話を知り、その調査に興味を持ったのだと言った。

「戦争の特集の中でも、カミカゼアタックは是非総括しなければならないテーマだと思っています。カミカゼアタックの人たちは本当に気の毒な人たちです」

高山はそう言って、一瞬黙禱《もくとう》するように目をつむりテーブルの上で両手を組んだ。

「しかし、カミカゼは決して過去の問題ではありません。これは非常に悲しいことですが、9・11のテロを見てもわかるように、今、かってのカミカゼアタックと同じ自爆テロが世界を覆っています。どうしてこんなことが起こるのでしょう」

高山はかすかなため息をついた。そして少し身を乗り出して言った。

「私は、それを知るためには、日本のカミカゼアタックを今一度違う視点で洗い直す必要があると思っているんです」

「高山さんは自爆テロのテロリストと日本の神風特攻隊は同じ構造だとおっしゃってるんですか」

ぼくの質問に高山が頷いた。

「世界史的に見ても、組織だった自爆攻撃は非常に稀有なもので、かつてのカミカゼアタックと現在のイスラム原理主義による自爆テロの二つがその代表です。この両者に何らかの共通項があると考えるのは自然な考え方だと思います。現にアメリカの新聞では昨今の自爆テロのことをカミカゼアタックと呼んでいます」

高山はぼくに答えるというよりも、姉の顔を見ながら言った。

姉が前に「ある人の受け売りなんだけどね」と断って語っていた特攻隊に対する意見は、やはり彼のものだということがわかった。もっとも「特攻＝テロ」と主張している評論家が少なくないということは、ぼくも祖父の調査を始めてからネットなどで見て知っていた。珍しい意見ではないようだ。テレビの有名な報道キャスターの何人かもそう発言していたらしかった。残念ながら、特攻隊についての知識がまったくないぼくには肯定も否定も出来ない問題だった。

高山は言った。

「特攻隊員の手記を読みますと、多くの隊員が宗教的な殉教精神で自らの生命を捧げていったのが読みとれます。出撃の日を、大いなる喜びの日と書いた隊員もいます。でも、これは別に驚くに値することではないのです。戦前の日本は現人神《あらひとがみ》の支配する神国でしたから、若者の多くが国に殉ずる喜びを感じたのは当然かもしれません」

高山は目を伏せてうつむいた。

「これははっきり言って殉教精神です。そして彼らの殉教精神こそ、現代のイスラム過激派の自爆テロと共通するものに他ならないのです」

高山の論理は理路整然としたものだった。しかしぼくにはすべてをすんなりと受け入れることが出来なかった。多分、祖父がテロリストということを認めたくなかったからだろう。

高山は姉に「おじいさんがカミカゼアタックのパイロットだったそうですね」と尋ねた。姉は頷いた。

「亡くなられたあなたのおじいさんに対してこんなことを言うのは、大変心苦しいのですが――」

「かまいません。おっしゃって下さい」

高山は少し迷っていたようだが、姉の言葉に小さく頷くと、口を開いた。

「私は、カミカゼアタックの人たちは国家と天皇のために命を捧げる狂信的な愛国主義者と思っています」

姉は頷いたが、ぼくはさすがに反論したかった。

「祖父は命を大切にしていた男だったらしいです。家族のために」

「いつの時代にも家族への愛はあります。しかし戦前は、天皇陛下は現人神であるという教育が行われ、多くの人たちがそれを受け入れていました。でもそれはあなたの祖父のせいではありません。あの時代のせいなのです」

「よくわかりませんが、祖父は家族よりも天皇陛下が大切と思ってはいなかったと思います」

高山は頷きながら、運ばれてきたコーヒーを口に運んだ。

「あなたはあの時代をよく知らないのです。戦前の日本は、狂信的な国家でした。国民の多くが軍部に洗脳され、天皇陛下のために死ぬことを何の苦しみとも思わず、むしろ喜びとさえ感じてきました。私たちジャーナリストは二度とこの国がそんなことにならないようにするのが使命だと思っています」

「でも、戦後生き残った祖母が天皇陛下万歳というのを聞いたことがありません」

「それは洗脳が解けたからです。戦後の多くの思想家や、私たちの先輩ジャーナリストたちが国民を目覚めさせたからだと思っています。私が新聞記者になったのは、そんな先輩たちを見習いたいと思ったからです。そして今も、真のジャーナリストを目指しています」

高山はそう言って少しはにかんだ笑顔を見せた。誠実な男に見えた。姉はそんな高山の横顔を頼もしそうに見ていた。

ぼくは高山の言葉を頭の中でもう一度反芻《はんすう》した。彼の言うことは大筋で正しいように思えた。しかし心の奥の方で何かが違うという気がした。だが、それが何かはわからなかった。

少し考えてぼくは言った。

「日本人とイスラム過激派が同じ精神構造にあるとは思えないのですが――」

「日本人全体とは言っていません。あくまで特攻隊員と自爆テロリストの共通項を語っているのです」

「それって、特攻隊員を特別な人たちと考えていませんか？」

高山は、うん？ という感じで首をかしげた。「どういう意味でしょうか」

「特攻隊員たちはそれほど特殊な人たちだったのでしょうか。ぼくには、そうではなくて、普通の日本人だったのではないかという気がします。たまたま彼らは飛行機のパイロットだっただけで、普通の人たちと同じだったのではないでしょうか」

高山は目をつむって少し沈黙した。

「これは基本的なことですが、特攻隊を志願した軍人は、徴兵で軍隊にとられた兵士ではありません。一般の兵隊のように赤紙の召集令状で戦地に追いやられた人ではないのです。私もカミカゼアタックが徴兵された者たちで行われていたなら違う見方をしたと思います。しかし当時の飛行兵は全員が志願した軍人なんです。予備学生たちも少年飛行兵も、全員がそうなのです。あえてこんな言い方をしますと——特攻隊員たちは皆自ら軍人となることを希望し、戦うことを希望した人たちなのです」

そういうことか、と思った。

「たしかあなたのお祖父さんは十五歳で海軍に入ったということですね。これはつまり——徴兵でなく志願して入ったことになりますね」

ぼくが答える前に姉が口を挟んだ。

「高山さんは、徴兵と志願兵とでは、初めから精神構造が違うとおっしゃりたいのですね。自ら志願した軍人には、特攻を受け入れる下地があったと」

「その通りです、佐伯さん。しかし本当はまったく違うのではなく、志願兵の人たちは、最初から国のために身を捧げる気持ちが普通の人たちよりも強かったのではないかということです」

高山の言うことには一理も二理もあった。たしかに徴兵と志願兵は同列には論じることは出来ないかもしれない。祖父の中には特攻を受け入れる何かがあったのだろうか。そもそも祖父はなぜ海軍に入ったのだろう。

長谷川は現実から逃れるために海軍に入ったと言い、伊藤は飛行兵に憧《あこが》れて海軍に入ったと言った。祖父もまた飛行兵に憧れた軍国少年だったのだろうか。

「ところで、佐伯君にお願いがあるのですが、今回の君の祖父を訪ねるというレポートを記事にさせてもらえないでしょうか」

「ぼくのことをですか？」

「お姉さんでもいいのですが、それよりも若い男性の方がいいと思います。どういう形にするのかは今のところ未定ですが、戦争などまったく知らないで育った現代の若者が、特攻隊で亡くなった祖父の足跡を追って戦友たちを訪ねるというのは、非常に意味深い企画だと思うのです」

「それはちょっと——」

ぼくは断ろうとした。

「別にいいじゃないの、健太郎」

姉が横から口を挟んだ。

「ちょっと考えさせてください」

「もちろんです。ゆっくり考えて下さい」

高山が帰った後、ぼくは姉に言った。

「どういうことだよ。ぼくのことを企画にするって。最初から、それが目的だったの？」

「違うわよ。高山さんが今日言い出したのよ、私の話を聞いて思いついたみたい」

姉が嘘をついてる感じはなかった。

「あの人、姉さんに惚れてるね」

姉は否定しなかった。姉はこう見えて昔からよくもてた。今年で三十歳になるとはいえ、年齢よりずっと若く見えたし、なかなかの美人でもあった。

「あの人は独身？」

「そうよ――。ただ、バツイチだけどね」

姉によると、高山は今年の初めに仕事を通じて知り合った人で、高山の紹介で新聞社系の週刊誌に記事も書かせてもらったという。来年の終戦六十周年のプロジェクトに声をかけてくれたのも彼だった。

「惚れてるから、いろいろしてくれてるんだな」

「そんな言い方しないでよ」

、姉さんはどうなの？　彼を好きなの？」

んと言った。
ないの。嫌いじゃないし、素敵な人だとは思うのだけど」
フローチされたの？」
極的よ」姉はそう言って苦笑した。「でも私、積極的にこられるのって、そんな
じゃないし。それにそろそろ身を固めてもいい年だし、結婚相手としては申し分ないと思う」

「何か打算で結婚するみたいだね」

　姉はムッとした顔をした。

「私みたいな仕事をしている女を理解してくれる男性はなかなかいないのよ。男性にとっては、誰と結婚しても人生に大きな違いはないでしょうけど。女にとって、結婚は全然比重が違うのよ。言うなら一番大きな就職問題よ。だってそうでしょう。どんな男と結婚するかで、これからの仕事のやり方と生活が決まってしまうのよ。慎重に選ぶのを打算って言えるの！」

　ごめんよ、とぼくは謝った。姉もすぐに「いいのよ。私もムキになってごめんね」と言った。

「でもね、私も含めて、なかなか結婚しない女たちは、結婚フリーターみたいなものかもね」

　姉はそう言って笑ったが、その笑顔は少し寂しそうだった。

高山に会ったその週末、ぼくと姉は元海軍飛行兵曹長、井崎源次郎《いざきげんじろう》を訪ねた。井崎は都内の大学病院に入院中だった。連絡は井崎の娘から貰った。今回ぼくは最初からインタビューに同行するつもりだった。伊藤の話を聞いてから、祖父の調査に興味を持ち始めていたからだ。

病院に着くと、ロビーに井崎の娘という五十代の女性が待っていた。女性は「井崎の娘です。江村鈴子《えむらすずこ》と申します」と挨拶した。そして、隣に立っていた若者を「息子です」と紹介した。

若者は、ぞんざいに顎《あご》をしゃくった。年は二十歳前後に見えた。髪を金髪に染め、アロハを着ていた。左手にオートバイ用のヘルメットを持っていた。ヘルメットには派手なペイントが施《ほど》こされていた。

「父は体がよくないので、あまり長い話は出来ません」

「無理はなさらないでください」と姉は言った。

「宮部さんのことは私も父から聞いたことがあります。父は自分が生きているのは宮部さんのお陰だと申しておりました」

「そうなのですか」

「俺、そんなの聞いてねえよ」

若者がぶっきらぼうな口調で言った。母親の江村はそれを無視した。

「父は戦友会から、宮部さんのお孫さんから連絡があったと知らされた時は、大変驚いておりました」

「その晩は泣いてたんだろ」

若者がからかうように横から口を出した。

「父の体はかなり悪くて、医者からは、あまり興奮するような話はしないようにと言われていましたが、どうしても会うと言って聞きませんでした」

「恐れ入ります」

姉は深く頭を下げた。

「実は、父が孫にも聞かせたいというもので、私の息子もご一緒させていただいて、よろしいでしょうか」

「もちろんです」

若者は「面倒くせえな」と呟《つぶや》いたが、それは母親の耳には届かなかったようだ。

病室は個室だった。ドアを開けて中に入ると、ベッドの上に痩《や》せた老人が正座していた。

その姿を見て、江村が慌てて言った。

「お父さん、座ってなんかいて大丈夫なんですか」

「大丈夫だ」

老人は力強く答えると、ぼくと姉に「井崎源次郎です」と言って頭を下げた。

「こんな恰好で失礼します」

井崎は入院中の寝間着姿を詫びると、ぼくと姉の顔をじっと見つめた。

「今になって、宮部さんのお孫さんに会えるとは――」

「私は祖父が死んで、三十年経って生まれました」と姉が言った。

「宮部さんは特攻で亡くなったそうですね」

「はい」

井崎は目をつむった。

「あなた方から連絡をいただき、この一週間、宮部さんのことをいろいろと思い出していました。ベッドに横たわって、六十年前の戦争の日々、長い間、記憶の底に埋もれていたこと、忘れていたことも沢山」

それから孫に向かって、

「誠一、お前も一緒に聞きなさい」

「俺には関係ねえことだろ」

「関係はないが、お前にもぜひ聞いてもらいたいのだ」

誠一は、わかったよというふうに手を振った。井崎はぼくの方に向き直ると、もう一度居住まいを正した。

「宮部さんと出会ったのはラバウルです——」

井崎はゆっくりと話し始めた。

私が茨城の谷田部で操縦練習生を終えて、最初に配属になったのは台南空です。十七年の二月、数えの二十歳、満で十八歳でした。

私は高等小学校を卒業後、地元の製糸工場で働いていましたが、十五歳の時、海軍に入りました。最初の一年は戦艦「霧島」の砲手をやっていましたが、水兵から航空兵に転属するものを募集しているということを聞いて、操練の試験を受けて航空兵になりました。

——なぜ海軍に入ったのか、ですか?

さあ、なぜでしょう。当時は二十歳になれば徴兵が待っていましたし、どのみち軍隊に入るなら海軍の方がいいと思ったのです。製糸工場で働いていても、賃金は安いし仕事は辛いし、将来性もありませんでしたから。今から見れば、そんな理由で命を失うかもしれない軍隊に自分から入るというのはおかしな話ですね。でも当時は普通のことでした。ただ、今にして思うと、海軍に入った理由の後ろには貧しさがあったんだと思います。

対米戦争は前年の十二月に始まっていました。真珠湾のことは谷田部航空隊で聞きました。

翌年、フィリピンのクラーク基地に行きました。ここはかつて米軍の航空基地でしたが、開戦二日目に台南空の空襲で航空機が壊滅させられ、その後、日本軍に占領されていました。台南空の三十四機の零戦隊は六十機の米戦闘機のほとんどを叩き墜としたと言います。味方の被害は四機だけでした。

私がフィリピンに行った時は、米軍は一掃されていて、まったくのんびりした状態でした。

台南空と言えば、歴戦の勇士揃《ぞろ》いの航空隊ですが、私はまったくのヒヨッコでした。当時、私の階級は一等飛行兵――いわゆる兵です。海軍は兵、下士官、士官の順に階級があります。

クラーク基地に着くと、すぐに先輩の下士官から「空戦をやろう」と言われました。空戦といっても模擬空戦です。実際の空戦と同じように相手の後方に回り込むというものです。

「しばらく実戦から遠ざかってる。お前相手に軽く腕ならしをしておきたいんだ」

その下士官はそう言いましたが、私の腕前を見てやろうという魂胆が見え見えでした。他の先輩たちも笑っています。

「では、一つお願いします」

私はへりくだって言いましたが、実は模擬空戦には結構自信があり、谷田部空では一、二位を争う腕でした。ここは一つ先輩たちになかなかやるなというところを見せておこうと思いました。

空戦は私の優位な位置から始まりました。これは打ち合わせ通りです。まあハンデをもらったようなものですね。空戦では高度が上の方が圧倒的に有利なのです。

私は高位から突っ込みました。相手はするりと旋回して逃れます。しかし私の方が有利なのは変わりません。速度を利して相手に喰らいつきます。相手は宙返りで逃れようとします。私も追いかけます。ところが次の瞬間、相手の機を見失いました。こんなことは初めてです。相手の機はどこにもいません。後ろを振り向くと、何と相手がぴったりと私の後方についているではありませんか。

先輩は私の横に並ぶと、風防を開け、もう一度やろうと手で合図しました。望むところです。

再び、私の優位な位置から始まりました。ところが、これも同じ結果に終わりました。私が相手を追いかけているのですが、いつのまにか相手が私の後ろについているのです。さらにもう一度やりましたが、三度目も同じ結末でした。基地に戻った私を古参の下士官たちは笑いました。「そんな腕では命はいくつあっても足りんな」

私の相手をしてくれたのは林三飛曹でした。年は私より一つ上でした。

「参りました」

私は素直に言いました。

「林三飛曹は素晴らしい腕前ですね」

「俺なんか、台南空では下手《へた》くその方だよ。宮崎飛曹長や坂井一飛曹なんか、俺とは比べものにならないぜ」

「そうなのですか」

「上には上がいるってことだよ」

林三飛曹は笑って肩を叩きました。私はすっかり自信を失いました。

飛行機の操縦は、ハンドルを切れば曲がるという自動車のような簡単なものではありません。旋回するにはフットバーを使って機体を傾けねばなりませんし、方向舵《だ》の扱いも速度と複雑にからみあっています。そして戦闘機には水平だけでなく垂直の動きもあるのです。私もそれまで操縦に関してはかなりの自信があったのですが、一流の搭乗員の腕前というのは想像を超えたものでした。

先輩たちにはその後もよく模擬空戦で鍛えられました。谷田部空での模擬空戦とは全然違いました。これが実戦的な訓練かと思いました。もちろん自分も必死になって工夫しました。私があの戦争を何とか生き延びることが出来たのはこの時の先輩たちによる貴重な訓練が大きかったと思います。

もっとも先輩と言っても皆、二十歳を幾つか越えたくらいの人たちです。下士官最年長の坂井三郎一飛曹で当時二十五歳くらいだったでしょうか。それでも私から見れば随分とおじさんに見えました。

今、思い返してみれば、みんな本当に若かったのですね。


その頃、南雲機動部隊は次々に南方の島を攻略し、海軍はそこに前進基地を作っていきました。そうして出来た基地に内地航空隊が次々と進出して行きました。

やがて台南空にもラバウルへの進出命令が来ました。ラバウルは赤道を越えたニューブリテン島にあります。ニューギニアの北東です。当時はラボールと言いました。十七年の二月に占領したばかりの島で、日本から六千キロも離れた基地です。そしてここが南太平洋の最前線の基地になりました。

私たちは十七年の春頃に、輸送船でラバウルに行きました。

航海中、潜水艦につけられてるという情報があり、ラバウル到着までは非常に心細かったのを覚えています。輸送船は「小牧丸」という名前でした。輸送船を護衛するのは小さな駆潜艇一隻だけ。これでは敵潜水艦に本気で攻撃されてはひとたまりもないと思ったものです。輸送船はラバウル到着の翌日、敵航空機の爆撃により港に沈座しました。その船は後に「小牧桟橋」と名付けられました。

後で思ったことですが、もしこの時の航海で「小牧丸」が沈められていたら、台南空、いや帝国海軍は大変な痛手を被るところでした。優れた戦闘機搭乗員を一挙に失うことはどれほどの損失かわかりません。この時、連合艦隊の大多数の艦艇はトラック島に悠然と在泊していたのですから、搭乗員を守るために駆逐艦を一隻や二隻回してもいいではないか、と後に思ったものです。しかし上層部の連中にしてみれば、搭乗員などいくらでも代わりがいると思っていたのでしょう。

ラバウルは美しいところでした。

透き通るような青い海と抜けるような空、海岸には椰子《やし》の木が生い茂り、遠くには火山の姿も見えました。

飛行場の近くには古い町があり、西洋人たちが暮らしていた家が残っていました。もちろん西洋風の家で、なかなか風情のある町並みでした。しかしその町以外、島のほとんどは自然に囲まれていました。飛行場と言っても、広大な野原のようなものでした。私たちが来た時はまだ飛行機はなく、湾内に水上機が数機いただけでした。ラバウルには天然の良港があり、ここは後に艦船の泊地になりました。

　私は南海の楽園に来たように思いました。この地が後に搭乗員の墓場と呼ばれるようになるとは夢にも思いませんでした。

　その後、「春日丸」という改造空母で零戦が運ばれ、私たちはその機を受領しに行き、そこで生まれて初めて空母からの発艦を経験しました。発艦は思っていたよりもずっと簡単でした。

「空母というのも、そんなに難しいものじゃないですね」

　ラバウルに戻って、先輩の下士官にそれを言うと、

「着艦してから同じことを言ってみろ」

　と、きつい言葉を貰いました。その時は、偉そうに先輩風を吹かしやがってと思いましたが、後に母艦搭乗員になった時、着艦の恐ろしさをたっぷり味わいました。

　その後、私たちはラバウルから更に南のニューギニアのラエという基地に移動しました。ここは同じニューギニアのポートモレスビーを攻略するために作られた前進基地です。ラバウルからポートモレスビーまでは四百浬《かいり》以上もあり、脚の長い零戦でも

きつい距離ということで作られた基地です。四百浬は約七百キロです。ラエはラバウルよりも更に何もないところでした。ここにも戦前からオーストラリア人の小さな町があったようですが、先だっての我が軍の空襲で、町のほとんどは燃えてなくなっていました。それでも何軒か焼け残った家があり、我々搭乗員はその家に簡易ベッドを持ち込んで宿舎にしました。

ポートモレスビーはラエと同じニューギニアにあり、オーエンスタンレー山脈をはさんでちょうど南に位置しています。我々は連日、中攻《ちゅうこう》を護衛しながら、海を越えて、ポートモレスビーを攻めるのです。中攻とは二基の発動機がついた中型攻撃機のことです。当時の主力は七人乗りの一式陸上攻撃機でした。

ポートモレスビー駐留の航空機部隊はアメリカとイギリスの航空機が主力でした。そこで我々は米英戦闘機と毎日のように戦いました。

私はここで初めての空戦を経験しました。

第三小隊の三番機として参加したポートモレスビー空襲の時でした。この頃、日本の戦闘機隊の小隊は三機編成で、小隊長が二機を率いて戦うという戦法でした。私の任務は敵基地上空の制空です。

モレスビー上空で、突然、小隊長は急旋回を始めました。二番機もほぼ同時に旋回しました。私は慌ててそれについていきましたが、二機の動きが早くて、あっという間に離されました。中隊全体が急速な動きを取り始めていたのです。一体なぜそんな動きをするのかも全然わかりません。それでもとにかく小隊長機を追いかけるしかありません。当時、零戦に無線機は積まれていましたが、これはまったく役に立たないものでした。私たちは以心伝心で戦っていたのですが、それには限界があります。あの頃、いい無線機があれば、ずっと楽な戦いが出来たことでしょう。

とにかく小隊長機と二番機は上へ下へと動いていきます。私は必死で追いかけます。自分がどう飛んでいるのかさえわかりません。数分後、ようやく二機は水平飛行に入り、やっとのことで追いつくことが出来ました。

一体何だったのかわからないまま基地に戻りましたが、そこで初めて自分たちは敵機と空戦をしたことを教えられました。

そりゃあ驚きましたよ。敵機なんて一機も見えなかったのですから。小隊長に聞くと、敵機は十数機いたそうです。しかも小隊長と二番機で一機墜としたというのですから、もうキツネにつままれた思いとはこのことです。この時の戦闘で味方は全部で十機近い敵機を撃墜したということです。

随分、落ち込みましたよ。敵機も見えないのに空戦がやれるのかと思いました。しかし二番機の林三飛曹に「俺も最初の頃は敵機がまったく見えなかったよ」と慰められました。

不思議なもので二度目の空戦の時は、はっきりと敵機が見えました。初陣ではあがっていたのでしょうね。新人は最初の空戦で墜とされなければその後もかなり生き残れる、というのはそういうことなのだと思います。二度目の空戦もポートモレスビー上空でした。

邀撃《ようげき》に上がってきた敵戦闘機と空戦になりましたが、この時は私の目にも敵機の編隊が見えました。しかし出撃前、小野小隊長から「絶対に編隊を離れるな」ときつく言われていたので、ひたすら小隊長機についていきました。

たちまち乱戦になりました。機銃の曳痕弾《えいこんだん》が飛び交い、飛行機が墜ちていくのが見えました。しかし私にはそれが味方機なのか敵機なのかさえわかりません。とにかく小隊長についていくのに必死だったのです。曳痕弾というのは燃えながら飛んでいく弾で、機銃弾四発の中に一発入っています。光りながら飛んでいくので、弾道が確認出来、搭乗員はそれを見ながら照準を修正していくのです。敵機の機銃にも曳痕弾はあり、撃たれた場合は曳痕弾がこちらに向かって飛んで来るのが見えます。

小隊長と二番機が一機の敵機を撃墜するのが見えました。小隊長は更にもう一機撃墜しました。目の前で見る見事な撃墜に、私も闘志が湧きました。私も敵機を墜としたいと思いました。味方の一方的な戦いで、私にも余裕が出来てきたのでしょう。

見渡すと、右下千五百メートルくらいに敵機を発見しました。敵は私に気がついていません。私は小隊長機から離れると、敵機を追いました。敵機はまだ気がついていません。撃墜出来る――と私は思いました。

緊張と喜びで全身が固くなりました。そこで私はミスをしてしまったのです。敵機を照準器で捉《とら》える前に、機銃を撃ってしまったのです。敵はすぐに気がつき、反転してきました。

それを見て、私も慌てました。無茶苦茶にひたすら銃撃しながら敵機に向かって行きました。それで急に敵が慌てて旋回しました。そこに私の機銃弾がまともに当たり、敵機は火を噴いて墜ちていきました。

初めての撃墜に震えがきました。敵が錐揉《きりも》みしながら海上に落ちていくのを確認しました。やったぞ、と私は心の中で叫びました。その瞬間、慌てて周囲を見回しました。飛行機はまったく見えません。夢中になって、空戦域を遠く離れてしまったようです。機体を斜めに倒して、後ろを振り返ると、何と二機の戦闘機に追尾されていました。背筋が凍るとはこのことです。

私は慌てて急降下で逃れようとしました。しかし私の機の横を日の丸をつけた零戦がぴたりとつけました。小野小隊長機です。敵だと思ったのは味方機だったのです。

その後ろには林三飛曹の機がありました。

　実は二人は私が編隊を離れて敵機を追ったのを見て、援護についてくれていたのです。私に初撃墜をさせてやろう、しかし危なくなればいつでも助けてやろうと、ずっと見守っていてくれていたのです。このことは基地に着いてから知らされました。

　私の初撃墜は隊の笑い話になりました。何しろ五百メートル以上離れた距離から機銃を撃ったらしいのです。そんな距離から撃って当たるわけがありません。敵機に自機の存在を知らせるだけでした。しかし敵も反転という大きなミスを犯していたのです。高度差があるのに、下方から反転しての向首対戦は自殺行為でした。敵機はすぐにそれに気がついて旋回しようとしましたが、それは最悪の選択で、私の機銃弾がもろに命中したというわけです。先輩たちに言わせれば「初心者同士の喧嘩」だったようです。

　私はこの一機のために機銃を全弾撃ち尽くしていましたが、これも先輩たちの笑い話になりました。

「一機墜とすのに、全弾使い切るようじゃ、弾が何発あっても足りんなあ」

　小野一飛曹は笑いました。

　小野一飛曹も林三飛曹も優しい上官でした。二人とも日中戦争から戦っている歴戦の搭乗員ですが、二人ともこの年のガダルカナルの戦いで戦死しました。

ラエでは本当に鍛えられました。飛行訓練では学ぶことの出来ない貴重な経験を数多く学びました。戦闘機乗りにとって、空戦の経験こそが最大の勉強です。ただし学校での勉強と違うところは、学び損なうと死ぬことです。学校の試験では失敗しても落第するだけですが、空戦の場では、落第は即、死を意味します。

それだけに私たちも必死でした。ラバウルに多くのエースが誕生したのはある意味当然です。彼らは死の篩《ふるい》にかけられて、生き残った人たちだからです。有名な坂井三郎さん、西澤廣義さん、笹井醇一中尉はここで鍛えられて撃墜王になった人たちです。

笹井中尉は海軍兵学校出身の搭乗員です。撃墜王で海兵出の士官というのは非常に珍しい。実は海軍の撃墜王のほとんどは兵隊からの叩き上げで、予科練や操練出身の下士官搭乗員です。海兵出の士官が操縦技術や空戦技術で下士官にかなうわけがありません。しかし中隊以上の編隊を組む分隊長の指揮官には必ず海軍兵学校出身の士官がつきます。実際には士官などよりも経験も豊富な下士官の搭乗員の方が腕も判断力もあります。にもかかわらず、帝国海軍では、いくら腕があっても下士官は絶対に中隊以上の分隊長にはなれません。

分隊長の判断の過ちで、まずい戦いになったことは枚挙にいとまがありません。宮崎儀太郎飛曹長や坂井一飛曹が分隊長だったら、と思う場面は何度もありました。

空の上では、階級は何の意味も持ちません。経験と能力、それだけがものを言う世界です。中でも経験というものは何にも代え難い大きな武器でした。当時のラバウルの猛者《もさ》たちはおびただしい実戦でその貴重な経験を手にしていました。それは本当に「命を賭《と》して」手にしたものです。しかし海兵出の士官たちは経験もないくせにプライドだけは高く、我々下士官や兵からは学ぼうとはしませんでした。ところが笹井中尉は違いました。彼は積極的に坂井一飛曹などの下士官と親しく交わり、部下に教えを請うことを気にしない人でした。坂井一飛曹もまた笹井中尉には階級を越えた友情のようなものを感じていたようです。坂井一飛曹の薫陶よろしく笹井中尉はみるみる腕を上げていきました。

ところで、海軍航空隊における兵や下士官に対する冷遇はひどいものがありました。士官は宿舎も従兵付き個室で至れり尽くせりですが、下士官以下は大部屋で雑魚[redacted]寝です。それも宿舎は遠く離れていて、両者は、ほとんど交流がありません。食事も[redacted]と地ほどの開きがありました。同じ空の上で戦う搭乗員なのに、まるで違う境遇に[redacted]れていたのです。

[redacted]とも食事に関してだけは航空兵は恵まれていました。整備員や兵器員は更にひ

。要するに軍隊というところは、徹底した身分階級がある世界という

段に空母に乗りましたが、そこでは士官専用のガンルームという優雅

た。

、ラバウルには慰安所がありましたが、慰安所も士官と下士官以

通っていました。下士官や兵たちが相手にした慰安婦を士官が相手に出

か、ということだったのでしょうか。

ちなみに坂井三郎さんでも少尉になるのに十年以上かかっています。ところが兵学校を卒業した者はすぐに少尉になります。今の官僚のキャリアとノンキャリアみたいなものですね。しかも兵隊上がりの少尉は特務士官と呼ばれ、兵学校出の士官より一段下に見られました。それが海軍というところです。

私の最終階級は飛曹長ですが、これは終戦で一階級上がったに過ぎません。ポツダム兵曹長ですよ。

話を戻しましょう。

太平洋戦争初期の零戦の力は圧倒的でした。

格闘戦になれば絶対に負けないと言っても過言ではありません。敵のパイロットは勇敢で、零戦に対して真っ向から向かってきましたが、それは自殺行為に等しいもの

でした。零戦の空戦能力は抜群で、たいていの敵機は巴戦に入って、三度旋回するまでに撃ち墜とされました。巴戦というのは、互いに相手の後方につこうとぐるぐる回りながら戦うことです。向こうでは「ドッグファイト」と言うらしいですね。

　この頃、撃墜した敵戦闘機の書類にびっくりするようなことが書かれていたと聞いたことがあります。そこには飛行中に任務遂行をやめて避退してもよい場合として、「一、雷雨に遭遇した時。一、ゼロに遭遇した時」と記されていたそうです。

　私は戦後、何人もの連合軍パイロットと会っていますが、その中にポートモレスビーで戦ったというチャーリー・バーンズという豪州パイロットがいます。陽気な男で百九十センチもある巨漢でした。彼は言いました。

「ゼロファイターは本当に恐ろしかった。信じられないほど素早く、その動きはこちらが予測出来ないものだった。まさに鬼火のようだった。俺たちは戦うたびに劣等感を抱くようになったんだ。そして、ゼロとは空戦をしてはならないという命令が下ったんだよ」

「その命令書の噂は聞いたことがある」

「俺たちは日本の新型戦闘機が『ゼロ』というコードネームが付けられているのを知った。何と気味悪いネーミングだと思ったよ。『ゼロ』なんて何もないという意味じゃないか。しかもその戦闘機は信じられないムーブで俺たちをマジックにかける。これが東洋の神秘かと思ったよ」

私は、自分たちも必死だったのだと言いました。死ぬほどの訓練をしてきたのだ、と。

「俺たちはゼロに乗っている奴は人間ではないと思っていた。悪魔か、さもなければ戦うマシーンだと思っていた」

私は、自分は人間だよと言いました。今は食べるために戦っている。運送会社を経営していて、ゼロではなくトラックに乗っていると言うと、彼は大笑いしました。

「俺は今、自分の牧場で馬に乗っている」

チャーリーはオーストラリアの牧場主の息子でした。

彼とはその後、手紙のやりとりが続きましたが、五年前、家族から病気で亡くなったという知らせが届きました。

何度も繰り返しますが、零戦は本当に無敵の戦闘機でした。連合軍には零戦と互角に戦える戦闘機がなかったのです。イギリス空軍の誇るスピットファイアも零戦の敵ではありませんでした。あのバトル・オブ・ブリテンで、ドイツのメッサーシュミットからロンドンを守ったという名機も零戦の前にはむなしく撃墜されるだけだったのです。

これは敵が零戦との戦い方を知らなかったせいでもあります。零戦と格闘戦で勝てる戦闘機は存在しません。連合国軍はそれとは知らずまともに向かってきて、悲劇的な最後を遂げていったのです。

多分に日本という国を侮っていたということもあるでしょう。航空機というものはその国の工業技術の粋を集めたものです。三流国のイエローモンキーたちに優秀な戦闘機が作れるわけがないと思っていたのでしょう。たしかに当時の日本はまともな自動車さえ作れない国でした。ところが零戦はそんな三流国が生み出した奇跡の戦闘機だったのです。若い設計者たちが死ぬほどの努力を重ねて作った傑作機でした。敵はそれを知らずに向かってきたのです。

しかし零戦も不死身の戦闘機ではありません。撃たれれば火を噴くし、撃墜もされます。零戦の弱点は防御が弱いところです。正攻法の戦いではまず敗れることのない零戦でも、乱戦になれば流れ弾にあたることもありますし、目の前の敵機を深追いして別の敵に撃たれる時もあります。

一番怖いのは奇襲です。死角から忍び寄られて急襲されれば、さしもの零戦もひとたまりもありません。坂井三郎一飛曹と並ぶ達人だった宮崎儀太郎飛曹長も奇襲の一撃にやられました。その日、宮崎飛曹長は病気をおして攻撃に参加したのですが、一瞬の油断で撃墜されました。彼の戦死は全軍布告され二階級特進しました。いかに彼が重んじられていたかがわかります。

奇襲で特に危ないのは、味方攻撃機による空襲が終わった後、不用意に集合した場合などです。零戦との空戦で何度も一方的に痛めつけられた敵は、まともにぶつかっては勝ち目がないと見て、こういった奇襲や待ち伏せ戦法を多用してきました。

ポートモレスビーの戦いが始まって一ヵ月くらい経つと、連合軍は同等兵力では戦うことを避けるようになっていました。倍ほどの兵力があれば空戦を挑んできましたが、私たちは二対一くらいの兵力差なら互角以上の戦いが出来る自信がありました。私もラエで戦ううちにそれなりの技量を身につけていました。四月からの四ヵ月でラエ基地戦闘機隊の撃墜数は三百機に達し、その間、我が方の被害はわずかに二十機でした。

チャーリーも言っていましたが、当時、米英パイロットたちは私たち零戦搭乗員を「デビル」と呼んでいたそうですね。「奴らは操縦桿を握ったデビルだ」と。その表現は誇張でも何でもないと思います。ラエの熟練搭乗員たちは本当に強かったです。坂井さんや西澤さんは私たちから見ても「鬼」でした。

二人について愉快なエピソードがあります。

坂井一飛曹と西澤一飛曹、それに太田一飛曹の三人による敵基地上空での編隊宙返りです。太田一飛曹は坂井一飛曹の列機で、二人に負けないくらいの撃墜王でした。

当時で三人合わせて百機以上は撃墜していたのではないでしょうか。宙返りは坂井さんが前からやろうと計画していたらしいのですが、その日の出撃前「今日、やろう」と二人に言っていたようです。

空襲と空戦が終わると、三機は阿吽《あうん》の呼吸で敵飛行場の上空で編隊を組み、そこで宙返りを演じて見せたのです。それも三度続けて。それは見事な宙返りでした。三機がまるで一つの飛行機のように一糸乱れぬ動きでした。何も知らされていない私たちはあっけにとられて見ていました。

三機は更に大胆に高度を下げると、もう一度宙返りを行いました。これまた惚れ惚れとする宙返りでした。三人の名人が行うと、これほどまでに美しい編隊宙返りが出来るのかと思いました。

驚くのは、この間、敵飛行場からは一発の対空砲火もなかったことです。二度目の編隊宙返りの時は相当高度を下げていましたから、高射砲を撃てばかなりの確率で撃墜するチャンスはあったはずです。それをしなかったのは、彼らの騎士道精神とユーモアでしょう。これが逆の立場なら、顔面を真っ赤にさせた海兵出の士官が「撃て、撃て！　撃ち墜とせ！」と絶叫していたはずです。

太田一飛曹は「やつらは大人だったよ」と敵の度量を認めていました。

数日後、今度はラエの飛行場が敵からの空襲にあいましたが、この時、敵機から手紙が投げ落とされました。手紙には「先日の編隊宙返りは見事だった。この次、来られる時は歓迎する」というような文章が書いてあったと聞いています。

殺伐とした命のやりとりの合間にもこんなことがあったのです。でもこれもラバウルの搭乗員の腕があればこそのエピソードでしょう。

当時のラバウル航空隊の零戦隊の力は、掛け値なしに世界一だったと思います。


宮部さんがラエにやってきたのは、十七年七月の半ばでした。

その頃、ラバウルには内地から搭乗員が断続的に送られてきました。その中には幾人かの元母艦乗りもいました。

発表はされていませんでしたが、六月にミッドウェーで空母四隻が沈められたらしいという噂は搭乗員たちの間で密かに広まっていました。大変なことになったなという気持ちはありましたが、それほどの危機感を持っていたわけではありませんでした。私たちはほぼ負け知らずでしたし、米英の戦闘機の力はさほどでもないと思っていたからです。零戦さえあれば、負けないと思っていました。

今度やってくる搭乗員たちの中には第一航空艦隊の戦闘機乗りたちがいると聞いて、私たちも競争心を抱きました。母艦乗りは確かに優秀だろうが、毎日空戦するということはないだろう。それに引き換え、俺たちは連日、ここで命のやりとりをしているんだ、という意地みたいなものがありました。それに正直に言うと、本当に優秀な戦闘機乗りなら、母艦を沈められるようなヘマはしないだろうという気持ちもあったのです。

宮部さんたちは、中攻に誘導され、零戦に乗って本土から台湾、比島、トラック島を経由して、長駆六千キロを飛んでラバウルに到着しました。

皆に挨拶があった後、解散してから、一人の搭乗員に声をかけられました。それが宮部さんでした。

「よろしくお願いします」

宮部さんは背の高い人でした。階級章を見ると、一飛曹です。下士官の一番上の階級です。

私は慌てて、「こちらこそ、よろしくお願いします」と声を張り上げました。

宮部さんは笑って、「ラバウルの戦い方はどうなのですか？」と聞きました。

私は「はい」と答えましたが、何と言っていいのかわからなかったのです。

「敵戦闘機の戦い方はどうですか？」

「はい。なかなか敵も優秀であります」

「いろいろと教えてください」

私は宮部さんの丁寧な言葉に大いに戸惑いました。軍隊というところは階級がすべてです。一飛曹と一飛兵では、とてつもなく大きな差があります。

私はただ大声で「わたくしは井崎一等飛行兵と言います！」と答えました。

「井崎一飛兵ですね。自分は宮部久蔵一飛曹です。よろしくお願いします」

宮部さんはそう言って軽く頭を下げました。私はどういう態度を取っていいのかわかりませんでした。短い軍隊生活でしたが、こんな上官に会ったのは初めてです。この人はよほど育ちのいい人なのか、あるいは馬鹿なのか、どちらかだと思いました。

「宮部一飛曹は、母艦に乗っておられたのですか」

宮部さんは一瞬口をつぐみました。私はすぐにミッドウェーのことは軍の機密なのだなと思い、慌てて、話題を逸らそうとしました。しかし私が口を開くよりも先に宮部さんが言いました。

「赤城に乗っていました」

そしてすぐに「もう乗れません」と続けました。噂は本当だったのです。

「米軍は侮《あなど》れません。手強い相手です」

宮部さんははっきりした口調で言いました。私もそれ以上は何も聞けませんでした。二人ともしばらく黙ったままでした。

それから、私はここでの普段の戦い方を伝えました。敵は我々と同じように編隊空戦を挑んで来ること、常に奇襲の機会を狙っていること、空戦が済んだ後、集合したところを狙われることもあることなどを説明しました。宮部さんは一つ一つ真剣に聞いていました。

宮部さんの態度は意外でした。実は、中国大陸で戦ってきた熟練搭乗員の中には、戦歴を鼻にかけて、私たちの話などろくに聞こうとしない人たちが少なくなかったのです。中国での空戦の主体は一対一の格闘戦でした。しかしこちらでは、敵は無線で連携を取りながら編隊空戦を行います。でもそのことを軽視して、中国上空と同じように一対一の格闘戦と思って敵機を深追いして別の機にやられるということがままあったのです。

翌日、ポートモレスビーへ出撃しました。

私たちは制空隊として出撃しました。三小隊の九機編成です。宮部さんは橋本一飛曹の二番機となりました。私が三番機でした。

その日はニューギニア一帯に断雲がいくつもありました。雲という奴は飛行機乗りにはいやなもので、それというのも雲の向こうに敵がいても見えないからです。正面の雲ならまだいいのですが、横や後ろの雲は気持ちの悪いものです。雲の中から突然現れた敵機にバッサリやられる危険があるからです。もちろんこちらもそれを利用して戦うことも出来るのですが、往々にして待ち伏せする迎撃側に有利に働きました。

私は飛行中、何度か宮部さんを見ました。宮部さんは落ち着かない様子でした。常に周囲を見回し、時には機体の角度を変え、周囲を見張っていました。背面飛行を何度もやり、死角である下方への注意も怠りませんでした。私は「用心深い人だなあ」と思いました。我々ラバウルの搭乗員もみんな用心深さでは人後に落ちるものではないですが、宮部さんの用心深さというのは、いささか度を越していると思えました。

出撃して一時間近く経った頃には、全員、その奇妙な行動を笑っていました。何しろ、きれいな編隊を組んで飛んでいる中、たった一機、しょっちゅうキョロキョロあたりを伺いながら飛んでいるのですから目立ちます。

この人はよほどの臆病《おくびょう》者か、おそろしく慎重なタチか、どちらかだなと私は思いました。

目の前にオーエンスタンレー山脈が見えてきました。四千メートル級の壮大な山脈です。まさにニューギニアを縦に真っ二つに遮る山脈です。この山脈をはさんで南側にポートモレスビーがあり、北のこちら側にラエがあるのです。

実は私はこの山が好きでした。そこには何か峻厳《しゅんげん》な美しさがありました。おかしな話ですが、この上を飛ぶたびに何か勇気を感じました。

スタンレー山脈を越え、あと僅かでポートモレスビーが見える地点に来た時、突然、上空の前の雲の隙間《すきま》から敵機が襲いかかってきました。それはまったくの奇襲でした。我々は左に急旋回しましたが、隊の一番後方に位置していた私の小隊は旋回が遅れました。敵の一番機が私を狙って、喰いついてきます。私はちょうど敵に背中を見せる恰好になりました。「やられる！」と私は思いました。

その時、私を狙っていた敵戦闘機が突然火を吐いて吹き飛びました。私の機にもその破片が当たりました。次の瞬間、私の目の前を一機の零戦がすごいスピードですり抜けました。二番機の宮部機でした。宮部機は更にもう一機を撃墜すると、旋回して逃れようとする敵機の背後に鋭い旋回で回り込み、一連射でもう一機を撃ち墜としました。この間、僅か数秒の出来事でした。

何という凄腕！　何という早業！

私は鳥肌が立ちました。さっきまで私の横を飛んでいたと思っていた宮部機が、いつ敵を攻撃出来る位置に移動していたかまったくわかりませんでした。

態勢を立て直した我が零戦隊は、この後、敵戦闘機に猛烈な戦いを挑みました。敵は優位置にいましたから、最初はかなりの苦戦を強いられましたが、すぐに劣勢を挽回しました。私も態勢を立て直して一機墜としました。

敵は劣勢を覚ると、避退しました。私たちは深追いせず、再び編隊を組むと、そのままポートモレスビー上空に進みました。今の奇襲で味方の被害はなかったようでした。

ポートモレスビー上空では敵の邀撃機の姿はなく、対空砲火のみでした。

空襲を終えて、基地に戻った時、私は真っ先に、宮部さんにお礼を言いに行きました。宮部さんは笑っただけでした。

「あの時、雲の上の敵が見えていたのですか」

「はい、雲の隙間からちらっと見えました。すぐに隊長機に知らせようと、機銃を撃ちました。それから上昇して編隊の前に出ようとしましたが、敵の急降下が速く、間に合いませんでした。もう少し、早く知らせていれば、奇襲を受けることはなかったと思います」

私は心の中で唸《うな》りました。今日の零戦隊はラバウルの猛者たちです。私も含めてその全員が見つけられなかった待ち伏せする敵をいち早く発見し、逆に返り討ちにしたのですから、この人は一級の搭乗員だと思いました。

ただ実はひとつ引っかかることがありました。その後、乱戦になってからの宮部さんの戦いぶりは、奇襲を受けた時の恐ろしいまでの戦いぶりとは別人のようでした。列機として小隊長を援護する役に徹していましたが、それは幾分物足りないものを感じました。何というか、まるで積極的に戦っていないようにも見えました。敵を墜とすということよりも、自分が撃たれないようにしている様子でした。

宮部さんはまもなく隊の話題になりました。例のしょっちゅうあたりを見回しながら飛ぶ行為が、です。

一度、搭乗員たちが集まって話していた時に、こんな話になったことがあります。

「慎重なのはわかるが、あれは度が過ぎてるな」

ある古参搭乗員が言いました。

「そりゃ、俺たちだって、敵がいそうなところでは十分警戒するさ。しかし、やっこさんの場合、ラバウルを出た瞬間からだろう。それから基地に戻るまでずっとだからなあ」

「あれじゃあ、神経が持たないぜ」

「よほど怖い目にあったからじゃないのか」

「あるいは、生まれついての臆病者か」

その場にいた何人かは笑いました。私も笑いました。

しかし笑わない人がいました。西澤廣義一飛曹です。

「俺たちも見習わんといかんな」

西澤廣義一飛曹が言いました。するとそこにいた全員が黙ってしまいました。

西澤一飛曹はラバウルでも一、二位を争う空戦の達人です。後に「ラバウルの魔王」とアメリカ軍からも怖れられた人です。この人と坂井一飛曹の目の良さは抜群でした。いつも必ず相手よりも先に敵を発見していました。

いったい空戦というものは、柔道みたいに組んずほぐれつの格闘戦をすると思われているようですが、それはたしかにそうなのですが、それよりも先に相手を発見し、優位な位置から攻撃する方がずっと効率のいい戦い方なのです。空の上では一秒でも先に敵を発見することはものすごく有利なのです。その意味で、目の良さというのは大きな武器なのです。ただ、目がいいと言っても、視力だけではありません。集中力というか、一種の勘みたいなものも必要です。上下左右三百六十度に開かれている空中に、芥子《けし》粒のような敵機を見つけるのは簡単そうにみえて容易なものではありません。ただ視力がいいだけでは見つけることは出来ません。

とにかく、この時は西澤一飛曹の一言で、皆、黙ってしまいました。

それでも少なからぬ者が、やはり宮部さんのあの慎重ぶりは相当な臆病心から来ていると思っていたようです。

——私ですか。うーん、正直に申し上げますと、そう思っていました。慎重と臆病は隣り合わせですが、宮部さんの場合は臆病が勝っているように思いました。

だから、初出撃の時の活躍も臆病がゆえの僥倖《ぎょうこう》のようなものだったのだろう、と。自分の命を救って貰いながら、随分勝手な考え方なのですが。

ほどなく、宮部さんは小隊長になり、私が列機を務めることになりました。

私は列機についた機会に、宮部さんに「丁寧言葉はおやめ下さい」とお願いしました。

「小隊長なのですから、上官らしく厳しく言って下さい」

「やりにくいですか？」

「それもありますが、他の小隊の人たちに妙に思われます」

宮部小隊長は少し考えていましたが、笑って「よし、わかった」と言いました。


小隊長になっても宮部さんは、必ず、例の執拗《しつよう》な見張りは怠りませんでした。とにかくひっきりなしに後方を振り返るのです。その度に飛行機の角度を変えるのですから、列機としては結構気を遣います。また背面飛行も頻繁にやります。

飛行機というやつは、下方のほとんどすべてが死角です。しかしたいていの敵は上方から高度を利して攻撃してくるので、下方はそれほど心配しなくていいのです。それだけに下方は油断しているケースが多く、ある意味もっとも危ないとも言えるかもしれません。事実、坂井さんなどは、敵を発見すると、しばしば後下方に回り込み、敵の下腹を撃ち抜くという攻撃方法を好みました。下方からの攻撃が危険なのは、奇襲前に敵に発見された場合、優位な位置から攻撃されるからです。前にも言いましたが、戦闘機の戦いでは、相手より高い位置にいるということは大変有利なことなのです。

見張りはやり過ぎることはないということはわかっていても、宮部さんの慎重ぶりはいささか度が過ぎていると思えました。

私が宮部さんを臆病と思ったもう一つの理由は、その戦いぶりからもきています。宮部小隊長の列機になって、わかったことですが、宮部小隊長は決して空戦域に長く留まろうとはしませんでした。乱戦になると、いち早くそこから避退して、同じように戦域から逃れ出てきた敵機を狙います。

当時は私も若かったですから、乱戦になると、一機でも敵を喰ってやろうと、夢中でした。しかし小隊長が空戦域を離脱すれば、列機も従わざるを得ません。あと一息で敵を墜とせるチャンスを何度かふいにしたこともあります。そんな時はずいぶん悔しい思いをしたものです。

しかし一度、小隊長機を離れ、敵を深追いしたことがあります。

中攻を攻撃して逃げようとするP40の背後にへばりついたのです。敵は急降下で振りきろうとしましたが、回り込むように背後につきました。敵は必死で逃れようとしますが、逃しませんでした。海面近くまで追いかけ回わし、七・七ミリ機銃と二十ミリ機銃を叩き込むと、敵機は海中に突っ込みました。その時です。私の機体の横に曳痕弾が走るのが見えました。後ろから撃たれたのです。

振り返ると、二機のP40が私の背後から挟み撃ちするようにくっついているではありませんか。先程後ろを見た時にはいなかったはずなのに。

距離はまだかなりありましたが、敵機は急降下によってみるみる差を詰めてきます。曳痕弾が自機の両側に走るのが見えます。左右どちらに逃げてもやられます。私は死を覚悟しました。

次の瞬間、私を包み込んでいた曳痕弾が消えました。振り返ると、一機の敵機が火を噴いて錐揉み状態で墜ちていました。もう一機は急降下で逃げて行きました。私の後ろには一機の零戦がいました。小隊長機でした。私が宮部さんに命を救われたのはこれで二度目です。

ガダルカナルに戻った時、私は宮部小隊長に言いました。

「小隊長、今日は有り難うございました」

「いいか、井崎」

と、宮部小隊長はにこりともせずに言いました。

「敵を墜とすより、敵に墜とされない方がずっと大事だ」

「はい」

「それともアメリカ人一人の命と自分の命を交換するか？」

「いいえ」

「では、何人くらいの敵の命となら、交換してもいい？」

私はちょっと考えて答えました。

「十人くらいならいいでしょうか」

「馬鹿」

宮部小隊長は初めて笑いました。そして珍しくざっくばらんな調子で言いました。

「てめえの命はそんなに安いのか」

私も思わず笑ってしまいました。

「たとえ敵機を討ち漏らしても、生き残ることが出来れば、また敵機を撃墜する機会はある。しかし――」

小隊長の目はもう笑っていませんでした。

「一度でも墜とされれば、それでもうおしまいだ」

「はい」

小隊長は最後に命令口調で言いました。

「だから、とにかく生き延びることを第一に考えろ」

この時の宮部小隊長の言葉は心の底にずっしりと響きました。まさに死を覚悟した直後だけに、余計に重く受け止めることが出来たのかもしれません。

私がこの後、何度も数え切れないほどの空戦で生き延びることが出来たのも、この時の宮部小隊長の言葉のお陰です。

私が宮部小隊長に教えられたのは、それだけではありません。

小隊長はいつも夜半に宿舎を離れ、一時間以上戻って来ませんでした。帰って来る時は全身に汗をかき、息も少し切らしていました。おかしな話ですが、宮部小隊長はどこか宿舎の遠くで、何というか、その、自慰でもしているのかな、と思っていたのです。

私たちは皆二十歳前後の健康な若者でした。明日をも知れない戦いに明け暮れてはいても性欲はあります。いや、常に死と隣り合わせなだけに余計に強いものがあったのかもしれません――いや、それはわかりませんね。私たちの青春はたった一回だけでしたから、それ以外の人生と比べることは出来ません。

お恥ずかしい話ですが、私自身、何度も、しました。夜、寝床の中ですることもあれば、厠《かわや》ですることもありました。また時には宿舎から遠く離れて、周囲に誰もいない野外でしたこともあります。ラバウルには慰安所があり、何度か行ったことがありましたが、ここ辺境のラエにはそんなものはありません。私でも性欲で悩まされたのですから、宮部小隊長のように妻帯者なら、もっと激しい焦燥感があったことでしょう。

だから小隊長が夜半に出かけていても、どこへ行っているかは尋ねませんでした。

ある日の夕暮れ、隊舎からかなり離れた川に一人で釣りに行った帰りのことです。草むらで、唸り声が聞こえてきました。最初はぎょっとしましたが、好奇心に勝てず、ゆっくりと声のする方へ忍び寄りました。

草の陰から一人の男が何かを持ち上げています。男は宮部小隊長でした。小隊長は上半身裸になり、右手で壊れた飛行機の機銃の銃身を摑《つか》み、それを何度も持ち上げていました。私はこっそり忍び寄った手前、名乗りを上げるわけにもいかず、それを覗《のぞ》き見るはめになりました。

宮部小隊長は全身を真っ赤にさせていました。最後は、悲鳴のような声まで上げました。

しばらく休止すると、今度は近くの木の枝に足を引っかけ、逆さ吊りのような恰好になりました。そしてその姿勢のままひたすら耐えているのです。顔が真っ赤になり、額の血管が浮き出てくるのが見えました。今にも破裂するのではないかと思えたほどでした。どれほどやっていたのでしょうか。覚えていませんが、とてつもなく長い時間そうやっていたと思います。

ようやく私にも宮部小隊長がなぜそんなことをやっているかがわかりました。空戦のための鍛錬です。戦闘機は旋回や宙返りする時には、Gがかかってものすごく操縦桿が重くなります。Gというのは操縦中にかかる重力のことです。戦闘機乗りは重くなった操縦桿を片手で操りながら、戦うわけです。私たちも普段から腕の力を鍛えるために腕立て伏せや懸垂は欠かしませんでしたが、こんな鍛錬は見たことがありません。また逆さ吊りは、これも空戦のさなかの旋回と宙返りの時に頭に血が上る時のための鍛錬でしょう。

宮部小隊長が立ち去った後、私は小隊長の持っていた銃身を摑んで持ち上げようとして啞然《あぜん》としました。まったく持ち上がらないのです。どれほど力を込めても、銃身は地面に張りついたように動かないのです。

今度は両手で銃身を摑んで持ち上げました。その上で、渾身《こんしん》の力を込めてやっと持ち上げることが出来ました。これを片腕一本で上下動させるとは、何という腕力――宮部一飛曹の華麗な操縦技術はこの怪力に支えられていたのです。

翌日、私は宿舎を出て行く宮部小隊長に、声をかけました。

「ご一緒させていただいてもよろしいでしょうか」

小隊長は少し驚いた顔をしましたが、すぐににこっと笑いました。

「見られてたのか」

「すいません。覗くつもりはありませんでした。釣りの帰りに偶然、拝見しました」

「いいよ。別に秘密にしているわけではない」

小隊長は昨日の場所に行き、また同じように鍛錬を繰り返しました。小隊長が頑張っているのを黙って見ているわけにもいかず、私もその間、腕立て伏せをしました。鍛錬を終えて、二人で地べたに座っている時、私は言いました。

「小隊長はすごいです。わたくしは昨日、あれを持ってみましたが、全然持ち上がりませんでした」

「すべては慣れだよ。あとは続ける根気だ。続けていくうちに力がついてくる」

「そうですか」

喜んでそう答えてから、小隊長が慰めで言ったことに気がつきました。

「小隊長は立派ですね」

「立派じゃないよ。こんなことはみんなやってる」

「そうなのですか」

「坂井さんも西澤さんも、みんなやってる」

「知りませんでした」

宮部小隊長は笑いました。

「誰もわざわざ皆の見ている前ではしない」

そう言えば坂井さんはしょっちゅう宿舎の梁《はり》などを使って懸垂をしていました。坂井さんの趣味なんだろうと思っていた自分がすごく間抜けに思えました。坂井さんなどは生まれながらにして操縦の天才と思っていたのです。

私も練習航空隊の練習生時代は長距離走、遠泳、懸垂など、毎日しごきにしごかれました。しかし搭乗員になってからはそんな義務はなくなり、それが何よりも有り難いと思っていた自分を恥ずかしく思いました。考えてみれば、すべては自分のためであったのです。

「でも苦しいでしょう？」

私は自分に対する言い訳のように小隊長に尋ねました。

「楽ではない。しかし、死ぬことの苦しさに比べたら、何ほどのこともない」

なんだか怒られているような気持ちになりました。

「小隊長は毎日やっておられるのですか」

宮部小隊長は黙って頷きました。

「出撃した日もですか」

小隊長はまた頷きました。私は感心しました。出撃した夜は、もう動くのも嫌になるほど疲れているのです。それなのに――。

「今日はもうやめようと思う日はないのですか」

小隊長はそれには答えずに、おもむろに胸ポケットから布袋を取り出しました。袋には折り畳んだ紙が入っていました。それを拡げると、中から一枚の写真が出てきましたが、その写真には丁寧にセロハンが張られていました。

「見せていただけますか」

宮部小隊長は宝物のようにそっと渡してくれました。私もまた両手で丁寧に受け取りました。若い婦人が生まれて間もない赤ん坊を抱いている写真でした。

「近所の写真館で撮って貰ったものらしいです」

宮部小隊長の言葉が丁寧な口調になっているのに気がつきました。二人きりということもあったのでしょうが、奥様と子供のことを思いだして、地が出たのかもしれません。

写真の女性はきれいな人でした。私は羨《うらや》ましい気持ちを感じたのを覚えています。

「清子と言います。清い子と書きます」

「清子さんはきれいな人ですね」

小隊長は少しはにかんだように笑いました。

「妻はマツノと言います。清子は娘の名前です」

私は恥ずかしさに顔が真っ赤になりました。あわてて「可愛いお子さんですね」と言いました。

「六月に生まれました。ミッドウェーから戻ってすぐに生まれたのですが、休暇が取れず、会いにいくことが叶《かな》いませんでした。ですからまだ一度も会ってないのです」

「家族の写真です」

ミッドウェーの生き残りはしばらく軟禁状態にされたという噂は本当なんだなと思いました。

「辛い、もう辞めよう、そう思った時、これを見るのです。これを見ると、勇気が湧《わ》いてきます」

宮部小隊長はそう言って少し照れくさそうに笑いました。

「こんなものを見ないと勇気が出ないなんて、情けないでしょう」

「そんなことはありません」

私はそう言いましたが、宮部小隊長はもうその声を聞いていませんでした。写真を鋭い目で睨《にら》んでいました。

それから宮部小隊長は写真を胸ポケットに仕舞うと、呟《つぶや》くように言いました。

「娘に会うためには、何としても死ねない」

その顔は普段の穏和な彼からは想像もつかないほど恐ろしい顔でした。

その日以来、私の宮部小隊長を見る目が変わりました。生き残るということがいかに大切なものであるかということを百万の言葉より教えられた気がしたのです。

宮部小隊長の言うことは何でも聞くようになりました。

宮部小隊長は出撃前に必ずくどいほど言いました。「絶対に編隊をくずすな」それから「どんなことがあっても自分から離れるな」と。

私が今こうしてあなたとお話しすることが出来るのも、宮部さんの教えを守ってきたからです。

空中の乱戦というのは、非常に恐ろしいものです。いつ後ろからやられるかわからない。それは運です。私も若い頃は、もしそうなればそれはそれで運命だと思っていました。しかし宮部さんはそんな運に自分を賭《か》けるのは嫌だったのでしょう。

それまで私は、いつかは坂井さんのような撃墜王になりたいと思っていましたが、宮部小隊長の列機を務めるようになって、生き残ることが何より大事と思うようになっていました。

しかし、まもなく生き残ることさえ困難な闘いが始まりました。ガダルカナル島を巡っての戦いです。ガダルカナルの戦いと比べれば、ポートモレスビーの戦いは前哨戦のようなものでした。

ガダルカナルこそ搭乗員にとって本当の地獄の幕開けだったのです。

ガダルカナルというのは南太平洋に浮かぶソロモン諸島の小さな島です。ラバウルのあるニューブリテン島から更に東にあります。ジャングルに覆われた未開の孤島です。太平洋戦争がなければ、その名も存在も永遠に知られることのない島だったでしょう。

当時、日本軍は米国とオーストラリアの連絡線を切断しようとしていました。そのためにガダルカナルに飛行場を作って、不沈空母として南太平洋に睨みを利かそうとしていたのです。そのため昭和十七年の夏に、ガダルカナルに進出し、そこに飛行場の設営を始めていました。飛行場が完成すれば、ラバウルの飛行機はほとんどガダルカナルに移行する予定でした。

海軍設営隊が未開のジャングルを切り開き、一ヵ月もかけてようやく滑走路を作った途端、ガダルカナルは米軍の猛攻を受け、完成したばかりの飛行場を奪われたのです。米軍は滑走路が出来るまでずっと待っていたのです。ガダルカナルにいた日本軍のほとんどは設営隊員でしたから、勝負になりません。味方はあっという間に全滅しました。

もっとも今、お話ししていることはすべて戦後に知ったことです。当時は、ガダルカナルという名前も、ましてそこに海軍が基地を設営していることもまったく知りませんでした。

大本営もまさか米軍がこんな小さな島をまともに攻撃してくるとは思っていなかったのでしょう。小さな島嶼《とうしょ》戦と思っていたようです。ところが、この名もない島が太平洋戦争で最大の激戦地となったのです。

昭和十七年八月七日、この日が運命の日でした。

私たちはまるでこの日が予期されていたかのように、数日前にラエからラバウルに戻されていました。飛行機の整備と搭乗員の休養を兼ねて約半数の搭乗員がラバウルに帰還していたのです。

ガダルカナルが奪われたという情報はその日の朝にはラバウルにも伝わりました。急遽、ラビ空襲を取りやめ、ガダルカナルの敵輸送船団を攻撃することになりました。

「ガダルカナルってどこだい？」

私は同じ分隊の齋藤三飛曹に聞きました。

「知らないよ。そんな島に飛行場があったなんて、聞いたことがない」

搭乗員の中に、その島を知っている者は誰もいませんでした。しかしそのうちにガダルカナルの対岸の島、ツラギでは守備隊が玉砕したという情報も流れてきて、隊内には異様な重苦しい空気が流れ始めました。

司令部の前に集まった我々に航空地図が渡されました。するとラバウルからは五百六十浬もあるということがわかりました。五百六十浬はキロに直すと約千キロです。

「無理だ」

そう呟く男がいました。宮部小隊長でした。

「こんな距離では戦えない」

宮部さんは悲痛な声で言いました。その時、誰かが怒鳴るのが聞こえました。

「今、無理だと言ったのは誰だ！」

一人の若い士官が怒髪天を衝《つ》くが如くの形相で向かってきました。

「貴様、今、何と言った」

士官は言うが早いか宮部さんの顔面を殴りました。

「今朝、友軍がツラギで玉砕したんだ。ツラギの飛行艇部隊も全滅したんだ。弔い合戦に行くのが軍人だろう！」

「申し訳ありません」

宮部さんは言いましたが、士官はもう一度、宮部さんを殴りました。宮部さんの口が切れました。

「貴様は宮部だな。貴様の噂は聞いてるぞ、この臆病者め！」

士官は怒鳴りつけました。

「今後、今のような臆病風に吹かれるようなことを言ったら、ただではすまさんぞ！」

士官はそれだけ言うと、その場を立ち去りました。

「小隊長、まずいですよ。あんなことを言うのは」

私は自分のマフラーで小隊長の口の血を拭いました。

宮部さんは暗い眼をして小さな声で言いました。

「今度の戦いは、これまでとはまったく違ったものになる」

「ガダルカナルを知っているのですか？」

「いや、知らない。しかし五百六十浬がどういう距離かはわかる」

宮部さんは小さな声で言いました。「零戦が戦える距離ではない」

その日の早朝、制空隊に選ばれたのは、笹井中尉、坂井一飛曹、西澤一飛曹、太田一飛曹を始めとするラバウルの猛者たちでした。宮部さんの名前はありませんでした。当然、私の名前もありませんでした。

坂井三郎一飛曹——これまで何度も名前を出してきましたが、当時から海軍の飛行機乗りの中で彼の名前を知らないものはいないくらい有名でした。まさに天才的な撃墜王です。当時で既に五十機以上の敵機を撃墜していました。昼間の星が見えたというくらい目のいい人で、空戦技術は入神の域に達したと思えるほどの名人でした。また西澤一飛曹は後に米軍から最も怖れられる撃墜王となった人です。そして笹井中尉、太田一飛曹も大変な達人です。

他にも高塚寅一飛曹長、山崎市郎平二飛曹、遠藤桝秋《ますあき》二飛曹など、その朝のガダルカナルの攻撃隊に選ばれた零戦隊のメンバーはいずれ名人クラスのすごい人たちばかりでした。

さすがに五百六十浬遠方の敵地を叩く攻撃はかなり危険なものと司令部でも判断したのでしょう。選りすぐられた十八人の男がこの攻撃に参加しました。

午前七時五十分、山の上のブナカナウ飛行場から二十七機の一式陸攻が飛び立ち、山の下の東飛行場からは十八機の零戦が飛び立ちました。しかし一機は発動機の不調で引き返しました。

十七機の零戦はラバウル上空で、きれいな編隊を組み、真っ青な東の空に向けて飛んでいきました。日本海軍の最高級の搭乗員たちが編隊を組んだあの日の光景は今も忘れられません。それはまことに美しい編隊でした。私たちはいつまでも手を振りました。

この日、遅れて九機の九九式艦上爆撃機も攻撃に出ました。しかし九九艦爆は航続距離が足りず、最初から片道攻撃を覚悟しての出撃となりました。ガダルカナルの敵輸送船団を攻撃した後は、予定海域に不時着して飛行艇の救助を待つというものでした。その決死の出撃を知った時は、さすがに身が引き締まる思いがしました。

「大丈夫ですよね？」

私は零戦隊を見送った後、かたわらの宮部さんに言いました。

「坂井さんや西澤さんがいれば、めったなことはないと思う」

宮部さんはそう言った後に付け加えました。

「それでも片道五百六十浬は容易な距離ではない。巡航速度で三時間以上はかかる。ガダルカナル上空では、戦闘時間は十分少々だろう」

「そんなにですか？」

「帰りの燃料を考えると、それ以上の空戦は危険だ。中攻は零戦より航続距離も長いし、偵察員が途中の航路計算をしているから安心だが、零戦は操縦員一人だ。方位を見失って、無駄な航路を取ると、帰還出来ない怖れもある」

「でも、中攻について行くわけですから、はぐれることはないでしょう」

「行きは大丈夫だ。しかしガダルカナル上空で空戦になって編隊とはぐれたら、あとは自力でラバウルまで帰投しないといけない。五百六十浬の洋上を地図とコンパスだけで飛ぶのは簡単なことではない」

私は宮部さんの言葉を聞いて、元母艦搭乗員らしい言葉だと思いました。目印も何もない広い海の上を敵の艦艇を目指して何百浬も飛び、攻撃後は再び母艦に戻るということを繰り返してきた男の言葉だと思いました。

その日の午前中は、基地全体に重苦しい空気が漂っていました。

出撃当初はガダルカナル守備隊の弔い合戦と意気が上がっていた基地搭乗員たちも、冷静になってみると、五百六十浬も離れた島への攻撃がどういうものかわかってきたようです。

地図を見ると、島づたいに東に飛んで行けばたどり着ける位置にあり、つまり編隊から離れてもその逆を行けば戻れるということですが、厚い雲に覆われていた場合、目印となる島が見えません。その場合は地図とコンパスだけが頼りです。

午後三時頃、聞き慣れた爆音が聞こえました。宿舎から飛び出して、空を見ると、友軍機が見えました。ガダルカナルからの攻撃隊が帰って来たのです。出撃してから七時間が過ぎていました。

飛行機は編隊も組まずに三々五々ばらばらに着陸してきます。中攻のほとんどに弾《だん》痕《こん》がありました。いかに激闘だったかがわかりました。

衝撃的だったのは零戦の数です。何と帰還したのは十機でした。零戦が七機もやられるなんて――。

滑走路に降り立った零戦の搭乗員たちは、どの顔も疲労困憊《こんぱい》の体でした。西澤一飛曹もげっそり頬《ほお》がこけ、飛行機から降りるのがやっとという様子でした。あとで知ったのですが、この日、西澤一飛曹は六機のグラマンを撃墜するという大車輪の奮闘をしていたのです。

彼らはすぐに、戦闘報告を行うために指揮所に向かいました。

私は西澤一飛曹に駆け寄りました。

「坂井一飛曹は？」

「先任のことだから、間違いはないと思うが」

西澤一飛曹は言いました。

「先任は簡単に喰われるような人じゃない」

西澤一飛曹は笑って私の肩を叩きました。しかしその顔は疲れ切っていて、ようやく笑顔を作ったという感じでした。

実際、敵地上空でバラバラになり、帰還時は三々五々戻ってくるということはままあることでした。だから別に心配することではなかったのですが、未帰還の七機の中に坂井一飛曹が入っていたことが私の不安を大きくしました。

坂井一飛曹は小隊長でした。前にも言ったように小隊は三機編成です。坂井一飛曹は非常に優れた小隊長です。これまで列機を一度も失ったことがありません。坂井三郎さんに関しては何十機撃墜という話ばかりが脚光を浴びますが、私はそれよりも彼がただの一度も列機を死なせたことがないという方がずっと素晴らしいことだと思います。ちなみに西澤さんも一度も列機を失ったことがありません。彼が列機を失ったのは生涯最後の空戦においてだと聞いています。

とにかくそんな坂井一飛曹が、列機を置いて編隊から離れてしまったことは異常事態です。

しばらくして、ラバウルの東に位置するブカ島から五機の零戦が不時着した知らせがありました。燃料切れでラバウルまで戻ることが出来なかったのです。しかしその中にも坂井一飛曹の機はないという報告でした。

更に一時間経っても坂井一飛曹は戻ってきませんでした。普通に考えてもう燃料の切れる時間です。

午後四時過ぎ、突然、飛行場のかなたに一機の零戦が現れました。基地にどよめきが起こりました。

その零戦はふらふらとよろけるように着陸姿勢を取りました。何かがおかしいと思いました。坂井一飛曹があんなふらついた着陸態勢を取ることはありません。

零戦はゆっくりと降りてきます。見ると、風防がやられていました。風防がやられたということは操縦席が撃たれたということです。

零戦はまるで素人が着陸するように地面にバウンドしながら降り立ちました。そのまま滑走し、やがて静止しました。

飛行隊長の中島少佐と笹井中尉が翼によじ登り、壊れた風防を開けて、坂井一飛曹を座席から引きずり出しました。その姿を見た途端、駆け寄った全員が息を呑みました。何と顔は血でどす黒く染まり、上半身もまた血だらけだったからです。

坂井一飛曹は飛行機から降りると、鋭い声で「報告する」と言いました。笹井中尉が「その前に、治療だ」と怒鳴りました。坂井一飛曹の体を笹井中尉と西澤一飛曹の二人が抱きかかえました。私も坂井さんの体を後ろから支えました。全身から漂う血の臭いが鼻を突きました。

「いや、その前に報告する」

坂井一飛曹ははっきり言いました。私は、この人は鬼か、と思いました。

西澤一飛曹が「先任搭乗員、あなたは自分の傷がわかってない」と言いましたが、坂井一飛曹は、指揮所まで自分の足でしっかり歩いて行きました。坂井一飛曹は指揮所で報告を済ますと、すぐに医務室に運ばれました。

坂井一飛曹の話はすぐに搭乗員たちに広まりました。坂井一飛曹はガダルカナルの攻撃が終わり、帰投中、敵の艦上爆撃機の編隊を戦闘機の編隊と見誤り、後方攻撃をかけたのでした。

坂井一飛曹ともあろう人が大変なミスをしたのです。一人乗りの戦闘機の後方はまったく無防備ですが、艦爆は後部座席に二挺の旋回銃を持った機銃手がいます。坂井一飛曹はその艦爆の編隊八機の中に後方から突っ込んだのです。爆撃機の旋回銃は戦闘機の固定銃に比べて命中率は非常に低いですが、八機の旋回銃に狙われたらたまりません。坂井一飛曹は十六挺の旋回銃が雨あられと撃ちまくる中を突っ込んだのです。

機銃は坂井機の操縦席を吹き飛ばし、その一発が坂井一飛曹の頭をかすったのです。そして操縦席のガラスの破片が両目に突き刺さり、坂井一飛曹は目をやられました。

坂井一飛曹はうっすらとしか見えない目で、しかも頭の衝撃で左腕は麻痺していたため、右腕一本でラバウルまで戻ってきたのです。頭からは大量の血を流しながらです。

「坂井一飛曹だからこそ、戻れたのでしょう。本当にすごい人です」

宮部小隊長は言いました。その声は震えていました。

「本当に、坂井さんはすごい人です」

小隊長は繰り返しました。私もただ黙って頷いていました。

「しかし、自分たちは坂井さんではない。西澤一飛曹や坂井一飛曹は本当の名人だ。誰にもあんな真似が出来るものではない。この戦いは、本当に厳しいものになる」

小隊長の声には、来るべき過酷な戦いを予期しての悲壮な響きがありました。

この日、中攻の未帰還は五機、零戦の未帰還はブカの不時着分を入れて六機でした。悲惨なのは片道攻撃の九機の艦爆隊です。攻撃終了後、予定海域に不時着水と決めて出撃した艦爆隊でしたが、飛行艇に救出されたのは四名のみ。十四名の熟練搭乗員の命が失われました。

翌日、午前八時、私は宮部小隊長の二番機としてガダルカナルに向けて出撃しました。出撃した零戦は全部で十五機。それがラバウルの使える零戦の全機でした。中攻隊は二十三機。この日はすべてが雷装でした。聞けば、昨日の攻撃では中攻は爆装だったということです。最初モレスビーを攻撃予定だったのを急遽《きゅうきょ》ラバウルの輸送船団に切り替えたものの、魚雷に換装するのは間に合わなかったようです。

私たち零戦隊は中攻に随伴して飛んでいましたが、飛べども飛べども見えるのは雲と海ばかりです。ガダルカナルとは何と遠いところかとあらためて実感しました。

中攻は速度が遅く、零戦との速度差があり、零戦はバリカン飛行と呼ばれるジグザグ飛行をしました。航続距離は零戦の方が短いだけに出来るだけ燃料を節約しなければなりませんでしたから、ジグザグ飛行は気持ちのいいものではありません。帰りは単機で帰ることになるかもしれず、そのために、私も飛びながら、コンパスと定規で地図に位置を書き入れていきました。

出撃前、宮部小隊長からは「戦いは空戦だけではない。帰還するまでが戦いだ」としつこいほどに言われていました。洋上で、自らの位置を見失って帰還出来なくなった飛行機は少なくないとも聞かされていました。帰還出来ないということは死を意味します。

時計を見ると、まもなく十一時になろうとしています。もうすぐガダルカナルのはずです。

雲を抜けると、はるか前方にガダルカナル島が見えました。

ガダルカナルの海上に目をやった時、私は思わず息を呑みました。何とそこには無数の艦艇が島の泊地を埋めていたのです。米軍はたかだか小さな島一つを奪うのにこれほど多数の艦艇を繰り出すのか、と慄然としました。この敵に対して中攻二十三機で攻撃したところで、どれほどの戦果が挙げられるものなのか――。

私は暗澹《あんたん》たる気持ちになりましたが、しかし攻撃とあれば、断固やるまでです。私は闘志を新たに奮い立たせました。

この日、私は中攻の直掩隊でした。護衛機には二つあって、一つは制空隊、もう一つは直掩隊です。制空隊は敵上空の制空が目的ですが、直掩隊は中攻を敵戦闘機から守るために中攻隊に張りついていなければなりません。

前方に敵戦闘機の姿が見えました。先に出撃していた制空隊が敵の迎撃機と戦っています。制空隊は敵機を中攻に近づけまいと奮戦していましたが、その攻撃をすり抜けて、敵戦闘機は中攻に向かってきました。

敵戦闘機は初めて見るグラマンでした。戦後にわかったのですが、この時の米戦闘機隊は空母「サラトガ」「エンタープライズ」「ホーネット」の三隻の空母の艦載機でした。米軍はガダルカナルのために手持ちの全空母をつぎ込んでいたのです。

敵機は高度を利用して上空から襲いかかってきます。敵の戦法は一撃離脱です。上から突っ込んできて、撃ちまくり、そのまま下方に逃げていくという単純な戦法です。

敵戦闘機は零戦を相手にしません。中攻隊だけを目標に突っ込んできます。私たちも中攻隊の援護が主任務ですから、空戦よりも敵戦闘機を追い払うことに徹します。それに直掩隊は中攻から離れるわけにはいきません。敵は零戦隊が中攻から離れるのを待っているのです。直掩隊の使命はたとえ我が身を犠牲にしても中攻を守るというものです。

制空隊も帰りの燃料のことがありますから、深追い出来ません。下方に逃げた敵は、再び、機首を立て直して上昇し、同じような攻撃を加えてきます。

上空に位置した敵戦闘機には、制空隊が向かっていきますが、敵機はそれを逃れて中攻隊に向かってきます。この日の戦闘では何回か反復攻撃を喰らいました。

我々直掩機は必死で中攻を守りますが、執拗《しつよう》な反復攻撃に次々に中攻がやられます。敵艦船を目の前にして中攻が火を吐いて墜ちてきます。こんなに悔しいことはありません。

中攻と呼ばれた一式陸攻は海軍を代表する爆撃機でしたが、防御が非常に弱いのが弱点でした。アメリカ軍からは「ワンショット・ライター」という有り難くない渾名《あだな》がつけられていたほどです。そうです「一発で火が点く」という意味です。速度の遅い爆撃機であるにもかかわらず、燃料タンクの防弾もなく、操縦席を守るための装甲もほとんどありません。そのため敵戦闘機に襲われた場合、簡単に撃墜されました。ちなみに昭和十八年に連合艦隊司令長官の山本五十六大将が搭乗していて撃墜された飛行機がこの一式陸攻です。

それでも中攻隊はようやく敵輸送船団近くまで迫りました。敵戦闘機が散ったかと思うと、今度は下から猛烈な対空砲火の嵐です。直掩機も対空砲火を避けて、上空に避退しますが、中攻隊は猛火の中を雷撃のために更に高度を下げていきます。

やがて中攻隊は海面すれすれに雷撃針路を取ります。中攻の周りで、敵艦からの猛烈な対空砲火が水柱を上げるのが見えます。中攻が次々に火を噴いて海中に没していく中、それでも勇敢な中攻隊はその砲火の中を突入していきます。まさに鬼気迫る姿です。

敵輸送船の腹に必殺の魚雷が命中するのが見えました。

雷撃が終わり、避退していく中攻隊に再び敵戦闘機が襲いかかります。零戦隊も再び敵戦闘機に喰らいつきます。敵戦闘機の攻撃はしつこく、零戦隊もかなり手を焼きました。

この日、報告された戦果は敵艦二隻撃沈、輸送船九隻撃沈という華々しいものでしたが、戦後の米軍の記録を見ると、駆逐艦と輸送船をそれぞれ一隻撃沈しただけでした。

この日、私が出撃したのは午前八時、帰還したのは午後三時です。操縦席に七時間座り続けていました。初めて体験したガダルカナルまでの出撃は恐ろしいほどの疲労を伴いました。ラバウルに着陸した時には、一瞬気が遠くなりかけました。こんな経験は初めてです。全身の骨ががたがたと外れていくようで、飛行機から降りるのもやっとでした。兵舎に向かう地面がふわふわと揺れているような感触だったのを覚えています。出来るならそのまま地面に倒れてしまいたいと思いました。

この日、我が方の未帰還機は中攻十八機、零戦二機でした。中攻は二十三機出撃して帰還出来たのはわずかに五機です。

何とわずか二日間で、九九艦爆が九機、一式陸攻が二十三機、零戦が八機も失われたのです。ラバウルの攻撃機のほとんど、そして零戦の半分近くが失われたのです。搭乗員の損失は約百五十人。一式陸攻の乗員は七人ですから、一機撃墜されると七人の命が一挙に失われます。操縦員、偵察員、整備員、通信員など、それぞれの分野で一流の腕を持った男たち、いずれも何年もかかって鍛え上げた貴重な搭乗員たちです。それがたった二日間で百五十人も失われたのです。

私はあらためて宮部さんの言っていた「大変な戦いになる」という言葉を思い返し

ました。

そしてこの日の損失は決して例外的なものではなかったのです。

第五章　ガダルカナル

「少し休ませていただけますか」

井崎はそう言って体をベッドに横たえた。娘の江村鈴子がチャイムを押して看護婦を呼んだ。

「大丈夫ですか」

ぼくの言葉に、井崎は寝たまま、右手を挙げて応えた。

しばらくして看護婦がやって来た。

「少し痛みが出てきました」

井崎は看護婦に言った。看護婦は注射を打った。しばらく井崎は目をつむって横になった。

「このへんで、おいとまします」

姉は鈴子に言った。その声を聞いた途端、井崎が「待ちなさい」と大きな声で言った。

「まだ、話さないといけないことがある」

「お父さん、大丈夫ですか」

娘の鈴子が心配そうに声をかけた。

「大丈夫だ。もう痛みは消えた」

井崎は体を起こした。しかし、その顔はまだ痛みをこらえている顔だった。

「私たちなら、また後日に伺います」

「それには及びません」井崎は言った。「八十年も生きていれば、体の方々がおかしくなっても当然です」

看護婦は椅子に座った。そして、ちょうど勤務時間の終わりだからしばらくここにいますと言った。

「看護婦さん付きだから安心だ」

井崎は笑って言ったが、その笑顔は無理矢理に作った感じだった。鈴子はそんな父を心配そうに見ていた。

「若い頃は体力には自信がありましたが。ラバウルにいた頃は――そこにいた誠一の年でした」

誠一という青年は一瞬表情を強《こわ》ばらせた。

「井崎さんと祖父は固い結びつきがあったのですね」

姉は言った。

「何度も言うように、私が生き残れたのは宮部小隊長の列機でいたからです。そして、生き残ることで逆に死ぬことの怖さを知ったのです。今だから言えますが、ラバウルに来た当時は、死ぬことをまったく怖れてはいませんでした。十九歳の若者に命の本当の尊さなどわかるはずがありません。おかしな喩《たと》えですが、たいした金額も持たないでギャンブルに行き、どうせ負けるだろうと思って平気で全額を賭《か》けていたようなものです。しかしどうしたわけか勝ち続けると、いつのまにか恐怖を覚え、負けたくないと思い始める気持ちのようなものでしょうか」

「わかる気がします」

「十七年の秋からは、ラバウルに内地からミッドウェーの生き残りの熟練搭乗員たちが次々と送られてきました。しかしその熟練搭乗員たちにとっても、ラバウルは過酷なところだったのです」

「パイロットの墓場だったのですね」

姉の言葉に井崎は頷《うなず》いた。

「しかしね、佐伯さん。我々はそれでもまだ幸せだったのですよ。本当の地獄を見たのは――」

井崎は静かに息を吐きました。

「ガダルカナル島で戦った陸軍の兵隊さんたちでした」


ガダルカナル島の陸軍兵士の戦いのことはご存じですか。

——そうですか。いえ、今の若い人はそんなことは何も知らないでしょうね。

宮部小隊長の話とは離れますが、ガダルカナル島で戦った陸軍兵士のことは、あなたたちにも知って貰いたいことです。いや、日本人なら、この悲劇を忘れて欲しくはありません。ここにいる誠一にもぜひ知って貰いたい。

またガダルカナル島をめぐる陸軍の戦いを知らないと、私や宮部小隊長のいるラバウル航空隊が命を削って戦ったのはなぜなのかが理解出来ないでしょう。

もっともあの島で何が行われていたのかを知ったのは戦後です。そしてそれを知った時、ガダルカナルこそ太平洋戦争の縮図だということがわかりました。大本営と日本軍の最も愚かな部分が、この島での戦いにすべて現れています。いや、日本という国の最も駄目な部分が出た戦場です。

だからこそ、ガダルカナルのことはすべての日本人に知ってもらいたい！

そして、半年にわたったこの戦いこそが、太平洋戦争の本当の分水嶺《ぶんすいれい》となった戦いだったのです。

八月七日に米軍がガダルカナル島を攻撃した時、最初、大本営は単なる局地的な戦闘と思っていたようです。米軍は防御の手薄なガダルカナルでも叩いておけという気持ちで攻撃してきたのだろうと判断したようです。これらも戦後知った知識です。

私たちラバウル航空隊はただちに米輸送船団を攻撃したことは先程言いましたが、大本営は翌月、ガダルカナル島の飛行場奪還のために陸軍兵士を送り込んだのです。これが悲劇の始まりでした。

大本営は敵情偵察もろくにせずアメリカ軍の兵力を二千人と見て、わずか九百人余りの部隊を送り込んだのです。

二千人という数字がどこから出てきたのか不明ですが、驚くのはその半分の兵力で島と飛行場を奪還出来ると踏んだことです。帝国陸軍はそれほど強いと思っていたのでしょうか。ところが実際には米軍海兵隊の兵士は一万三千人もいたのです。

戦後、読んだ書物によりますと、突撃前夜、陸軍の上陸部隊はすでに勝ち戦《いくさ》の気分だったと言います。指揮官の一木大佐もまた強気な人で、この作戦を命じられた時、司令官に「ガダルカナルのみならず、対岸のツラギ島も攻めてもいいか」と聞いたといいます。

この一戦が日本陸軍とアメリカ海兵隊との初めての対決でした。陸軍兵士たちは、腰抜けのヤンキーどもを皆殺しにしてやるという気分だったのでしょう。当時、私たちは、アメリカ人がいかに腰抜けで弱虫かと言うことをさんざん教えられていました。やつらは家庭が第一で、国に帰れば楽しい生活が待っている。やつらは戦争が嫌いだし、何より命が大事と思っている国民だと。だから、本当に厳しい戦いになると、やつらは躊躇《ちゅうちょ》なく投降する。捕虜になるくらいなら潔い死を選ぶという帝国軍人とは決死の覚悟が違う。だから戦って負けるわけがない、と。敵兵の半分の兵力で十分と踏んだのもそういう先入観があったからでしょう。一木支隊の兵隊たちが「明日は楽勝だ」と笑っていたとしても責められません。

しかし結果は——話すのも辛いことですが、一木支隊は最初の夜襲で全滅しました。米軍の圧倒的火力の前に、日本軍の肉弾突撃はまったく通用しなかったのです。

日本陸軍の戦いの基本は銃剣突撃です。捨て身で敵陣に乗り込み、銃剣で敵兵を刺し殺して戦うという戦い方です。対する米軍は重砲、それに重機関銃と軽機関銃で武装しています。米軍は日本兵に向かって砲弾を雨あられと降らせ、白兵突撃してくる日本兵に機関銃を撃ちまくりました。

こんな戦いで勝てるはずもありません。言うなれば日本軍は、長篠の戦いで織田信長の鉄砲隊に挑んだ武田の騎馬軍団みたいなものでした。いったいなぜこんな愚かな作戦が実行されたのでしょう。参謀本部は何を考えていたのでしょう。戦国時代のような戦い方で米軍に勝てると判断した根拠がまったくわかりません。

私は戦後、この戦い直後に撮られた写真を見たことがあります。戦いが終わった翌朝、砂浜におびただしい数の日本の兵隊たちが斃《たお》れている写真です。血は波で洗われていたのか、死体には血のあとがありませんでした。いずれも表情まではっきりと写っていました。彼らはみんな故郷に父や母がいて、あるいは妻や子がいた男たちです。私は涙でその写真を見ることが出来ませんでした。

突撃した約八百人中七百七十七人が一夜にして死んだと言われています。一木隊長は軍旗を焼いて自決しました。米軍の死者は数えるほどだったといいます。

一木支隊全滅の報を受けて、大本営は「それじゃあ」と送り込む兵隊を一挙に五千人にしました。これならいけるだろうと。

しかし米軍はその上をいっていました。日本軍を撃退はしましたが、今後、日本軍は前回にまさる兵力を送り込んでくるだろうと予想し、守備隊を一万八千人にまで増強していたのです。

大本営の参謀たちの作戦はまったく場当たり的なものでした。最初は敵の兵力がどれくらいのものなのか調べようともせず、都合よく推算して、千人足らずの支隊で行けるだろうと。それで駄目だとなると、今度は五千人なら行けるだろうという安易な発想。これは兵力の逐次投入と言ってもっとも避けなくてはいけない戦い方です。大本営のエリート参謀はこんなイロハも知らなかったのです。「敵を知り己を知れば百戦危うからず」というのは有名な孫子の兵法ですが、敵も知らずに戦おうというのですから、話になりません。

哀れなのはそんな場当たり的な作戦で、将棋の駒のように使われた兵隊たちです。二度目の攻撃でも日本軍はさんざんに打ち破られ、多くの兵隊がジャングルに逃げました。そんな彼らを今度は飢餓が襲います。ガダルカナル島のことを「ガ島」とも呼びますが、しばしば「餓島」と書かれることがあるのはそのためです。この後、大本営は兵力の逐次投入を繰り返し、その多くの兵士たちが、飢えに苦しめられます。そして戦闘ではなく餓えで死んでいきます。

「ガ島」の兵士たちはこんな生命判断を行っていたと言われています。

「立つことの出来る者は三十日、座ることの出来る者は三週間、寝たきりになった者は一週間、寝たまま小便する者は三日、ものを言わなくなった者は二日、まばたきしなくなった者は一日の命」と。

結局、総計で三万人以上の兵士を投入し、二万人の兵士がこの島で命を失いました。二万のうち戦闘で亡くなった者は五千人です。残りは飢えて亡くなったのです。生きている兵士の体にウジがわいたそうです。いかに悲惨な状況だったかおわかりでしょう。

ちなみに日本軍が「飢え」で苦しんだ作戦は他にもあります。ニューギニアでも、レイテでも、ルソンでも、インパールでも、何万人という将兵が飢えで死んでいったのです。

――なぜ飢えるか、ですか。軍が食糧を用意しないからです。日本陸軍は作戦計画にあるだけの食糧しか用意せずに兵士を戦場に送り込むのです。作戦計画の日数とは、つまりその日数で敵陣を奪い、その後の食糧はその陣地で奪えばいいし、また敵陣を乗っ取れば、その後から食糧は補充するという考え方です。食糧のない兵士たちはあとがないだけに死に物狂いで戦うだろうと踏んでいたのでしょうか。一木支隊のあとに送り込まれた川口支隊の兵隊たちは米軍の食糧を「ルーズベルト給与」と呼んで、それを当てにしていたといいます。

しかし戦争はそう簡単に計画通りにはいきません。事実、今言った多くの戦場では、敵陣を撃滅するどころか自分たちの部隊が粉砕されて、その後、ジャングルで飢えとの戦いが始まりました。兵站《へいたん》は戦いの基本です。兵站というのは、軍隊の食糧や弾薬の補給のことです。戦国時代の武将たちが戦で最も重要視したのが兵站だそうです。ところが大本営の参謀たちはそんなことさえ考えなかったのです。彼らは皆、陸軍大学をトップクラスで出た超秀才です。当時の陸大のトップクラスは東大法学部のトップクラスにひけを取らなかったでしょう。

　こうしてガダルカナルに三万人という将兵が孤立して取り残されたわけですが、それらの将兵を見殺しにするわけにはいきません。海軍は多くの艦艇を出して、ガダルカナルに弾薬や食糧を補給する任務を担いましたが、脚の遅い輸送船は島に近づく前にガダルカナルの敵飛行場からやってくる航空機の攻撃で沈められました。

　そしてついに窮余の策として高速の駆逐艦による食糧輸送が行われました。米などをドラム缶に詰め込み、夜にロープで海岸へ流すのです。駆逐艦の艦長たちは「ネズミ輸送」と自嘲したそうです。しかし命懸《が》けのこの輸送も駆逐艦一隻で二万人を超える兵士たちの数日分の食糧しか届けられないのです。そして多くの駆逐艦も待ち伏せする敵にしばしば撃沈されました。また多くのドラム缶も朝に米戦闘機の機銃で穴だらけにされて沈められたそうです。

　最後には潜水艦が命よりも大事な魚雷を降ろして、米を運びました。

　その間もソロモンの海では多くの海戦が行われました。連合艦隊がアメリカ軍を打ち破った戦いもあれば、逆にアメリカ艦隊が日本の艦艇を沈めた戦いもあります。

　しかしガダルカナルの海戦では緒戦に非常に大きなチャンスがあったのです。

　八月七日に米軍がガダルカナルを急襲したと言いましたが、その時、ラバウルにいた第八艦隊はすぐさまガダルカナルの敵輸送船団を攻撃するべく出撃しています。そして翌八日の夜、輸送船団を護衛する米艦隊とサボ島沖で遭遇したのです。「第一次ソロモン海戦」と言われる海戦ですが、この戦いで三川軍一司令長官率いる第八艦隊は米巡洋艦の艦隊をほぼ完全に打ち破ったのです。日本海軍の得意とする夜戦による奇襲が成功したのです。

しかし三川艦隊はただちに撤収しています。この時、更に突き進み、敵輸送船団を攻撃すれば、ほぼ完全に輸送船団を撃滅させることが出来たのです。

巡洋艦「鳥海」の早川艦長は、輸送船団撃滅を目指して進むことを強く具申しますが、三川長官はそれを退けました。

三川長官は米空母を怖れたのです。輸送船団を撃滅させても、朝になって米空母の艦載機の攻撃を受ければ、護衛戦闘機のない艦隊にとっては絶望的な戦いになると。

しかし、実はこの時、ガダルカナルを支援しにやってきていた米空母三隻は「ガ島」を遠く離れていたのです。前日の七日の坂井一飛曹や西澤一飛曹の奮戦、そしてこの日の午前中の私や宮部小隊長が参加したラバウルの零戦隊の決死の攻撃により、米空母搭載の戦闘機隊が相当な被害を出していたからです。空母を率いていたフレッチャー提督は日本の空母部隊が近づきつつあると感じ、多数の戦闘機を失った現状では日本の空母の攻撃を防ぎきれないと判断し、東方へ避退していました。ラバウル零戦隊の二日にわたる決死の戦いが米空母群を退けていたのです。

しかし三川艦隊はこの勝機を摑《つか》むことが出来ませんでした。この時、敵輸送船団は重砲などはほとんど揚陸させておらず、三川艦隊が襲いかかれば、米輸送船団の多くの武器弾薬は海中に没することになったのです。そうなればその後に行われた一木支隊や川口支隊の戦いはまったく違った様相を呈していたことでしょう。第一線の将兵が命懸けで戦っているのに、司令部の弱気のせいで、こんなことになったのは本当に残念です。

これも戦後に聞いた話ですが、三川長官が第八艦隊の司令長官に赴任する際、永野軍令部総長が「我が国は工業が乏しいから、出来るだけ船を沈めないようにしてくれ」と言ったというのです。一体何という考え方でしょう。兵隊や搭乗員の命は簡単に捨て駒にするくせに、高価な軍艦となると後生大事にするとは――。

もう一つ、いやな噂を聞いたことがあります。艦隊司令長官にとって最高の名誉である金鵄《きんし》勲章のための査定ポイントで、最も大きいものは海戦によって軍艦を沈めることだそうです。戦艦を最高点として、以下、巡洋艦、駆逐艦と続いていくらしいですが、輸送船などは何隻沈めてもまったく点数にならないそうです。しかし艦艇を失えば大きなマイナスになります。三川長官が巡洋艦並びに駆逐艦を撃沈した後、輸送船などに目もくれずにとっとと引き上げたのはそのためか、というのは言い過ぎでしようか。

とにかく三川艦隊の撤退はガダルカナルの戦いで大きな悔いを残しました。

それ以後も日本艦隊は何度か米艦隊に痛打を浴びせました。八月に我が潜水艦「伊二六」が米大型空母「サラトガ」を雷撃して戦闘不能に陥《おとしい》れ、九月には同じく「伊一九」が米空母「ワスプ」を撃沈しました。

十月二十六日に行われたミッドウェー以来の空母同士の対決「南太平洋海戦」では、我が母艦搭乗員たちが鬼神の如《ごと》き攻撃で米空母「ホーネット」を沈め、空母「エンタープライズ」を大破せしめています。「ホーネット」は東京空襲を行った空母です。この時、母艦搭乗員たちは生還を期しがたい長距離攻撃を敢行し、多数の犠牲を出しながら、「ホーネット」を沈めたということです。

実は日本軍は知らなかったのですが、「南太平洋海戦」直後、米軍は太平洋で行動可能な空母が一隻もないという危機的状況に陥《おち》っていたのです。その日はアメリカの海軍記念日だそうですが、「史上最悪の海軍記念日」と呼ばれたそうです。この時、米軍のガダルカナル守備隊は撤退を考えたといいます。

戦後、アメリカの戦史家の多くが「この時、日本の連合艦隊がすべての兵力をつぎ込めば、ガダルカナルを奪い返すことが出来た」と言っています。しかしここでも帝国海軍は兵力を小出しにして、千載一遇のチャンスを逃します。逆にこの剣が峰で全兵力をつぎ込んだのは米軍でした。

世界最大の戦艦「大和」はラバウルの北わずか千数百キロのトラック島に温存し、ガダルカナルにはついに一度も出撃しませんでした。山本長官以下司令部幕僚たちは軍楽隊が演奏する中で豪華な昼食を取りながら、第一線で戦う将兵たちに命令を下していました。水兵たちが「大和」をどう呼んでいたか知っていますか――「大和ホテル」です。

しかし前線で戦う兵士たちは必死で戦いました。ルンガ沖では「ネズミ輸送」の駆逐艦隊が米重巡洋艦四隻に奇襲されますが、一隻の駆逐艦を失っただけで逆に重巡洋艦を一隻撃沈し三隻を大破せしめるという大殊勲をあげています。本来、重巡洋艦と駆逐艦では勝負になりません。大型トラックに軽自動車がぶつかるようなものです。しかし指揮官の田中頼三司令官は果敢な逆襲で重巡艦隊を打ち破ったのです。

これは余談ですが、これほどの戦果をあげた田中司令官はこの海戦後、訳のわからない理由で左遷させられています。アメリカ海軍からは「日本海軍で最も勇敢なる不屈の将」と最大級の賛辞を与えられている人が、です。ちなみに「伊二六」潜水艦も「サラトガ」を三ヵ月にわたって戦闘不能状態にしたにもかかわらず、魚雷一発命中くらいでは、ということで艦長以下乗組員には何の栄誉も与えられませんでした。彼らはこの一撃のためにひたすら苦しみに耐え、しかも雷撃後は十二時間にわたって恐ろしい爆雷攻撃を受けつづけて生還したにもかかわらず、です。

一体に帝国海軍は第一線で命を懸けて戦った者に非常に薄情です。海軍大学校出身の将校はどんなミスをしても出世していきますが、叩き上げの将兵が報われることは極めて少ない組織です。

私たち、兵や下士官などは、最初からもう道具扱いです。幕僚たちにとっては下士官や兵の命などは鉄砲の弾と同じだったのでしょう。

大本営や軍令部の連中は人間ではない！


——すいません。興奮してしまいましたね。話を戻しましょう。

まあ戦果を挙げた戦いもありましたが、逆にやられた戦いも少なくありません。サボ島沖の夜戦では米艦隊のレーダー射撃で重巡洋艦が沈められ、第三次ソロモン海戦でも旧式戦艦二隻をレーダー射撃で失っています。この時も連合艦隊は「大和」を出し惜しみし、二線級の戦艦しか出撃させていません。

しかし個々の海戦よりもきつかったのは、輸送作戦がほとんどうまくいかなかったことでしょう。

それは制空権がなかったからです。航空機によって艦隊護衛をしようにも、ラバウルから五百六十浬《かいり》は遠すぎました。後にラバウルとガダルカナルの間にあるブーゲンビル島のブインに航空基地を設置しましたが、多少はゆとりが出来たくらいで、制空権を取り戻せるような距離ではありませんでした。

残るは航空母艦による援護ですが、強大な敵の陸上航空基地に空母が近づくのは危険極まりない行為です。ましてミッドウェーで四隻の空母を沈められた今、軍令部や連合艦隊司令部はそんな危険な作戦を立てられなかったでしょう。本当はやるべきでしたがね。

一体、なぜ日本陸海軍はこんな補給もままならないところで戦ったのでしょう。とまれ戦いは始まりました。「ガ島」飛行場の奪還には、敵航空部隊の撃滅が絶対条件です。

そしてその任務を背負わされたのが私たちラバウル航空隊でした。ラバウルが「搭乗員の墓場」と呼ばれるようになったのは、これ以降の話です。

ラバウル航空隊は、ガダルカナルの戦いが始まって以降、急速に消耗していきました。

出撃は連日続きました。そのたびに少なからぬ未帰還機が出ました。

搭乗員の中で最も戦死者が多かったのは一式陸攻《いっしきりくこう》の中攻隊《ちゅうこうたい》です。一式陸攻は防御の弱さから、アメリカ軍に「ワンショット・ライター」と呼ばれていたことは言いましたね。零戦も非常に防御の弱い飛行機でしたが、零戦の場合、類い稀《たぐまれ》なる旋回能力と戦闘力が防御の薄さをカバーしていました。しかし、一式陸攻は速度も遅く、戦闘機に狙われたらひとたまりもなかったのです。

十七年の秋には中攻隊は出撃機数の半分近くが未帰還になるようになりました。全機未帰還ということもありました。

中攻隊の搭乗員たちは生き延びることをあきらめているようでした。それはそうでしょう。出撃すれば半分以上の確率で撃墜されるのですから。しかもその出撃が何度も続くのです。彼らの顔からは生気が消え、全身からは戦いに疲れ切った雰囲気を漂わせていました。しかし彼らは最後まで勇敢でした。泣き言一つ言わず、与えられた任務を務めました。後に神風特攻隊の人たちも自らの運命を受け入れて出撃して行きましたが、ラバウルの中攻隊もまた死を前提に戦っていたのです。

零戦隊にも出撃のたびに一機二機と未帰還機が出ました。搭乗員の寝室には主のいなくなった私物が残り、それらはまとめて内地の家族の元に送り返されます。遺品の中には遺書もありました。搭乗員の中には遺書を書く者と書かない者がいました。私は万が一のことを考えて遺書は書いていましたが、遺書を書くと戦死するような気がして書かない者も少なくありませんでした。

仲間を失った悲しみを一番感じるのは、戦闘直後ではありません。夕食の食堂です。朝、一緒に飯を喰った仲間が夜にいないのです。夕食には必ず全員分の食事が用意されます。食堂では、誰がどこに座るかは決まっていませんが、何とはなしの習慣から、各自座る位置は決まっていました。ほら、会社の会議などでも、だいたい座る位置が決まっているでしょう。それと同じです。

夕食の時間に空いている席があれば、そこに座っていた男は未帰還ということです。それが普段隣に座っている男だとたまりません。昨日まで、いや今日の朝食の席でも冗談を言っていた奴が今はもういないのですから。飛行機乗りが死ぬ時は遺体もありません。激しい戦闘だと、一気に何人もの席が空くことがあります。だから夕食の席では、冗談はまったく出なくなりました。

九月のある日、私の谷田部空の先輩でもあった東野二飛曹が朝食の席で、

「一度でいいから、美味しい大福を食べたい！」

と大きな声で言いました。それを聞いた私も、つい大福を想像してしまい、思わず喉《のど》がごくりと鳴りました。大福餅などラバウルへ来てから一度も食べたことがありません。

「命を懸けて戦っているんだ。大福くらい喰わせて貰ってもいいだろう」

東野二飛曹の冗談に、全員が笑いました。

その日の夜、食卓に、大福餅が並んでいました。東野二飛曹の声を聞いた烹炊員《ほうすいいん》たちが一生懸命に大福餅をこしらえてくれたのです。しかし夕食の席に東野二飛曹の姿はありませんでした。彼の食卓に置かれた大福は誰も手をつけませんでした。
そしてやがてそんな光景が当たり前の日常になりました。

ガダルカナルでの初戦で重傷を負いながらも帰還した坂井一飛曹は結局、片目を失明して、内地に戻りました。坂井一飛曹に迫る「ラバウルの撃墜王」笹井醇一中尉もガダルカナルの戦いが始まって三週間もたたないうちに未帰還となりました。九月にはベテランの高塚寅一飛曹長、若いが空戦の達人羽藤一志《うとうかずし》三飛曹が未帰還となり、十月には坂井一飛曹、西澤一飛曹と共にポートモレスビーで編隊宙返りを演じた太田敏夫一飛曹も未帰還になりました。

こんな事態は信じられないことでした。昨日今日の新米搭乗員ならいざしらず、日本海軍航空隊の誇る名人級の搭乗員が連日帰らぬ人となるのです。
しかし考えてみれば、当然だったかもしれません。何しろ我々は連日往復二千キロ以上の距離を飛んで、敵地上空で戦っているのですから。一度出撃すれば、七時間前後も操縦席に座りっぱなしです。しかもその時間は常に死と隣り合わせの時間なのです。その疲労は小さくはありません。

「ガ島」に着くまでの時間も油断は出来ません。いつ何時《なんどき》、敵が襲いかかって来るかわからないからです。そうして敵地上空に達すると、今度は襲いくる敵邀撃機《ようげきき》との対決が待っています。敵は優秀な電探で我が攻撃隊を事前に察知し、常に優位な位置で待ちかまえてます。電探とは電波探信儀の略です。レーダーのことです。当時、電探技術には大きな差がありました。

劣位からの空戦は零戦にしても楽なものではありません。しかも零戦隊には中攻を守るという大事な役目があります。自由な戦闘が出来ないのです。しかも帰りの燃料をたっぷり積んでいますから、機体が重く、軽快な動きは出来ません。

味方の爆撃が終わると、追いすがる敵機から逃れて、再び千キロの道程を戻ります。この帰路にもまた敵が待ち伏せていることがありましたから、一瞬たりとも油断は出来ません。その肉体的および精神的疲労たるや今まで味わったことがないものでした。しかも帰路、味方編隊とはぐれた場合、自ら地図とコンパスで航路を計算しながら戻らないといけないのです。

戦闘中に被弾した場合、それが即撃墜にいたらなくても、やがては重大な損傷になることが多々あります。何度も繰り返しますがラバウルとガダルカナルの距離は千キロです。航空機というものは非常にデリケートな機械です。わずかな発動機のトラブルでも飛行不能になります。

また燃料の問題もあります。前にも言ったように零戦の燃料はガダルカナルとの往復でギリギリです。ガダルカナル上空の空戦によって燃料を大量に消費した場合、帰りの燃料が足りなくなるのです。また燃料タンクに被弾して、燃料が漏れても帰還はかないません。途中、航法を間違えて機位を失っても帰還出来ません。わずかな回り道が命取りになることもあるのです。

重傷を負いながら単機ガダルカナルから帰還した坂井三郎さんなどはまさに奇跡の飛行機乗りです。そんなパイロットはそうそういるものではありません。

一度出撃すれば、疲労は一日や二日では抜けません。しかし疲れが取れる前に再び出撃命令が来ます。一週間に三度、四度の出撃も珍しくなかったのです。私も含めて多くの搭乗員が限界に近い状態で戦っていました。疲れからくるミスで撃墜された搭乗員も大勢いたはずです。笹井中尉が撃墜された時も、たしか彼は中隊長として五日連続くらいで出撃していました。笹井中尉だけでなく、十分な休養さえ与えられれば、死ぬことはなかった搭乗員が少なくなかったはずです。

私は出撃しない日はとにかく睡眠をとりました。実はこれは宮部さんの教えでした。

「井崎、いいか、よく聞け。時間があれば休め。たっぷり食べて、とにかく寝ろ。どれだけ休めるかが戦いだ」

私は宮部小隊長の教えを忠実に守りました。空いた時間さえあれば、ひたすら眠りました。不思議なものですね。眠るというのは一つの技術なのです。絶対に眠るのだと決めると、周囲がどれほど喧《やかま》しくても明るくても眠れるようになるんです。

私は戦後、運送業を始めましたが、社員には、とにかく眠れと口を酸っぱくして言いました。精神力や気合いで乗りきろうとは思うな、と。そのお陰かどうかはわかりませんが、うちの運送会社はほとんど大きな事故を起こしたことがありません。

しかし、宮部小隊長は一部の搭乗員から陰口を叩かれていました。それは中攻の直掩任務の時の戦い方にありました。

私たちは中攻の直掩任務の時は、身を挺《てい》してでも中攻を守れと言われていました。必殺の爆弾を抱いて敵飛行場に向かう中攻を守り抜き、彼らの爆撃を成功させることが中攻直掩隊の任務でした。そのため多くの優秀な零戦搭乗員が中攻を守るために命を失いました。

しかし宮部小隊長は中攻に襲いかかる敵戦闘機を追い払うことはあっても、自らの機で敵弾を受けて中攻を守ることは決してやりませんでしたし、私たちにもそれを許しませんでした。そうした戦い方が、一部の搭乗員たちから見れば「ずるい奴」と思われていたのです。宮部小隊長の列機を務めることが多かった私も同様に思われていました。

——私がどう思っていたかですか？　答えにくい質問ですね。

零戦は一人乗り、中攻は七人乗りです。一人の命を捨てることで七人の命を守れるなら、戦術的には犠牲になるべきかもしれません。しかし宮部さんのような優れた搭乗員を失えば、もっと多くの犠牲を出すのではないでしょうか——これでは答えになりませんか。もっとも宮部さん自身がどう考えていたのかはわかりません。おそらくですが、あの人は自分が死にたくなかったのだと思います。


十七年の後半から米軍の零戦に対する戦い方が完全に変わりました。

これまでも米軍は零戦にはまともに向かってくることは少なかったのですが、十七年以降ははっきりと零戦との格闘を避け始めました。徹底した一撃離脱と、そして二機一組の攻撃、こうした米軍の新戦法は我々を戸惑わせました。

戦後かなり経ってから知ったことですが、米軍は十七年の七月に無傷の零戦を手に入れ、それを調べることによって、対零戦の戦法を編み出していたのでした。

零戦はアリューシャン作戦でアクタン島に不時着したものです。搭乗員が不時着時に亡くなり、その後この機体が、米軍の哨戒機に発見されたのです。

それまで米軍にとって零戦は謎の戦闘機だったのです。それで懸命にゼロファイターの機体の捕獲を目指していたものの、残骸しか手にすることが出来ない状況であったところに、ほぼ無傷のゼロファイター発見の報に関係者は驚喜したといいます。

零戦はアメリカ本国に持ち帰られ、徹底的に研究されました。そしてこれまで米軍にとって神秘の戦闘機であった零戦の秘密のベールがすべて剝《は》ぎ取られたというわけです。

米軍の航空関係者はテストの結果に愕然《がくぜん》としたと言われています。イエローモンキーと馬鹿にしていたジャップが、真に恐るべき戦闘機を作り上げていたことを知り、驚いたのです。そして彼らは、現時点において零戦と互角に戦える戦闘機は我が国には存在しないということを認識したといいます。それは彼らにとって恐るべき答えだったようです。

しかし米軍は同時に零戦の弱点も見抜きました。防弾装備が皆無なこと、急降下速度に制限があること、高空での性能低下などです。そして米軍は零戦の弱点を徹底的に突く戦法を編み出したのです。

米軍は零戦に対してしてはならない「三つのネバー」を全パイロットに指示したそうです。すなわち「ゼロと格闘してはならない」「時速三百マイル以下で、ゼロと同じ運動をしてはならない」「低速時に上昇中のゼロを追ってはならない」の三つです。この「ネバー」を犯した者はゼロに墜とされる運命になる、と。

こうして米軍は零戦に対して徹底した一撃離脱戦法に切り替えました。そして一機の零戦に対して必ず二機以上で戦うことが義務付けられました。

この戦法を可能にしたのは米軍の物量でした。戦闘機の大量生産をバックにしたこうした新戦法の前に我々は消耗させられていったのです。

物量で押しまくる米軍は、同時にパイロットの命を非常に大切にしました。秋頃でしたか、ラバウルにアメリカ軍パイロットの捕虜が送られてきたことがあります。

ガダルカナル島の空戦で撃墜された米機の搭乗員が我が駆逐艦に拾われ、そのまま捕虜になったのですが、彼の話は驚きでした。何と彼らは一週間戦えば後方にまわされ、そこでたっぷり休息を取って、再び前線にやってくるというものでした。そして何ヵ月か戦えば、もう前線からは外される、と。

その話を漏れ聞いた時は、我々搭乗員たちは何とも言えない気持ちになりました。我々には休暇などというものはなかなか与えられません。連日のように出撃させられるのです。

実際、熟練搭乗員も櫛《くし》の歯が欠けるように減っていきました。いや、むしろ熟練搭乗員から死んでいきました。というのは経験の浅い搭乗員だと撃墜されて貴重な飛行機を失う可能性が高いという理由で、熟練搭乗員が優先的に出撃させられたのです。

搭乗員よりも飛行機を大事にしたのです。繰り返しますが、片道三時間以上の距離を移動して、敵の待ちかまえる空で中攻隊を援護しつつ戦い、また三時間以上かけて戻るのです。それが連日繰り返されるのです。体力、集中力の低下は免れません。我々は一度でもミスしたら終わりなのです。失敗は繰り返さなければいいという甘い世界ではないのです。一度の失敗が、すべてを終わらせてしまうのです。よくプロ野球で「一球の失投が命取りになった」と言われますが、戦闘機乗りには文字通りの「命取り」になるのです。

話は変わりますが、私は戦後ドイツの撃墜王の記録を見て驚いたことがあります。三百五十機撃墜のハルトマンを筆頭に二百機以上撃墜のエースが何十人もいるのです。こんなことは日本海軍には考えられません。しかしそれは彼らがドイツ上空で戦うことが出来たからだと思います。これは大きな地の利です。なぜならたとえ撃ち墜とされてもパラシュート脱出出来るし、発動機が不調でも不時着出来ます。ハルトマンも何度か撃墜されてパラシュート脱出しています。また迎撃戦というのも大きかったと思います。やってくる敵を迎え撃つのですから、待ち伏せも可能ですし、燃料の心配もなく戦えます。私たちには二度目の機会は与えられませんでした。そんな中で百機以上の敵機を撃墜した岩本徹三さんや西澤廣義さんは本当の達人だったと思います。

とにかく十七年の後半からは非常に厳しい戦いとなりました。失った飛行機の補充もはかばかしくありませんでした。それに亡くなった搭乗員の補充も同様です。いや、こちらはもっとひどい状態でした。飛行機は少なくとも新しい機体が来ればそれでいいですが、熟練搭乗員の代わりはいません。熟練搭乗員を養成するには何年もかかるのです。そんな搭乗員の補充は不可能です。

零戦による駆逐艦護衛が命じられたこともあります。駆逐艦によるネズミ輸送の話は先程しましたが、足の速い駆逐艦でも完全に夜の時間だけでガダルカナルにたどり着くことは出来ません。どうしても陽のあるうちにある程度まで「ガ島」に近づく必要があったのですが、そうなると「ガ島」からの敵航空機の攻撃にさらされます。そこでブイン基地から三機の零戦が駆逐艦の上空直衛に付くことになりました。三機の零戦は燃料ギリギリまで艦隊上空を援護し、その燃料が切れる頃に後からやって来た別の三機と交代するというものです。しかしブインには夜間着陸の設備がありません。そのために後からやって来た三機は夜間に駆逐艦の近くに不時着水するというものでしたが、三機の搭乗員は荒れた海上で命を失いました。いずれも何年もかかって作り上げた熟練の搭乗員たちでした。

「ガ島」で餓える兵士のため、駆逐艦の乗組員も命を懸けて食料を運び、またそれを守るためにラバウルの航空兵も命を懸けて戦ったのです。

南太平洋に浮かぶ小さな島を巡る戦いは日米の総力戦の様相をおびてきました。しかし敵は叩いても叩いても新手を繰り出してきました。その物量は無限かと思えるほどでした。

初めてガダルカナルに飛んだ時、おびただしい数の艦艇に圧倒されたと前に言いましたが、もう一つ忘れられない光景があります。十七年の九月に我が軍の空襲と零戦隊の奮戦で、大戦果を挙げたことがありました。多くの敵機を撃墜し、地上の航空機を多数撃破しました。しかし二日後、再び「ガ島」の飛行場で見たものは、二日前と同じ数の航空機でした。それを見た時は、戦慄を覚えました。自分たちは不死身の化け物を相手に戦っているのかという恐怖です。

そのことで思い出したことがあります。宮部小隊長がパラシュートで降下する米兵を撃ったことです。

あれはガダルカナルの戦いが始まって二週間ほど経った九月二十日のことでしたか。その日、ガダルカナルの空襲を終えて、ラバウルに戻る帰路、突然、グラマン二機の奇襲攻撃を受けました。ガダルカナルから百浬《かいり》は離れていたでしょうか。上空の雲の上から突如現れたグラマンは急降下で我が編隊に襲いかかりました。完全に不意を衝《つ》かれました。私の目の前で一機の零戦が火を噴くのが見えました。

私はすぐさま急降下で追いましたが、あっという間に離されました。急降下の速度の遅い零戦では追いつけません。くそっ、と思いましたがどうすることも出来ません。

その時、一機の零戦がグラマンに迫るのが見えました。宮部小隊長でした。小隊長は敵の奇襲を察知していて、いち早く急降下して下方に回り込んでいたのです。小隊長の機銃が火を噴くのが見えました。一機のグラマンが爆発しました。

その時、もう一機のグラマンが反転して、小隊長に向かっていきました。小隊長もこれには虚を衝かれたようです。一瞬空中衝突かと思いました。小隊長は間一髪でそれをかわしました。次の瞬間、グラマンが火を噴きました。墜ちていく機体から搭乗員が脱出し、パラシュートが開くのが見えました。

私は溜飲《りゅういん》を下げました。今更ながら、自分の小隊長のすごさに感服していました。

しかし驚くことはその直後に起こりました。

小隊長機は大きく旋回すると、パラシュートで脱出する米兵に機首を向け、機銃を撃ったのです。パラシュートは機銃で切り裂かれ、米兵はしぼんだパラシュートと共に落下していきました。

それを見た瞬間、私は嫌な思いをしました。何もそこまでやらなくてもと思ったのです。たしかに仲間を一人失いはしましたが、それは戦場では仕方のないことです。

とはいえ、無抵抗の搭乗員を撃ち殺すことはしなくてもいいのではないかと思ったのです。

この光景は何人もが見たはずです。

ラバウルに戻った時、編隊長は宮部小隊長に向かって、いきなり怒鳴りました。

「貴様には、武士の情けというものがないのか」

他の搭乗員は何も言いませんでしたが、その目は小隊長を非難していました。私は列機として何かいたたまれない気持ちになりました。

「墜とした敵の命まで奪うことはないだろう」

「はい」

と宮部小隊長は答えました。

「俺たち戦闘機乗りはサムライであるべきだ。落ち武者を竹槍で突き殺すような真似は二度とするな」

「はい」

この話はまもなく隊全体に広がりました。多くの搭乗員がこの噂をするのが、私の耳にも入ってきました。そのほとんどは「男の風上に置けない」というものでした。

三番機の小山一飛兵も小隊長の行為に怒りを覚えていたようで、私に「宮部小隊長の列機を外れたい」と愚痴をこぼしました。

「馬鹿なことを言うな。これまで小隊長にどれだけ助けて貰ったかわからないのか」

「それとこれとは別だ。井崎は小隊長の行為をよしと思っているのか」

「目の前で味方が一人殺されたんだ。復讐するのが当たり前だろう」

「復讐は撃墜したことで果たしているじゃないか。搭乗員の命を奪うことはないと思う」

私はうまく言い返せませんでした。

小山は以前から宮部小隊長に対して不満を持っていました。一部で「ずるい奴等《やつら》」という陰口を叩かれるのが彼には耐えられなかったのです。

後日、私は意を決して、直接、宮部小隊長に尋ねました。

「小隊長、お尋ねしたいことがあります」

「何だ」

「数日前、なぜ落下傘を撃ったのですか?」

小隊長は私の目をまっすぐに見て言った。

「搭乗員を殺すためだ」

私は正直に言うと、小隊長に「後悔している」という言葉を聞きたかったのです。

ところが小隊長の口から出た言葉はまったく予期しないものでした。

「自分たちがしていることは戦争だ。戦争は敵を殺すことだ」

「はい」

「米国の工業力はすごい。戦闘機なんかすぐに作る。我々が殺さないといけないのは搭乗員だ」

「はあ、しかし――」

その時、小隊長は大声で怒鳴りました。

「俺は自分が人殺しだと思ってる！」

私は思わず「はいっ」と答えていました。

「米軍の戦闘機乗りたちも人殺しだと思ってる。中攻が一機墜ちれば、七人の日本人が死ぬ。しかし中攻が艦船を爆撃すれば、もっと多くの米軍人が死ぬ。米軍の搭乗員はそれを防ぐために中攻の搭乗員を殺す」

「はい」

こんなに激しい口調で怒鳴る小隊長は見たことがありませんでした。

「俺の敵は航空機だが、本当の敵は搭乗員だと思っている。出来れば空戦ではなく、地上銃撃で殺したい！」

「はい」

「あの搭乗員の腕前は確かなものだった。我々の帰路をあらかじめ予想し、雲の中にじっと隠れていた。それから、反転してきた時、一発の銃弾が俺の操縦席の風防を突き抜けた。一尺ずれていたら、俺の胴体を貫通していた——恐ろしい腕だった。もしかしたら何機も日本機を墜としていた奴かもしれない。勝てたのは運が良かったからだ。あの男を生かして帰せば、後に何人かの日本人を殺すことになる。そして——その一人は俺かもしれない」

そうだったのかと思いました。

これが戦争なのだと初めて気がついたような気持ちでした。私たちの戦いは綺麗事《きれいごと》ではありません。所詮《しょせん》は殺し合いなのです。戦争とは、自分が殺されずに一人でも多くの敵兵を殺すことなのです。

それにしても、小隊長があれほど興奮したのを見たのは初めてです。私はその姿を見て、小隊長はパラシュートの米兵を撃つ時、本当に苦しかったのだろうと思いました。

この話には驚くべき後日談があります。

実はこの時のアメリカ人パイロットは生きていたのです。戦後の昭和四十五年にアメリカのセントルイスで開かれた「第二次世界大戦航空ショー」で出会ったのです。

この航空ショーにはアメリカとドイツと日本の元戦闘機パイロットが多数集まりました。当地の新聞には「偉大なる再会」と大々的に報道された記念式典ですが、この時、ガダルカナルのカクタス航空隊に所属していた米海兵隊パイロットも大勢出席していました。

私はそこで何人ものアメリカ人パイロットから親しく話しかけられました。これは実に不思議なことなのですが、会った瞬間、お互いに旧友と再会したような気分になったのです。日本機を二十機以上撃墜したエースとも会いました。冷静に考えれば、二十人以上の同胞を殺した男ということになりますが、なぜか憎しみや恨みはまったく感じませんでした。時間がすべて洗い流すのでしょうか。それとも空の上で正々堂々と戦ったからでしょうか。向こうも同じような気持ちでいたようです。

彼らは口々に「ゼロのパイロットは強かった」と言いました。

私はそこでガダルカナルのヘンダーソン飛行場にいたというトニー・ベイリーという元海兵隊大尉と会いました。トニーがガダルカナルにいたのは昭和十七年から十八年にかけてです。まさに私と同時期に同じ戦場にいたのです。

互いの手帳を照らし合わせると、同じ日に戦っていたことが七日もありました。私たちは互いに抱き合いました。おかしいでしょう。

その時、トニーは不思議な話をしました。一度、ゼロに撃墜されたというのです。もしかしたら、それはお前ではないのか、というものでした。

聞けば、その日は十七年九月二十日でした。まさしく私が出撃した日です。

トニーの話は衝撃的でした。その日、彼は帰路に集結する日本機を喰ってやろうと、列機と共に雲に隠れて待ち伏せていた。しかし襲撃した途端、一機のゼロに発見され、列機は一撃で墜とされた。同僚の死を見た彼は逃げるよりも反撃を試みた。しかし正面から銃撃され、エンジンに被弾し、パラシュート脱出した、というものでした。

私はその話を聞いた時、全身が震えだしたのを記憶しています。

「この時のパイロットはお前ではないのか？」

トニーの質問に私は首を振りました。そして逆に尋ねました。

「トニーに質問するが、その時、パラシュートで降下している時、銃撃されなかったか」

トニーは「おおっ」と声を上げて両手を広げました。

「なぜ、それを知ってる？」

「見ていたからだ。死んだと思っていた」

「俺もそう思った。しかしパラシュートが撃ち抜かれても海上近くだったので、落下速度が出る前に海に激突して死ぬことはなかった。運が良かったんだ」

「よかった」

「俺を墜としたパイロットを知っているのか」

「私の小隊長だ」

彼は再び「おおっ！」と声を上げました。

「生きているのか」

「亡くなった」

「撃墜されたのか？」

「いや――カミカゼで亡くなった」

その瞬間、彼は口をあんぐり開けました。そして独り言のように何かを呟《つぶや》きました。

その言葉は通訳が訳しませんでしたが、彼の無念の思いは伝わってきました。次の瞬間、トニーは顔をくしゃくしゃにして泣き出しました。

「彼の名前は何と言う？」

「宮部久蔵」

トニーは、ミヤベ、キュウゾウと何度も繰り返しました。そして言いました。

「彼に会いたかった」

「恨んでないのか」

「なぜ恨む？」

「パラシュート降下しているあなたを撃ったのですよ」

「それは戦争だから当然だ。我々はまだ戦いの途中だった。彼は捕虜を撃ったのではない」

そうだったのかと思いました。

「彼はあなたのことを、恐ろしいパイロットだったと言っていました。そしてあなたを撃ったことを苦しんでいました」

トニーは目をつむりました。

「ミヤベは本物のエースだった。私はその後も何度もゼロと戦ったが、あれほどのパイロットはいなかった」

「立派な人でした」

トニーはわかっていると言いたげに、何度も頷きました。

「ガダルカナルのアメリカ人パイロットは強かった」

私の言葉に、トニーは首を振りました。

「俺たちが勝ったのはグラマンのお陰だ。グラマンほど頑丈なやつはなかった。俺が今こうして生きているのは操縦席の背面板のお陰だよ」

「何度もグラマンに命中弾を与えたけど、なかなか墜ちてくれなかったよ」

「俺たちはいつもゼロを怖れていた。四二年当時、日本の飛行機は少数だったが、乗ってる奴は腕利きばかりだった。迎撃のたびに飛行機を穴だらけにされた。何機スクラップにされたかわからない。俺たちは十回殴られて、ようやく一回殴り返すような戦いをしていたんだ。しかしその一発のパンチでゼロは火を噴いた」

まさしく彼の言うとおりだと思いました。

「ガダルカナルでは我が軍に多くのエースが生まれた。かく言う俺もその一人だが――」

トニーは悪戯《いたずら》っぽく笑いました。

「だが、俺も含めてみんなゼロに墜とされている。スミス、カール、フォス、エバートン、海兵隊の誇るエースたちはたいていい一度はゼロに墜とされているんだ。日本のエース、ジュンイチ・ササイを撃墜したカールだってやられている。俺たちが生きているのはホームで戦ったからだ」

「そうか、笹井中尉を撃墜したマリオン・カールも一度は撃墜されたのか」

トニーは頷きました。

「ゼロのパイロットはすごかった。これはお世辞ではない。何度も機体を穴だらけにされた俺が言うんだ。本物のパイロットが何人もいた」

私は思わず涙がこぼれました。彼は驚いたようでした。

「ラバウルの空で死んでいった仲間たちが今の言葉を聞けば、喜ぶと思う」

彼は何度も頷きました。

「俺たちの仲間も何人も死んだ。今頃は天国で冗談を言い合ってるかもしれん」

そうであって欲しいと思いました。目の前にいるこんないい男たちと殺しあった過去が悲しくてなりませんでした。

トニーは陽気で明るい男でした。孫が五人もいるんだと言って、写真を見せてくれました。今も元気でいるのでしょうか——。

ところで、「宮部小隊長の列機を外れたい」と言っていた小山一飛兵は、それからまもなく亡くなりました。

宮部小隊長の三番機だった小山一飛兵は、十月のある日、ガダルカナル上空で小隊長の命令を無視して、敵を深追いしました。グラマンを二機撃墜するという殊勲を挙げましたが、その日が彼の最後の戦いとなりました。

空戦後、私たちの小隊は他の機とははぐれて、三機だけでラバウルを目指しました。

一時間ほど飛んだ頃、小山一飛兵は宮部小隊長機の横に並び、「引き返す」旨を合図しました。

私も彼の機に近づきました。どうやら燃料が少ないらしく、彼は、帰れそうもないから、このままガダルカナルに戻って自爆する、と合図しました。

我々、戦闘機乗りは、いや戦闘機乗りに限らず、海軍の飛行機乗りは、飛行機の不調で帰還が難しい時は、敵艦船あるいは敵基地に向けて自爆せよと教えられてきました。特に敵の上空で被弾した時は、必ずそうするように教えられてきました。私自身、ガダルカナルで、被弾した中攻が敵飛行場に自爆するのを何度も見ています。当時はそれが当たり前と思っていましたし、自分もその時は躊躇なく敵の基地か艦に自爆するつもりでした。

今にして思えば、そうした土壌が後の神風特攻隊を生んだのかもしれません。

しかし今、目の前で戦友がたかだか燃料不足のために自爆するというのを見た時に、私は何とかならないものかと思いました。小山は谷田部の一年後輩で、同じ釜の飯を喰った仲間です。ラバウルでは一番の仲良しでした。

小隊長を見ると、彼も手先で信号を送っていました。

当時、私たちの機には無線機はありましたが、これはまったく役に立たない代物で、雑音ばかりで会話などはまったく聞こえないものでした。そのため搭乗員同士のやりとりは手信号でするしかなかったのです。真珠湾でも、無線に信用がおけないために、攻撃隊同士は信号弾を使っています。

「どれくらい持ちそうか」という宮部小隊長の質問に、小山は「ブインの手前、百浬くらい」と答えました。百浬はキロに直すと百八十キロくらいです。

宮部小隊長は「何とか頑張って、帰還しろ」と合図しました。小山一飛兵は「了解しました」と答えました。

私は彼を元気づけようと、かなり近づき、自分の翼で彼の翼を叩きました。彼はそれに気づくと、殴るぞ、という風に手で示しました。その顔は笑っていました。私も笑いました。不思議なもので、人間はこういう時でも笑えるのです。

小隊長機はゆっくりと高度を上げました。航空機は高空を飛ぶ方が空気抵抗と発動機の空気の混合比の関係で燃料消費が少なくてすむのです。また燃料が切れた時、より高空にいるほうが滑空距離が伸びます。その代わり、空気が少ない上に気温が低く、搭乗員にとっては楽な飛行ではありません。それに急激な上昇は燃料を大幅に喰います。

小隊長機はそのあたりも考えて、ゆっくりと高度を上げていきました。さらにスロットルや速度について小山に細かい指示を与えました。

小山はまったく元気でした。私の笑顔には笑顔を返してきました。

零戦は何事もないかのように一路ラバウルを目指して飛び続けます。やがてブーゲンビル島が見えてきました。もう少しだと思いました。

我々は更に飛び、島まで三十浬まで来ました。ブインまで百浬くらいで墜ちるといっていた機がここまで持ったのです。あとわずかです。あと十分飛び続けることが出来れば生還出来ます。

私は小山が死ぬとは思えませんでした。今、目の前にこうしてにこにこ笑っている男が死ぬとはとても信じられません。

しかしその時は近づいていたのです。ブインを目前にして突然、小山機は降下して行きました。

私と小隊長もそのあとを追いかけるようについて行きます。すごいのは降下する際も、小隊長は機を旋回させて周囲の見張りを怠らなかったことです。

降下中に小山機はプロペラが停止しました。そのままゆっくり降下し、やがて海上に着水しました。飛行機はしばらく浮いています。小山はやがて操縦席から体を出すと、翼の上に立ち、上を見上げました。私はその上を旋回し、あらん限りの声で小山の名前を呼びました。おそらく彼も大声で叫んでいたのでしょう。白いマフラーを振りながら、何やら叫んでいるのが見えました。その顔は笑っていました。

小山の飛行機はまもなく頭を下にして沈んでいきました。ちょうど逆立ちするような恰好で沈んでいきました。沈む前に小山は海に飛び込みました。ライフジャケットは七時間は持つと聞いていました。私は携行していた食糧をマフラーに包んで落としました。

私は立ち去りがたく、何度もその上を旋回しました。

しかしいつまでもその場にいるわけにはいきません。私の機も燃料が乏しくなっていたのです。私は最後に大きく旋回して、バンクしました。小山も泳ぎながら敬礼を返しました。

私は機首を上げ、その場を離れました。その間、小隊長は少し上空で待機していました。小隊長のことですから、不意に現れるかもしれない敵に備えていたのでしょう。

私たちはブインの飛行場に着陸すると、小山一飛兵の着水場所を知らせました。すぐに水上機が向かいましたが、一時間後、むなしく帰ってきました。着水地点には既に小山一飛兵の姿はなく、数匹の鱶《ふか》が泳いでいた、ということでした。

私はその報告を聞いて、胸がかきむしられる思いでした。あの小山が鱶に食べられたなどとは信じられませんでした。どれほど苦しかっただろう。どれほど無念だったろう。

最後に見た小山の笑顔が脳裏に甦《よみがえ》りました。あれほど頑張って飛び続け、あとわずかのところまで戻りながら命を失うなど、本当に悔しいものがありました。もし、ちゃんと聞こえる無線があれば、事前に救助を求めることが出来たのに。また爆撃機のように電信でも積んであれば助かったのに。そう思うと一層悔しさが募りました。

兵舎に戻りながら、不意に怒りがこみ上げてきました。

「小隊長」

と私は言いました。

「どうして、小山に自爆をさせてやらなかったのですか？」

宮部小隊長は足を止めました。

「小山は鱶に食べられるより敵地に自爆して華々しく死んだ方が、ずっと幸せだったはずです」

「あの時点では助かる可能性があった」

「助かると思っていたんですか？」

「それはわからない。しかし飛び続ければ助かるかもしれない。自爆すれば、必ず死ぬ」

「しかし、ほとんど助からないでしょう。だったら戦闘機乗りらしい最後を迎えさせてやりたかった」

私は悔し泣きをしながら言いました。宮部小隊長は駄々をこねる私をじっと見つめていました。

「死ぬのはいつでも出来る。生きるために努力をするべきだ」

「どうせ、自分たちは生き残ることは出来ません。もしわたくしが被弾したなら、潔く自爆させてください」

その瞬間、私は宮部小隊長に胸ぐらを摑まれました。

「井崎！」

小隊長は言いました。

「馬鹿なことを言うな。命は一つしかない」

その剣幕に私は言葉を返すことが出来ませんでした。

「貴様には家族がいないのか。貴様が死ぬことで悲しむ人間がいないのか。それとも貴様は天涯孤独の身の上か」

小隊長の目は怒りに燃えていました。

「答えろ、井崎！」

「田舎に父と母がいます」

「それだけか！」

「弟がいます」

そう答えた時、不意に五歳の弟、太一の顔が脳裏に浮かびました。

「家族は貴様が死んで悲しんでくれないのか！」

「いいえ」

その時、太一の泣きじゃくる顔が見えました。私の目に悔し涙ではない涙が溢《あふ》れてきました。

「それなら死ぬな。どんなに苦しくても生き延びる努力をしろ」

小隊長は私の服から手を離すと、兵舎の方に歩いて行きました。

後にも先にも宮部小隊長に怒鳴られたのはこれだけでした。しかしこの時の小隊長の言葉は私の心のずっと奥に深く沈みました。


宮部小隊長の言葉が甦ったのは、一年後のことでした。

その時、私はラバウルを離れ、空母「翔鶴」の搭乗員になっていました。

昭和十九年のマリアナ沖海戦で、待ちかまえていた敵戦闘機と激しい空中戦の末、私は燃料タンクを撃ち抜かれました。

火が点かなかったのは幸いでしたが、もはや母艦への帰還はかないません。いや、それ以前に、無数の敵機に囲まれ、撃墜されるのも確実でした。しかもこの時の敵の新鋭戦闘機グラマンF６Fは以前のF４Fよりも更に優秀な戦闘機で、既に零戦では太刀打ち出来なくなっていました。しかも多勢に無勢ときてはもはや勝ち目がありません。多くの激戦を生き延びてきた私でしたが、ついに命運尽きたかと思いました。

私は、どうせ墜とされるなら、せめて敵機を道連れにしてやれと体当たりを決意しました。

その時突然、宮部小隊長の怒鳴り声が頭の中に響いたのです。

「井崎！」

その声ははっきり私の耳に聞こえました。

「貴様はまだわからないのか！」

同時に、太一の顔が浮かびました。

次の瞬間、私は急降下で脱出をはかりました。グラマンはぴったりついてきます。急降下速度ではグラマンがはるかに上です。私は何度も急旋回で逃れながら、やがて海面近くまで降下すると、そのまま海面すれすれに飛行しました。敵は上から照準することは出来ません。海面に突っ込んでしまうからです。しかし私を追尾する二機のグラマンの搭乗員も確かな腕を持った男でした。私の機の真後ろにぴたりと張りつき、弾を撃ち込んできました。私は「これが出来るか」と叫びながら、プロペラが海面を叩くくらいまで高度を下げました。一機のグラマンが海中に激突しました。もう一機は追尾を諦め、上昇しました。私はそのまま海面すれすれを飛び続けました。グラマンはそれから三十分以上も上空から私を追いかけましたが、やがてあきらめたのか、反転して飛び去ってきました。ついにグラマンを振り切ったのです。

しかし私の命運も尽きかけていました。燃料がなくなっていたのです。

私は機体を海面に不時着させました。

それから海に飛び込みました。おそらくグアム島からおよそ二十浬と思っていました。助かるには泳ぎきるしかありません。島の方向を間違っていたら死ぬだけです。途中で力尽きても死にます。また、鱶に襲われても命はありません。しかし今はまだ生きています。生き延びるために戦うことが出来るのです。

ズボンを脱ぎ、ふんどしを解いて、長く垂らしました。鱶は自分よりも大きいものを襲わないということを習っていたからです。

九時間泳ぎ、ついにグアム島に泳ぎ着きました。ライフジャケットは七時間でダメになり、あとは裸になって気力で泳ぎました。自分にこんな力が残っていたことが不思議でした。

何度も諦めかけた私を奮い立たせたのは、弟の顔でした。「兄ちゃん、兄ちゃん」と泣きながら私を呼ぶ太一の顔でした。

しかし本当に私を助けてくれたのは、宮部小隊長だったのだと思っています。


話をラバウルに戻しましょう。

宮部小隊長がある時、零戦の翼を触りながら言った言葉が忘れられません。

「自分は、この飛行機を作った人を恨みたい」

私は驚きました。なぜなら零戦こそ世界最高の戦闘機と思っていたからです。

「お言葉を返すようですが、零戦は優れた戦闘機と思います。航続距離一つ見ても

「――」

私の言葉を、遮るように小隊長は言いました。

「たしかにすごい航続距離だ。千八百浬も飛べる単座戦闘機なんて考えられない。八時間も飛んでいられるというのはすごいことだと思う」

「それは大きな能力だと思いますが」

「自分もそう思っていた。広い太平洋で、どこまでもいつまでも飛び続けることが出来る零戦は本当に素晴らしい。自分自身、空母に乗っている時には、まさに千里を走る名馬に乗っているような心強さを感じていた。しかし――」

そこで宮部小隊長はちらと周囲を見ました。誰もいないのを確かめてから、言いました。

「今、その類い稀なる能力が自分たちを苦しめている。五百六十浬を飛んで、そこで戦い、また五百六十浬を飛んで帰る。こんな恐ろしい作戦が立てられるのも、零戦にそれほどの能力があるからだ」

小隊長の言いたいことがわかりました。

「八時間も飛べる飛行機は素晴らしいものだと思う。しかしそこにはそれを操る搭乗員のことが考えられていない。八時間もの間、搭乗員は一時も油断は出来ない。我々は民間航空の操縦士ではない。いつ敵が襲いかかってくるかわからない戦場で八時間の飛行は体力の限界を超えている。自分たちは機械じゃない。生身の人間だ。八時間も飛べる飛行機を作った人は、この飛行機に人間が乗ることを想定していたんだろうか」

私に返す言葉はありませんでした。小隊長の言うとおりです。たしかに八時間操縦席に座り続けるのは体力の限界を超えています。私たちはそれを気力で補っていたのです。

今、あの時、宮部さんの言っていたことの正しさがわかります。現代でも零戦が語られる時、多くの人があの驚異的な航続力を褒め称えます。しかしその航続力ゆえにどれほど無謀な作戦がとられたことでしょう。戦後、航空自衛隊の戦闘機の教官からこんな話を聞いたことがあります。戦闘機の搭乗員の体力と集中力の限界は一時間半くらいだと。それでいうと、私たちは三時間以上かけてラバウルに到着した時は、既に体力と集中力のほとんどを失っていたことになります。もちろんその教官が話したのはジェット戦闘機についてですが、プロペラ機でもたいして条件は変わらないでしょう。

何度も繰り返しますが、本当に過酷な戦いでした。

ガダルカナル島を巡っての戦いは十八年二月に終わりました。十七年の八月に始まった戦いは半年の激戦を経て幕を閉じたのです。

大本営は「ガ島」奪還をあきらめ、島に残る約一万人の兵士を駆逐艦で収容し、撤退しました。この時、駆逐艦の乗員たちは、瘦せさらばえた「ガ島」の兵士たちを見て、声を失ったといいます。

半年間におけるガダルカナル島の戦いでの犠牲はおびただしいものでした。陸上戦闘における戦死者約五千人、餓死者約一万五千人。

海軍もまた多くの血を流しました。沈没した艦艇二十四隻、失った航空機八百三十九機、戦死した搭乗員二千三百六十二人。これだけの犠牲を払って、ついにガダルカナルの戦いに敗れたのです。

そして戦いが終わった時、海軍の誇る珠玉とも言える熟練搭乗員のほとんどが失われていました。

今にして思えば、この時、日本の負けがはっきりしたと思います。しかしアメリカとの戦争はこの後、まだ二年以上も続いたのです。

ガダルカナル島を失っても、ソロモンの海域は日米双方の戦力がぶつかり合う重要な戦線でした。

四月、山本五十六長官は敵航空機撃滅のための「い」号作戦を発令しました。

なけなしの母艦機と搭乗員をラバウル周辺の基地に陸揚げし、総力を挙げて敵の航空機を叩きのめす作戦です。

このため山本長官自らが陣頭指揮のためにラバウルに来られました。我々前線の兵士に、連合艦隊長官が直接言葉をかけてくれたのです。搭乗員達は意気に感じました。

「い」号作戦は成功し、当初十五日間の予定が十三日間で打ち切られました。しかし戦果と引き換えに、多くの航空機と搭乗員を失いました。

しかし悲劇はこのあとに起こりました。作戦終了後、ラバウルから更に前進基地のブイン島基地に向かった山本長官が乗った一式陸攻機が敵戦闘機によって撃墜されたのです。

米軍は傍受した日本軍の暗号をすべて解読していて、長官機を待ち伏せしていたのです。長官機護衛には六機の零戦がついていましたが、雲に隠れて待ち伏せしていた敵からの奇襲を防ぐことは出来ませんでした。

山本長官の死は全海軍にとってはかり知れないほどの痛手でした。

この時、長官機護衛に失敗した六人の搭乗員たちの悲劇も知ってもらわなければいけません。

彼らはその後、懲罰のように連日にわたって出撃させられ、わずか四ヵ月の間に四人が戦死し、一人が右手を失いました。ただ一人、杉田庄一飛長は獅子奮迅の戦いで生き抜き、撃墜百機以上という輝かしい記録を作りました。まるで山本長官機の弔い合戦をしているような鬼気迫る戦いぶりだったといいます。しかし終戦の年、九州の鹿屋《かのや》基地で亡くなりました。彼の最期は戦後、人から聞きました。その日、敵戦闘機来襲に杉田上飛曹は邀撃のために飛行機に乗ろうとしましたが、敵はすぐそこまで来ていました。坂井少尉が「間に合わない、戻れ」と叫んだそうです。そうです、ガダルカナルで奇跡の生還をなしえた坂井一飛曹です。当時は三四三空の少尉でした。坂井少尉の制止にもかかわらず、杉田は勇敢にも紫電改に乗り込み、滑走路を走りました。そして離陸した瞬間、上空から襲いかかった敵機に撃たれ、滑走路に墜落したそうです。

私が空母「翔鶴」の配属になったのは、「い」号作戦の終了後に壊滅した母艦搭乗員の補充のためでした。「翔鶴」は真珠湾以来の歴戦艦です。姉妹艦「瑞鶴《ずいかく》」とともに第一航空戦隊を担い、機動部隊の中心でした。しかし機動部隊には昔日の勢いは既になく、今や大勢力となりつつある米機動部隊との絶望的な戦いが待っていました。

宮部小隊長は引き続き、ラバウルに残りました。前年の十一月に下士官以下の呼称が変更になり、宮部一飛曹は上等飛行兵曹になっていました。私は一等飛行兵から飛行兵長になり、同時に一階級上がって二等飛行兵曹になっていました。二飛曹は兵ではなく下士官です。

　ガダルカナル奪還作戦は終了しても、ラバウルは依然南太平洋の要衝でした。いや、今や敵の反攻を一手に引き受ける最重要基地でした。実際、この頃はニューギニアなどからやってくる敵の空襲が連日のように続いていました。

　まさに去るも地獄、残るも地獄といった様相でした。

　私が空母搭乗員となってラバウルを離れることが決まった時、宮部上飛曹と花吹山を見ながら話をしました。

「井崎、死ぬなよ」

　宮部上飛曹は言いました。

「死にませんよ」

「たとえ母艦が沈んでも、軽々しく自爆なんかするなよ」

「死ぬものですか。ラバウルで一年以上も生き延びたのです。むざむざと死ねません。それに、わたくしの命は小隊長に二度も救われています。簡単に落としたりしたら、小隊長に申し訳が立たんです」

　宮部上飛曹は笑いました。

　この時、花吹山が大きな噴煙を噴き上げているのが見えました。

「今日は激しいな」

　宮部上飛曹が言いました。

「あの山を見るのも今日が最後かもしれません」

　宮部上飛曹はそれには何も答えませんでした。私はいつもは飽きるほど見ていた花吹山も今日が見納めかと思うと、なぜか急に懐かしくなって瞼の裏に焼き付けておこうと思いました。

　今でも、目をつむればあの山の姿が浮かんできます。余談ですが、戦後五十年近くたって、あの山が大噴火して、町も飛行場も灰の中に埋まってしまったそうです。当時を偲《しの》ぶものは何もかもなくなってしまいました。もう戦争のことなど全部忘れろと山が言ったのでしょうか。

　戦争が終わって、いつかもう一度ラバウルに行こうと思いながら、とうとう今日まで行く機会がありませんでした。しかし悔いというほどのものではありません。

「俺の祖父は徳川幕府の御家人だった」

　不意に宮部上飛曹が呟《つぶや》くように言いました。

「幼い頃、祖父によく昔話を聞かされた。子供の頃、祖父に連れられて上野に行くと、必ず上野の山で彰義隊として官軍と戦った話を聞かされた。上野だけでなく、祖父と街を歩くと、この町は昔、といった話が出た。不思議なものだな。江戸時代の話というのは、講談か芝居の話のようだが、その頃に祖父は西郷隆盛なんかと戦っていたんだな」

宮部上飛曹はおかしそうに笑いました。

「その時は、子供心に随分恐ろしい話だと思ったものだよ。祖父の体にはその時受けた弾の傷跡もあった。体の中には弾がまだ入っているんだ、とも言ってたな」

「そうなのですか」

「今、こうして孫がアメリカと戦っていると知ったら、祖父は驚くだろうな」

宮部上飛曹はそう言ってまた笑いました。

「俺も、いつか自分の孫に、この戦争のことを語る日が来るのかな。縁側に日向《ひなた》ぼっこしながら、おじいちゃんは昔、戦闘機に乗って、アメリカと戦っていたんだぞって
――」

私はそれを聞きながら不思議な気持ちがしていました。宮部上飛曹の言うような何十年後のことなんか想像も出来ませんでしたが、そんな日がいつかは来るんだということを実感した時に、何とも言えない奇妙な感じに襲われたのです。

私は言いました。

「その時の日本はどんな国になっているんでしょうね」

宮部上飛曹は遠くを眺めるような目をしました。

「祖父の語る江戸時代の話が、自分にはお伽噺《とぎばなし》に聞こえたように、孫には、俺の話もまるで遠い昔話を聞くみたいな気持ちになるかもしれないな」

私は想像してみました。ある昼下がり、縁側に座っている私、そこに孫が来て、おじいちゃん、何か話をしてってせがむ。そしてそんな孫に向かって「おじいちゃんは、昔、南の島で戦争をしていたんだよ……」と語る自分を——。

「平和な国になっていたらいいですね」

思わず呟いた自分の言葉に驚きました。まるで自分の口から出た言葉とは思えませんでした。命を賭けて戦う戦闘機乗りが、ましてこの戦争で死ぬ覚悟で戦っている自分が、そんなことを言うとは。

宮部上飛曹は何も言わずに、深く頷きました。

翌日、朝早くラバウルを離陸する私を、宮部上飛曹は帽子を振って見送ってくれました。

離陸した後、一旦飛行場上空を旋回すると、宮部上飛曹が何かを叫んでいるのが見えました。その口は「し・ぬ・な」と言っていました。それが私の見た宮部上飛曹の最後の姿です。

私は敬礼すると、ラバウルを後にしました——。

宮部さんは特攻で亡くなったと聞いています。

それを知ったのは終戦の翌年です。私は泣きました。悔し泣きです。あの素晴らしい人を特攻で殺すような国なんか滅んでしまえ、と本気で思いました。

話の後半から姉がずっと嗚咽《おえつ》を漏らしていた。

井崎はそんな姉をじっと見つめていた。その目からも先程から涙が流れていた。そして静かな口調で言った。

「実は、私は、ガンです」

ぼくは頷いた。

「半年前に、医者からあと三ヵ月と言われました。それがどうしたわけか、まだ生きています」

井崎はぼくたちの方をまっすぐに見て言った。

「なぜ、今日まで生きてきたのか、今、わかりました。この話をあなたたちに語るために生かされてきたのです。ラバウルで別れる時、宮部さんが私にそんな話をしたのは、いつの日か、私が宮部さんに代わって、あなたたちにその話をするためだったのです」

その時、井崎の孫が大きな声で泣き出した。彼は人目もはばからず号泣した。鈴子と看護婦も何度もハンカチで目を押さえていた。

井崎は窓の外の空を見つめて言った。

「小隊長、あなたのお孫さんが見えましたよ。二人とも素晴らしい人です。男の子はあなたに似て、立派な若者です。小隊長——、見えますか」

姉は両手で目を押さえた。井崎は目を閉じて、体をベッドに倒した。

「すいません。少し疲れました」

「大丈夫ですか」

すぐに看護婦が駈け寄った。

「大丈夫です。でも、少し休みます」

看護婦がぼくたちに目で合図した。

「有り難うございました」

ぼくはそう言って立ち上がった。井崎にはしかし、ぼくの言葉が聞こえていないようだった。本当に気力を振り絞って話してくれたのだ。

ぼくは涙を拭いている姉の肩に手を置いた。姉は黙ったまま頷いて立ち上がった。

「少し疲れたのでしょう。しばらく安静にしてもらいます」

看護婦は言った。井崎はすでに安らかな顔で眠っていた。

ぼくは眠っている井崎に深く頭を下げて、病室を後にした。

ロビーまでやって来た時、鈴子とその息子がぼくたちを追いかけて来た。

「お父さんのあんな話を聞いたのは初めてです」

「俺、おじいちゃんのあんな話聞いたの初めてだった」

彼の目からはまだ涙がこぼれていた。

「おじいちゃん、ひでえよ。孫に、昔話なんか一つも語ってくれなかった。縁側で、おじいちゃんの話を聞きたかったよ」

そして彼は泣きながら母の方を向いた。

「オフクロ――ごめんよ、俺――」

最後はなにを言ってるのかわからなかった。そんな息子を見て鈴子も泣いていた。

「今日は、私たちにとっても貴重な日になりました。ありがとうございます」

鈴子は涙を拭くと、深々と頭を下げた。

「父があの戦争で生きて帰ってこられたのは、宮部さんのお陰だったのですね。父の話を聞いて感動いたしました。本当に有り難うございました」

ぼくはどう言っていいかわからず、頭を下げるだけだった。

自分が恥ずかしかった。理由はわからない。ただただ恥ずかしかった。最後に井崎が言った「あなたに似て立派な若者ですよ」という言葉が胸に突き刺さっていた。

病院を出るまで姉はずっと黙っていた。ぼくもまた一言も喋《しゃべ》らなかった。通りに出て、しばらく歩いてから、姉はぽつりと言った。

「おじいさんは素晴らしい人だったのね」

「うん」とぼくは答えた。「そう思う」

「おじいさんは、お母さんに会えたのかな。おばあちゃんに会えたのかな？」

「わからない。ずっと戦場にいたとも思えないし——」

「調べたらわかるかな？」

ぼくは答えようがなかった。

「私、真剣に調べたいな」

「今までは真剣じゃなかったのかよ」

ぼくの言葉は無視された。

地下鉄の入口で、姉と別れた。二人の乗る地下鉄は逆方向だった。

別れ際に姉は言った。

「おばあちゃんはおじいさんにそこまで愛されて本当に幸せだったと思うわ」

姉がまた涙目になっているのが見えた。しかしぼくが何かを言おうとする前に、姉は「じゃあね」と言って階段を下りていった。

ぼくは姉の言った言葉を反芻《はんすう》していた。祖母は本当に幸せだったのだろうか。祖父に愛されて幸せだったのだろうか。
それはぼくにはわからないことだった。

第六章　ヌード写真

「調査は進んでるの？」

井崎を訪ねた翌日、夕食の時に突然母に尋ねられた。祖父のことはまだ母には話していなかった。全貌《ぜんぼう》が摑《つか》めるまで、話さないでおこうと姉が言っていたからだ。特に祖父の非難につながるような発言は伏せておこうということで一致していた。

ただ、この二週間に三人の人物に会ったことだけは伝えた。

「そんなに！　――それで、お父さんのこと、覚えてた？」

母の声が緊張しているのがわかった。

「いろいろと聞けた。いずれ詳しくまとめて話すつもりだけど、おじいさんはその――、何というか、おばあちゃんとお母さんのことを、すごく愛していた人らしい」

母の目に喜びの光が差した。

「おじいさんは、生前、妻のために死ぬわけにはいかないって言ってたらしいんだ」

母は口元を結んで天井を見上げた。ぼくは続けた。

「それにね、おじいさんは恐ろしいほどの凄腕を持ったパイロットで、同時に臆病《おくびょう》なくらい命を大事にした人だったみたいだよ」

「矛盾した人ね」

「ぼくがわからないのは、それほど命を大切にしていた人がなぜ、海軍なんかに入ったのかだよ。ましてそこから航空兵を志願してるんだ。当時、飛行機乗りは非常に危険で、飛行機乗りにだけはなってくれるな、という親が多かったみたいだよ」

「それは不思議でも何でもないと思うわ」

母は箸《はし》を置いてじっとぼくの顔を見た。

「多分、若気の至りじゃないかしら。十代の頃は冒険心もあって危険なことも平気でやるでしょう。私はむしろそんな父が、結婚してから母や私のために命を大切にしようと思ってくれたことが嬉しいわ。父は母や私を愛してくれていたのね」

母は言葉の最後でちょっと詰まった。母の目に何やら光るものが見えた。ぼくは母の顔を見ないようにして、ご飯を頬張《ほおば》った。

「調査はまだ続くの？」

「うん、おじいさんを覚えているという人がまだ何人かいる」

「それってすごいことね」

母の言うとおりだった。この調査を始めた時は、祖父を覚えている人物の一人でも当たればいいと思っていたが、既に三人の人物に出会うことができた。何か不思議な糸か何かで操られているような気がするほどだった。

母は、頑張ってねと言った。

部屋に戻って、あらためて祖父のことを思った。二週間前までまったく見も知らぬ人だった祖父が、今、影のようにぼくのすぐ後ろに立っているように感じていた。まるで振り返れば、姿が見えるような気がした。

三日後、姉と会った。和歌山に住んでいる元海軍整備兵曹長の家に行くためだった。平日だったが、姉はわざわざこのために仕事を一つキャンセルしたらしい。

飛行機の中で、ぼくは先日の母との会話の内容を話した。姉はなるほどと言った。

「よくわかるわ。若い時に命知らずだった青年が、おばあちゃんを愛するようになって命を大切にするって、素晴らしいことだと思う」

ぼくは曖昧《あいまい》に返事した。

「どうしたの。何か引っかかるの」

「いや、おばあちゃんを大事に思って命を大切にするようになったのはわかるんだ。けど、軍隊に入ったのが若気の至りというのが今ひとつピンとこない」

「どうして」

「宮部久蔵のイメージに合わないと言うか、そぐわない感じがするんだ。でもそんな気がするだけで、実は子供の時は彼も軍国少年だったのかもしれないけどね」

「軍国少年でいて欲しくないのね」

「本音を言うと、そうなんだ。多分、新聞社の高山さんに言われたことが引っかかってるんだと思う」

姉は何も言わなかった。

「おじいさんが最後に特攻に行った時は、その身を捧げることに、どこかに喜びを感じていた部分もあったのかなあ……」

「私は違うと思う。おじいさんは特攻に行く時も決して喜びなんか感じなかったと思う」

姉はそう言った後で、小さく付け加えた。「高山さんは間違っていると思う」

関西国際空港から電車を乗り継ぎ、和歌山の粉河《こかわ》という駅で降りた。駅前のロータリーに出ると、「佐伯さんかね」と声をかけられた。

「永井の息子ですわ」

五十代の陽に焼けた作業服の男はそう名乗った。わざわざ迎えに来てくれたのだ。

「親父の話を聞きに、わざわざ東京から来るなんて、ご苦労さんやなあ」

車の中で、男は笑いながら言った。

「そやけど考えたら、親父は戦争に行ってるんやなあ。今はもうヨレヨレの爺さんやけど、若い時はアメリカと戦争してたなんて、すごいことだよな。お宅の爺さんとラバウルで一緒だったんだって？」

「はい」

「親父がどこまで覚えてるかわからへんけど、ええ話が聞けたらいいな」

「ありがとうございます」

元海軍整備兵曹長、永井清孝の家は農家だった。古いがなかなか大きい家で、家の前には大きな庭があり、庭木はよく手入れされていた。

永井は杖をついてぼくたちを待っていた。

「親父、大丈夫か？」

「なんの」永井は笑った。

「じゃあ、俺は農協に用事があるから」

息子は今度はぼくたちに向かって、「帰る時は、俺の携帯に電話してくれたら、駅まで送るから」

そう言って、車で去っていった。

ぼくと姉は南向きの大きな和室に通された。

「宮部さんのことはよく覚えてますよ」

永井は言った。

「ラバウルで会いました。わたしは零戦の発動機——エンジンですな、これの整備兵でした」

飛行機というもんは車と違ってエンジンをかければすぐに走るもんではのうて、いつも整備をせんといけません。何時間か飛行すると、発動機をばらして整備する。零戦の場合はたしか百時間の飛行で分解整備しましたかな。

ラバウルは火山の島で、わたしらが花吹山と呼んでいた火山がいつも噴火してましたから、飛行場は火山灰だらけでした。飛行機が飛び立つ時は、滑走路一面砂埃《すなぼこり》で目も開けてられません。

朝起きて最初にすることは、飛行機の翼に積もった火山灰を椰子《やし》の葉っぱで払うことです。そんなわけやから、発動機の中にも細かい火山灰が入り込むので整備は大変でした。整備不良で、途中で発動機が止まったら、その搭乗員は死ぬんですから、わたしらも必死です。

わたしの同期の木村平助という兵長は、自分の整備した零戦が発動機の不調で引き返す途中に海に墜ちて搭乗員が亡くなった時、割腹自殺しよりました。正直、わたしはそこまでは出来ませんが、整備する時は真剣そのものでした。それでも離陸してすぐ発動機の不調で戻ってくる飛行機はたまにありました。そういう時は本当に申し訳ない気持ちになりましたわ。

わたしは単なる整備兵でしたが、零戦と一緒に戦っている気持ちでした。自分が整備した飛行機が出撃して帰ってこない時は、辛いもんでした。自分の息子を失ったみたいな気分ですな。それに搭乗員の命も同時に失っているんですから、その悔しさは二重です。もしかしたら自分の整備不良が原因で空戦に負けたんと違うやろか、帰投途中に発動機の不調で海に墜ちたんと違うやろか、そう思うと、胸がきりきりしましたな。

出撃した搭乗員が全員帰ってくることは滅多にありません。朝、元気で笑《わろ》とった人が夕方にはもうこの世におらんというのは普通のことでした。最初はショックで、しばらく飯も喉《のど》に通りませんでしたが、しばらくすると慣れました。ラバウルではそういうのはもう当たり前のことなんです。でも陸攻の人たちは一機墜ちるといっぺんに七人が亡くなりますから、寂しかったですな。陸攻の乗員はペアと呼ばれる組があって「何とか一家」って言っとりましたね。皆、仲良しでした。死ぬ時は一家揃《そろ》ってです。ラバウルでは、陸攻の搭乗員は千人以上亡くなりましたな。

今から思うと航空兵たちは可哀想でしたな。毎日のようにガダルカナルまで出撃して戦っていたんですから、あれは「死ね」いうもんですわ。

参謀たちは軽口で「搭乗員は消耗品」と言っていたらしいですが、それは多分に本音だったんでしょうな。ちなみに「整備兵は備品」だそうですわ。


でもね、本当のことを言うと、わたしは航空兵になりたかったんですわ。

何しろ航空兵は颯爽《さっそう》として、豪快で、あれは実に恰好良かったです。わたしは「ああ、これが男だな」と思ったもんです。当時はわたしもまだ数えで二十歳になるかどうか、今で言えば十九か十八です。死ぬことなんか全然怖れてなかったですから。まあ、ガキですな。そりゃ空襲は怖かったし、病気で死ぬのも怖かったですよ。でもね、何ちゅうか、空戦で正々堂々と戦って死ぬなら本望じゃないですか。まあ、今となってみたらえらい勘違いですが、その頃はそう思ってましたわ。内地にいれば操縦練習生の試験を受けることが出来るのに、と悔しい思いをしてたもんです。

しかしもし、航空兵になっていたら、まず生きてはおらんかったでしょうね。だから、なれなくてよかったんでしょうけどなあ――。

もう一つ言うと、卑しい話ですが、航空兵は喰《く》い物《もん》が良かったんです。整備兵とは比べもんにならんくらい美味しくて栄養のある食事が出てました。ラバウルでろくな喰い物を喰ってない整備兵から見たら、それは羨《うらや》ましいもんでしたわ。

わたしら整備員の楽しみの一つは、航空兵のしてくれる空戦の報告です。帰ってきた搭乗員が「今日は何機墜とした」という話を聞くのが大好きでした。わたしはいつも話をせがんだものです。中には話し好きの搭乗員もいて、空戦の話を身振り手振りで詳しく話してくれました。わたしは胸を躍らせてわくわくして聞いとりましたね。聞いているうちに自分も戦っているような気持ちになったもんですわ。

宮部さんは航空兵の中ではちょっと変わった人でした。

どこがって——上手く言えませんが、何かこう、勇ましいところのまったくない人でしたな。言葉も丁寧で、まるで今時の品のいいサラリーマンみたいな感じでした。とても戦闘機乗りには見えませんでした。あの人は空戦の話はせがんでもしてくれませんでしたわ。

あの人に関しては、よくない噂もありました。さあ、何と言われてたのでしょうか。あんまり覚えていませんが……。

——はっきりおっしゃってくれ、ですか。うーん、何ちゅうか「臆病者」みたいな言い方をされてましたな。

あの人のことをそう言う搭乗員が何人かいたのは事実です。ただ、正直に申し上げますと、わたしもその噂はそれほど外れていないのではないかと思ってました。

というのは、あの人は撃たれて帰って来たことがほとんどなかったからです。どんな優秀な搭乗員でも、いつも無傷ということはありません。特に中攻の直掩につけばたいていは被弾します。直掩機は自分が敵弾を受けてでも中攻を守れ、と言われていましたから、無傷で帰るということは難しかったんですわ。思えば、そのために随分優秀な搭乗員を失ったと思いますな。

でもあの人はたいてい無傷で帰って来ましたから、少なくとも身を挺《てい》して中攻を守ってはいなかったと思います。それで、一部の人が言っている陰口は正しいのかな、と思ってました。

もう一つ、宮部さんのことを「臆病なのかな」と思った理由があります。それはいつも弾が残っていたことです。どういうことかというと、あまり空戦していないということですわ。

帝国海軍の航空兵といっても全部、が全部立派な軍人ではのうて、中には、こいつはちょっと、という航空兵もいました。たとえば「今日は一機墜とした」と散々自慢話を聞かされて、あとで飛行機を整備してみると、弾倉に全弾残っとるんですな。弾を一発も撃たんで敵機を撃墜するなんて、そりゃあなた、三船十段の空気投げじゃないんやから。

新人の搭乗員には全弾残っているということがよくありました。つまりこれも空戦はしていないということです。新人なんてえらい緊張していますから、敵機なんかどこにおるのか見えない。空戦になっても、ただもう逃げるだけで終わってしまう。それでも無事に帰って来れたら幸運ですな。見てきたように言うてますが、全部、熟練搭乗員たちから聞いた話ですわ。

あと指揮官機も大体は全弾残っていることが多かったです。海軍の航空隊の指揮官は、腕のいい下士官を用心棒代わりに列機につけて、高空にいて、空戦はやらずに戦闘指揮だけするというのが多かったですからな。当時の飛行機にはろくな無線もなかったのに、空中指揮もあったもんではないと思いますがな。

まあ、そんなわけで、わたしは宮部さんの飛行機を整備していて、あんまり空戦はしとらんなと思ってました。多分、何人かが言うように逃げるのがやたらにうまい人なんやな、と。

もう一つ、これは個人的な感情ですが、宮部さんのことでうっとうしいと思うことがありました。

それはあの人が、やたらと飛行機の整備に口を出してくることとです。整備兵たちが整備した発動機について、しょっちゅう「何か違和感が残る気がします」と言うてきましたな。はっきり言うと「整備し直してくれないか」ということです。あの人は、発動機に関しては非常に神経質でした。いや発動機だけでなく、補助翼やその他の調子がちょっとでもおかしいと感じるとすぐにやって来ました。わたしはこういうところも、「臆病者」と言われる原因やなと思いました。

先程も言いましたが、零戦の発動機は飛行時間百時間で分解して整備するのが目安でした。ところが宮部さんは百時間に満たない場合でも、分解整備してくれ、と言うて来ました。あの人は発動機の音のちょっとした違いにも非常に敏感でした。わずかでも違和感を覚えると、すぐに整備兵のところにやって来るので、整備兵の中には、露骨に宮部さんを嫌っている人もいましたな。

ただね、自分の言葉を打ち消すみたいですが、宮部さんは神経質なだけでもなかったんです。あの人が発動機が不調なのではないかと言うてきた時は、実はかなりの確率で、何らかの不良箇所が見つかったんですわ。それがまた整備兵たちの気に入らないところでもあったんですけどね。

でもあの人は整備兵に感謝の気持ちを伝えるのを忘れん人でした。「皆さんの整備のお陰で、存分に戦えます」というのが、宮部さんの口癖でした。

しかし口の悪い整備兵たちは「存分に戦いもせずに、戦えるなんて言うな」と陰で言うていました。

ただ、わたしはどういうわけか宮部さんには気に入られていました。

「永井が整備してくれるなら、安心です」

あの人にそう言われたら、なぜかすごく嬉しかったですな。人間て、そういうもんでしょう。

正直なところ、わたしは自分の整備技術に自信を持ってましたから、認めてくれる人がいるのは嬉しかったですな。当時の海軍で、兵隊の仕事を褒める下士官なんて滅多にいませんでした。だから、わたしは宮部さんの臆病なところは嫌いでしたが、人間としては好きでした。

宮部さんの機体の整備は楽でした。機体に無理をさせていない飛び方をしていたからです。

航空機いうもんは非常に精密に出来ていましたから、無茶な飛行をすると、わたしら整備員にはすぐにわかります。例えば無理な急降下をした機体は、翼の金属がシワになったり細かいヒビが入ったりします。また機銃も連続発射すると、銃身が焼けて故障の原因になります。ひどい時にはプロペラに自分の機銃が当たっている機体もありました。機銃はプロペラが回転している隙間《すきま》を通って撃ち出されますが、これはプロペラの回転と同調させて撃っているからなんですが、銃身が焼けると、その熱で機銃弾が暴発して、プロペラに当たることもあるんです。

しかし宮部さんの機体はいつもきれいなものでした。

整備員として、機体を大事に扱ってくれるということは嬉しいもんです。「無事これ名馬」という言葉がありますが、宮部さんに限って言えば、いい意味でも悪い意味でもその言葉が当てはまりましたな。

零戦はいい飛行機でしたが、昭和十八年頃から質が落ちてきました。わずかではありましたが、作りが前よりも雑になっていました。しかしそれはわたしらが整備兵だから気づくもんでした。

ところが驚いたことに、宮部さんはそれを見抜いていたんです。

「最近、送られてくる零戦の質が変わっていませんか？」

ある日、発動機を整備しているわたしに、宮部さんが言いました。わたしは内心、宮部さんの慧眼《けいがん》に恐れ入りましたが、素直に、はい、という気にはなれませんでした。

「特に変わりません」わたしは整備の手を止めて、直立不動して答えました。

「そうですか。自分の気のせいですね」

宮部さんはそう言ってかすかに頭を下げました。わたしは少し悪い気がしました。

「確かに以前に比べると少し作りが甘くなっていますが、飛行に影響するものではありません」

「それなら安心です」

「宮部飛曹長はどうして気がつかれたのですか?」

わたしの質問に、宮部さんは怪訝《けげん》そうな顔をしました。

「乗っていればわかります」

わたしは感心しましたな。

「これはあくまで噂なのですが——」とわたしは小さな声で言いました。「腕のある職工が減っているということです。陸軍が徴兵でどんどん赤紙を出して、それで工場の職工も片っ端から兵隊にとられているらしいです」

「そうなのですか」

「零戦はご存じの通り、非常に曲線が多い飛行機です。外側だけでなく内部の構造も曲線が多い作りになっています。こういう微妙な曲線を旋盤で切り抜くのは相当腕のある職工でないと難しいのです。そういう職工をとられると、工場としては痛いところだと思います」

「知りませんでした。零戦はそうした名人が作っていたのですね。なるほど、言われてみれば、零戦は美しい戦闘機ですね」

宮部さんはそう言って、零戦の翼を触りました。それから呟《つぶや》くように言いました。

「戦争というのは、工場の時点から戦いは始まっているのですね」

「はい、一機の飛行機を飛ばすのは多くの人の陰の努力があると思います」

わたしはつい整備員の存在も殊更にほのめかして言いました。

「そう思います。工場の職人さんや整備の人たちはとても大切です」

わたしはちょっと恥ずかしくなりました。

「わたしが言うのも何ですが、すぐれた職工の代わりなんてそうそういるものではありません。内地では中学生や婦女子たちが工場に勤労動員されているようですが、そんな連中では一流の職工の代わりはとても務まりません」

「すると今後は更に悪くなるかもしれないんですね」

「その可能性はあります。でも、もっと怖いのは――」

わたしはつい言いかけてちょっと後悔しました。

「何ですか？」

わたしは思いきって言いました。「発動機のことです」

「発動機も腕のある職工が必要なんですね」

「それもありますが、発動機を作る工作機械が消耗していっているという話です」

「工作機械？」

「発動機は非常な精密機械ですから、百分の一ミリ単位で金属を正確に削る工作機械が必要なんです。いい工作機械がなければ、いい発動機は出来ません。その工作機械が消耗していけば、生産が落ちます」

「その工作機械は日本製ではないのですね」

わたしは黙って頷《うなず》きました。実はこれは練習航空隊の教員に聞いたことでした。教員は昔、発動機を作る工場にいたことがあり、そこで見た米国製の工作機械を褒めていました。彼はよく言ってました。「日本にはあんないい工作機械はない」と。

わたしの言葉に、宮部さんは、ふう、と大きなため息をつきました。

「自分たちはそんな国と戦争していたのですね」

「でも零戦の『栄《さかえ》』発動機は日本製です。米国の工作機械を使おうが、この優れた発動機を作ったのは日本人です。それにこの『栄』発動機をつけた零戦は日本人が作りました」

「でも、いずれ米国はもっと優れた戦闘機を作ってくるでしょうね。それに対抗する戦闘機を作ろうと思えば、『栄』発動機よりも更に優れた発動機が必要になるのではないですか」

「そうかもしれませんが、米国もそう簡単に優れた戦闘機は作れないと思います」

「そうであればいいと思います」

宮部さんは不安そうに言いました。

しかし宮部さんの不安は不幸なことに的中しましたな。零戦を凌駕《りょうが》する戦闘機、「グラマンF6F」がラバウル上空に現れたのは十八年の暮でした。

戦闘以外の宮部さんの話ですか――そう言われても、ラバウルでは戦争以外、何もなかったですからなあ。

そうだ――今、思い出しました。宮部さんは碁が好きでした。なんで、このことを忘れていたんやろう。

わたしら整備兵は、よく暇な時に花札をしたり、将棋を指したり、囲碁を打ったりしてました。

整備兵の仕事が大変なのは出撃前と出撃後です。でも、それ以外はわりに暇な時間があったんです。昼食後、午睡の時間になると、整備科兵舎の庇《ひさし》が作り出す日陰の下で、各科の将棋好きや碁好きが集まってきました。もっとも十八年になると、のんびり碁を打つような余裕ものうなりました。

あれは十七年の秋でした。いつものように兵舎の前で整備兵がザル碁を打っていると、不意に艦隊司令部参謀の月野少佐が整備科の兵舎にふらりとやって来たんです。ラバウルは航空隊だけでなく、軍港もあり、多くの艦艇が基地にしていました。また陸軍の駐屯地もあって、相当数の陸軍兵士もおりました。

艦隊司令部の少佐というのは、われわれ兵隊から見れば雲の上の人ですから、緊張してこちこちになりました。ところが月野少佐は、わたしらに気楽にするように言い、草の上にどかっと腰を下ろして、碁を見物し始めたのです。そして数局見た後、整備科で一番強い橋田兵曹に「一局お願いしてもいいかな」と言いました。言われた橋田も驚きましたが、わたしらも驚きました。何しろ少佐と言うたら、兵隊がおいそれと口も利けない相手です。その相手に碁を打つなどということは、それはもうとんでもないことです。橋田兵曹が泣きそうな顔でわたしらを見たのを思い出しますな。

わたしらにとって見れば、息の詰まる時間でした。何しろ少佐の前ですから、普段のような軽口は叩けない。碁を見る時も直立不動です。少佐はわれわれに、再び楽にするようにと言いました。

「碁を打っている時は、階級は関係ない。ただし空襲警報が鳴るまでの間だぞ」

それを聞いて、皆が笑いました。その頃は、ごくたまにポートモレスビーからの空襲がありました。敵機来襲の報があれば、我々整備員は邀撃《ようげき》のための発動機を回します。邀撃が間に合わない場合や、邀撃に上がらない機体は掩体壕に隠さんといけません。

でも「楽にせよ」と言われても出来るもんではありません。われわれの様子を見た少佐は「それでは」と前置きして言いました。「命令する。楽にせよ」それでようやく皆、地べたに腰を下ろしたり、床机に腰掛けたりすることができました。

こう言うと、月野少佐の碁は旦那碁みたいですが、そうではありません。その腕前は大変なもので、整備で一番強い橋田兵曹が散々にやられました。月野少佐は「わしは専門家に二子《にし》くらいだ」と言っていました。それがどの程度のものか当時のわたしにはわかりませんでしたが、整備で一番強い橋田兵曹が苦もなく捻《ひね》られたのを見ても相当な強さというのがわかりました。

それ以降、たまに少佐は整備兵のザル碁を見に来るようになりました。来る時は、饅頭《まんじゆう》などの土産付きでしたから、われわれは嬉しかったものですわ。しかし、少佐はたいていはにこにこ見ているだけでした。

少佐は根っからの碁好きで、どちらかというと将棋よりも高く見ているふうでもありましたな。

一度、こんな事を言いました。

「山本長官は将棋がたいそう好きらしいが、碁は知らんらしいな。もし碁を知っていたら、今度の戦争も、違った戦い方になったと思うな」

これはきわどい言葉です。将棋と碁を比べながら、山本長官を批判したと受け取られても仕方がなかったでしょう。

「少佐にお尋ねします。将棋と碁は違うものですか」と誰かが尋ねました。

少佐は答えました。

「将棋は敵の大将の首を討ち取れば終わりだ。たとえ兵力が劣っていても、どんなに負けていても、敵の総大将の首を刎《は》ねれば、それで終わりというものだ」

「はい」

「言ってみれば、僅《わず》か二千の軍勢の織田信長でも二万五千の今川義元を破ることが出来るようなものだ。本来、二千が二万五千に勝てるわけがない。しかし義元の首を取れば、戦いは終わりだ。それが将棋だな」

「碁は違うのでありましょうか」

少佐は、うん、と小さく頷いて言いました。

「囲碁はもともと中国で生まれた遊びだ。三百六十一の目の数からして、一年の占いごとか何かに使ったようだが、それがいつしか戦争遊びになったのだろう。そして広大な中国大陸を取り合うような遊びに発展した。言ってみれば、碁は国の取り合いだ」

「太平洋を米国と取り合うようなものでありましょうか」

「そうとも言えるな。かつて日露戦争では、連合艦隊がバルチック艦隊を打ち破って戦争に勝利した。連合艦隊はそれ以来、敵の王将つまり主力艦隊を打ち破れば戦争に勝つと思いこんできたのだ。しかし今度の戦争は、敵の王将を取れば終わりという戦《いくさ》ではない」

少佐の言葉は思わぬ重さを持ってわたしらの胸に響きました。現実に恐ろしい物量で押し寄せる米軍と太平洋の取り合いをして勝つのは容易でないと思ったからです。

わたしは目の前の碁盤を見ました。戦後、わたしも碁をたしなむようになりましたが、その頃はまったく碁がわかりませんでした。しかしそれでも、その局面を見て不思議な印象を持ちましたな。盤上のあちこちに散らばる白黒の石が太平洋の島々に見えたんですわ。わたしが戦後に碁を始めたのも、この時の不思議な気持ちからです。

月野少佐は呟くように言いました。「山本長官も、大変な戦争を始めたものだよ」


なぜこんな話を長々としたのかと言うと、さっき宮部さんは碁が好きだったと言いましたが、実は一度だけ宮部さんが碁を打つのを見たことがあるからです。その相手が他ならぬ月野少佐だったのです。

その日も、たまたま月野少佐が整備科兵舎にふらりと遊びに来ました。そしていつものように隊員たちの碁を見ていました。

その時、ふと少佐は宮部さんに目を留め、声をかけました。

「貴様、碁を打てるのか」

整備兵に混じって航空兵がいるのが珍しかったんでしょうな。そうなんです。宮部さんもたまにわたしらのザル碁をのぞきに来ていました。

宮部さんは、はい、と答えました。少佐は、よし、と頷くと「一局行こうか」と言いました。

宮部さんは「よろしくお願い致します」と深く頭を下げると、少佐の前に座りました。

「先《せん》でお願いします」

宮部さんはそう言って黒石を引き寄せました。われわれはみんな驚きました。整備兵の一番強い橋田兵曹でも、少佐には先どころか、二子でも歯が立たないのですから。

しかし少佐は別に気を悪くするふうでもなく、黙って白石を持ちました。

こうして対局が始まりました。最初、少佐はぽんぽんと打ちました。それに対して、宮部さんは一手一手ゆっくりと打ち進めていきました。

盤上の様子を説明出来ればいいのですが、わたしが碁を覚えたのは戦後です。盤上で起こっている戦いはまったく理解出来ませんでした。ただ、中盤になって急に月野少佐の長考が目立つようになりました。対して宮部さんの方は序盤と同じ感じで打ち続けています。少佐が打つと、すこし間を置いて、石をゆっくりつまんで盤上にそっと置きます。その置き方がまたいかにも柔らかく、ほとんど音もしないのです。整備の連中がよくやる、石を叩きつけるように打つなどということはまったくやりませんでしたな。

終盤は少佐がうんうんと唸りながらの対局になりました。その様子を見て、わたしらは少佐が負けるのではないかと思いました。そうなれば喝采《かっさい》ものですわ。少佐に恨みはありませんが、たとえ遊びでも下士官が士官に勝つというのは何とも痛快事に思えたんです。わたしらの間で期待が膨らみました。

打ち終わって、盤面を整理すると、少佐の一目《いちもく》勝ちでした。

わたしも含めて周りを囲んでいた全員が口々に月野少佐の勝利を称えましたが、内心では落胆していました。

「有り難うございました」

宮部さんはそう言って深く頭を下げました。それで、少佐も慌てて、「いや、こちらこそ有り難うございました」と頭を下げました。

しかし少佐はそのまま盤面を睨《にら》んでいます。

「貴様、名前は？」

宮部さんは立ち上がって、名前と階級を告げました。

「宮部一飛曹か——もう一局相手してもらえないだろうか」

「はい」

宮部さんは深く頷きました。

少佐はにっこりと笑うと、今度は自分が黒石を引き寄せたのです。皆、驚きましたわ。ご存じかどうか知りませんが、碁は上手が白を持ちます。先手番の黒は有利で、後手番の白はその不利を盤上で取り返す技量がないとあかんからです。現在のプロの碁では、先手が六目半のハンデを相手に与えて戦いますが、当時はそういうハンデがありませんでした。

宮部さんは、「いや、それは――」と言って、黒石を取ろうとしました。

「いや、わしが黒だよ」

少佐は宮部さんの手を制しました。宮部さんは仕方なく白石を引き寄せました。驚くことが起こったのはその後です。少佐は、黒石をつまむと盤上に二つ置いたんです。

「これでも少ないと思うが、一つこれでお願い出来ますか」

宮部さんは、静かに「わかりました。お願い致します」と言いました。

専門棋士に二子で打てると豪語する少佐が二子置くと言うことは、宮部さんの腕前は専門棋士と同等と言うことです。

この対局は先程と違い、最初からお互いに一手一手じっくり考えたものになりました。

そして、中盤、戦いは突然終わりました。少佐が投了したのです。碁を知らないわたしには何のことかわかりませんでしたが、かなり碁の強い整備の者でさえ、首を傾げていましたから、周囲の者には唐突に終わったと見えたようです。しかし宮部さんは別段驚くふうでもなく黙って頭を下げました。

「歯が立たない」

少佐は言いました。

「宮部一飛曹は専門家について勉強したのか」

「はい、瀬越憲作《せごえけんさく》師に学びました」

「瀬越師か——。呉清源《ごせいげん》の師匠だな」

呉清源の名前はみんな知っていました。中国から渡ってきた天才少年で、戦前の日本の碁好きたちを大いに湧《わ》かせてた男でした。彼の名は碁を知らない者の間にも知られてました。「半玉《はんぎょく》がひそかに思う呉清源」などという川柳もあったほどです。半玉とは芸者修行をしているおぼこ娘です。たしか呉清源はまだ生きているはずですね。半玉九十を超えていて、いまだに碁を研究してると言うんですから、すごいですなあ。

わたしが「瀬越憲作」なんちゅう名前を今も覚えているのも、そういうことがあったからです。

「専門棋士を目指していたのか」と月野少佐が尋ねました。

「いいえ」と宮部さんは言いました。「わたし自身はそうなりたいと思っていたこともありましたが、父が許しませんでした」

「そうか」

少佐はそれ以上は聞きませんでした。そして、石を片づけると、

「有り難う。大変、勉強になった。また機会があれば、ご指導をお願いします」

と言いました。宮部さんは深く頭を下げました。

しかし二度目の対局はありませんでした。二週間後、月野少佐は艦隊勤務に転任となって駆逐艦「綾波《あやなみ》」に乗艦し、その年の暮れに行われたガダルカナル島砲撃の夜戦で艦と運命を共にしました。

少佐が士官宿舎に戻ると、宮部さんも兵舎から離れたヤシの根本に座りました。

わたしはその後を追いかけました。そして宮部さんの横に座りました。

「宮部一飛曹は碁を本格的にやっていたのですね」

「父が好きだったもので、最初はそれで習わされていたのです。しかしそのうちに私自身がのめり込み、中学に上がる前には、専門棋士になろうと思っていました」

「お父さんが反対されたのですか」

「父は商売をしていて、それで私を跡取りにしたかったのです。父に反対されても、私は碁の勉強を続けました。父に内緒で、瀬越先生のところに通っていたんです。月

謝は払えませんでしたが、先生は月謝は要《い》らないとおっしゃってくださいました。私はそれに甘えていたのです」

「いい先生ですね」

「ところが、実は父が私に内緒で先生に月謝を払っていたらしいのです。父は人後に落ちない碁好きでしたから、私を専門棋士にはしたくないが、強くなって貰いたかったのでしょう」

「それで、どうなったんですか」

「その後まもなく、父が相場に手を出して、店は潰《つぶ》れました。大きな借金をして家は破産しました。父は債権者に死んでお詫《わ》びすると言って首をくくりました」

わたしはえらいことを聞いたと思いました。しかし宮部さんは淡々と語りました。

「あとに残された者は大変でした。たった半年で、私は中学を中退しましたが、母は病気になり、まもなく亡くなりました。私は天涯孤独の身になりました。金もなく、身よりもなく、頼る親戚もない身の上で、何をしていいのかわからず、海軍に志願しました」

初めて聞いた宮部さんの過去でした。

「瀬越先生は、生活の面倒を見てやるから、内弟子に来ないかとおっしゃいました。しかし瀬越先生の家も裕福ではありませんでしたし、お断りしました。志願兵の試験に落ちたら、どこかの商店の丁稚にでもなろうと思っていました」

宮部さんも同じなんやなと思いました。海軍の下士官いうのはたいてい農家の口減らしで入って来た連中です。農家の次男坊以下に生まれたモンは、都会に丁稚奉公に行くか、軍隊に入るしか生きる道はなかったんです。中学へ行けるのはほんの一握りの子供だけでした。実は海軍兵学校の生徒も裕福でない家が多かったのです。兵学校は授業料がなかったんで、高等学校には行かれへん優秀な子供が大勢兵学校に行きました。あの頃、日本は本当に貧しかったんです。今からは想像も出来ないほどの階級社会だったんですわ。

宮部さんは農家の次男坊ではなかったものの、家の不幸で軍隊に入るしかなかったのですな。

こういうわたし自身、もともとは小作農家の三男坊です。尋常小学校を卒業して地元の醤油《しょうゆ》工場に行きましたが、その工場が潰れて行くところがなくなり、海軍に志願したんです。今の人たちからは想像もつかんことでしょうが、わたしらは喰うために海軍に入ったんです。

「戦争が終わったら専門棋士を目指しますか」とわたしは宮部さんに聞きました。

宮部さんは笑いました。その笑いは「戦争が終わったら」というわたしの仮定が面白かったのかもしれませんな。

「無理です。専門棋士を目指すには、貴重な時間を失いました」

「でも、努力すれば」

「専門棋士になるためには十代の頃に、どれだけ多くのものを身につけるかにかかっています。私はそれが出来ませんでした。私はもう二十三です。仮に今、戦争が終わって、これから死ぬほど頑張っても、専門棋士にはなれません」

「残念ですね」

「別に残念ではありません」

宮部さんはさらりと言いました。

「子供の頃は小さなことで悲しんだり喜んだりしました。中学の時は、一高に進むかどうかで本気で悩んでいました。またその夢が両方壊れたことで大いに悲しんだものです。でも、父と母が死んだことに比べたら、何ほどのこともありません」

そう言うて宮部さんは笑いました。

「でもね、今から見れば、それさえも大したことではありません。今度の戦争では、もっと恐ろしいことが日常に起こっています。毎日、多くの男たちが亡くなっています。内地では戦死の知らせを受け取っている家族がどれほどいることでしょう」

わたしは相槌《あいづち》を打つことは出来ませんでした。戦死はあくまで「名誉の戦死」であり、喜びこそすれ、公然と悲しむことは出来なかったからです。宮部さんの言葉はうっかりすると非国民扱いされかねない言葉だったんです。

わたしの当惑する顔を見て、宮部さんは少し悲しそうな笑顔を浮かべました。そして、やや間を置いて、言いました。

「今の私の一番の夢が何かわかりますか」

「何ですか」

「生きて家族の元に帰ることです」

わたしはその言葉にすごく失望したのを覚えています。これが海軍航空隊の戦闘機搭乗員が言う言葉かと思いました。この人が「臆病者」という噂は本当だと、あらためて思いました。

当時のわたしにとっては、「家」も「家族」も、そこから旅立って行くもんでした。父も母もわたしを送り出してくれる存在でした。だから、そこに帰りたいというのは、女々しい言葉と思ったんです。「家族」というものが「男が守るべきもの」ということは少しも理解出来なかったんです。

それがわかったのは、戦争が終わって復員して所帯を持ってからです。いや、その時もまだわかりませんでした。子供が出来て初めて、自分の人生が自分だけのものでないということを知りました。男にとって「家族」とは、全身で背負うものだということが。その時、宮部さんが言った「家族の元に帰る」という言葉の本当の重みを知ったんです――。恥ずかしいことですわ。

話は変わりますが、わたしの今の一番の楽しみは何だと思いますか。――碁なんですよ。週に一度、老人会でザル碁を打つのが、一番楽しい時間なんです。

もし、かなうなら、宮部さんに一局教えて貰いたいと思いますなあ。

十八年の夏以降は、ラバウルも連日空襲されるようになりました。かつて台南空の猛者《もさ》たちがいたラエの飛行場も敵の手に落ち、周囲の島も次々と奪い返され、ラバウルはもう風前の灯火《ともしび》でしたね。

そして十八年の終わりに「グラマンF6F」が登場しました。これは「グラマンF4F」を大きく上回る非常に強力な戦闘機でした。

一度、ラバウルに墜ちたグラマンF6Fを見て、唖然《あぜん》としたのを覚えています。機体もごつかったですが、中でも発動機は恐ろしく巨大で、お化けみたいに見えました。墜落の衝撃で壊れてましたが、整備長は出力約二千馬力と推定しました。零戦の二倍です。その大馬力にものを言わせた重武装と厚い防弾装備が印象的でしたな。

整備長の下で皆で壊れた発動機を分解して研究しました。ものすごう精密に作られているのがわたしにもわかりました。整備長は首を振って言いました。「こんな発動機を日本で作るのは至難の業だ」

敵の優秀な戦闘機はグラマンだけではありません。カモメをひっくり返したような翼をつけた「シコルスキー」も大出力の発動機を備えた強大な新鋭戦闘機でした。われわれ整備兵にも、何か時代が変わりつつあるという感じがしましたわ。

航空兵たちに聞いても、米軍の新鋭戦闘機は非常に優秀ということでした。しかしラバウルの零戦搭乗員たちは、これらの優秀なる敵戦闘機に勇敢に向かっていきました。

ただ、その頃はかつてのガダルカナル侵攻戦ではなく、敵を迎え撃つ邀撃《ようげき》戦が主でしたから、戦闘機乗りたちも地の利を活かして戦うことが出来ました。燃料を気にせずに戦えるし、弾切れを心配することもありません。いざとなれば、落下傘脱出しても助かります。以前は落下傘など誰もつけませんでしたが、その頃にはかなりの搭乗員たちがつけるようになってましたな。

しかし決して楽な戦いではなかったようです。先程も言うたように敵の新鋭戦闘機のグラマンF6Fやシコルスキーは零戦よりも優秀な戦闘機ですし、何より数が圧倒的でした。一度の空襲で二百機くらいの敵機が来るのですが、こちらが邀撃に上がれるのはせいぜい五十機くらい。敵はいくら墜とされてもこたえませんが、こちらは数機の補充でさえ苦しい上に、何より搭乗員の補充がききませんでした。

零戦は次第に追いつめられていきましたな。

零戦隊の搭乗員の顔ぶれは、ひと月もすると半分以上が変わってました。変わらないのは西澤廣義さんとか岩井勉さんとか本当に少数の人たちだけでした。西澤さんは帝国海軍一の撃墜王としてその名を轟《とどろ》かせていた人でしたし、岩井さんもベテランです。岩井さんは昭和十五年の零戦の初陣に参加した十三機の一人です。味方は一機も失うことなく中国空軍機二十七機を全機撃墜したという伝説の空戦の生き残りです。のちに教官をやっていた時に予備学生たちから「ゼロファイター・ゴッド」という渾《あだ》名《な》をつけられたそうですが、その空戦技術は神技に近いものがあったと聞いてます。

西澤さんも岩井さんも「米軍機は最初の一撃さえかわせば、それほど恐ろしいもんではない」と言うてましたが、彼らだからこそ言えるんでしょう。空戦になれば、まず墜とされない自信があったんでしょうな。

有名な岩本徹三さんも同じ頃にラバウルにいたんですが、わたしがいた東飛行場とはかなり離れたトベラ飛行場を根拠地にしていたので、一度も話す機会がありませんでした。西澤さんと並ぶ達人と聞いてただけに、会う機会がなかったんは心残りですわ。

そしていつも変わらない顔ぶれの中に宮部さんもいました。今にして思えば、あの戦場で生き残ることが出来たんですから、宮部さんはただの臆病なだけの人ではなかったのかもしれませんな。

先程も言うたように、十八年の後半からは邀撃戦が主流だったので、ラバウルにも敵機が沢山墜ちました。

彼らはたいてい落下傘降下しました。我が海軍の搭乗員なら自爆するところを、敵地の中に落下傘で降りるのです。彼らは捕虜になることをまったく恥じてはおらんかったですな。これは少々驚きでした。わたしらはずっと「生きて虜囚の辱めを受けず」と教育されてきたからです。

ある時、ラバウルに空襲に来た米軍のB17爆撃機を味方の高射砲部隊が撃墜しました。B17は飛行場のはずれに墜ちました。

搭乗員たちは墜落前にパラシュート脱出しましたが、高度が足りなかったため、パラシュートが完全に開ききらず、全員が海中や島に墜落死しました。

そのうちの一人がラバウルの飛行場の近くに落下したのです。我々整備兵と搭乗員たちが行ってみると、パラシュートが木に引っかかっていました。米兵の体には大きな損傷はありませんでしたが、既に息はありませんでした。

わたしらは米兵の死体を木から降ろしました。その時、一人が何やら大きな声で叫びながら手を振り回してました。彼は手に一枚の写真を持ってました。

「こいつ、こんなものを持って戦ってやがる」

彼はそれを皆に見せました。それは裸の白人女性の写真でした。といっても上半身だけのものです。わたしはそのむき出しの胸を見た時、すごい衝撃を受けました。米兵がそんな写真を持っているということよりも、まず裸の写真に衝撃を受けたのです。わたしは女の裸の写真というものをそれまで一度も見たことがなかったのです。

一瞬、戦場であることも忘れ、わたしは白人女の裸の写真に見入りました。最初は騒いでいた仲間たちも、みんな押し黙ったように写真を見つめていました。

皆の手から手へと渡っていた写真が、宮部さんの手に渡りました。宮部さんも皆と同じようにしばらく黙って見つめていましたが、ふと写真の裏を見ました。宮部さんが裏をじっと見つめていた時に、わたしが思ったのは、間抜けなことに「裏にもあったんか」ということでした。

宮部さんは写真を米兵の死体の胸ポケットに入れました。

名前は忘れましたが一人の航空兵がそれをもう一度取ろうと手を伸ばした時、宮部さんは「やめろ！」と怒鳴りました。しかしその男はかまわずにポケットに手を入れました。その時、宮部さんが彼を殴りました。殴られた男も驚きましたが、殴った宮部さんの方が自分のしたことに驚いている感じでした。

「すまない」

宮部さんは泣くような声で言いました。

「どういうことだ！」

殴られた男は血相変えて怒鳴りました。

「写真は、この男の奥さんだった」

宮部さんは振り絞るように言いました。

「愛する夫へと書かれていた——恋人かもしれないが。出来たら、一緒に葬ってやりたい」

それを聞いた途端、殴られた男も黙ってしまいました。

それから宮部さんは彼にもう一度詫《わ》びると、一人で飛行場の方に戻っていきました。

わたしは死んだ米兵を見ました。まだ二十歳過ぎくらいの若い男でした。先程の写真の女の顔が強烈に思い出されました。恥ずかしそうな、どこかこわばったような笑顔でした。戦場に行く夫のために勇気を振り絞って撮った写真だったんでしょう。しかしその夫はたった今、南太平洋の小さな島で死に、家で夫の帰りを待っている妻はまだそれを知らないでいる。そしてその写真は死んだ夫と共に島のジャングルに葬られる——。

わたしは今でもこの時のことをよく思い出します。戦場では多くの死体を見ました。それこそ数え切れないくらい見ました。戦友の死体も、米兵の死体も。その多くは記憶の端からこぼれ落ちてます。

しかしこの時のことはなぜか強烈に記憶に残っています。

あの後、本国にいる彼の妻は夫の死を知らされたことでしょう。不謹慎な話ですが、あの彼女のきれいな乳房はその後、誰かに触れられることがあったのだろうか、という想像もしてしまいます。こんなことを言うと、それは淫《みだ》らな想像と思われるでしょうが、わたしにとってはそうではないのですわ。

愛する者を残して死んだ者にとって、それがどれほど切ないものか——。

わたしは終戦の翌年、内地に戻り、後に世話する人があって、伴侶《はんりょ》を得ることが出来ました。結婚したいと真剣に願ったわけでもありません。ただ、生活が落ち着き、そろそろ身を固めたほうがいいという気持ちからでした。相手もまた年頃だったので、同じように身を固める気持ちでわたしと一緒になったのでしょう。もちろん、犬やネコではありませんから、見合いの席で、互いに悪い印象を持たなかったから結婚したのでしょう。でも、結婚を決めた時の気持ちはよう覚えていませんわ。

愛という気持ちが生まれたのは、結婚して一年も経ってからのことです。

ある夜、わたしは何気なく妻を見てました。裸電球の下で、妻はわたしのズボンの破れたところを繕《つくろ》っていました。当時わたしは郵便局の職員で、毎日、手紙の配達で自転車に乗っていました。

一心不乱に繕い物をしている妻をそんなふうに眺めたことはありません。わたしは自分の着ていたシャツを見ました。肘《ひじ》のところに繕いがしてありました。じっと見ると、一針一針丁寧に縫ってありました。

わたしはそれを見た瞬間、言いようのない愛情を感じたんです。この女、身寄りもなく、器量もよくないこの女、俺の身繕いをし、俺のために食事を作ってくれる、この女――。

妻にとって、わたしが初めての男でした。わたしは思わず彼女を抱き寄せました。「危ない」と彼女は小さく叫びました。繕い物の針がわたしの手に当たるのを心配したのです。わたしはかまわず抱き寄せました。

その時、初めて妻を名前で呼びました。妻は突然のことに驚きながらも、小さく恥ずかしそうに「はい」と答えました。わたしはその瞬間、彼女を愛したのです。

その時、わたしの脳裏に浮かんだのは、何だと思います。驚かんで下さいよ――あの時の米兵だったんです。そしてその写真を彼の胸ポケットにしまった宮部さんの姿でした。

わたしは彼女を抱きました。なぜか狂ったように抱きました。あとで聞くと、わたしはその時、泣いていたそうです。覚えていません。しかし彼女がそう言ったのですから、そうだったんでしょうな。

その時、出来たのが倅《せがれ》です。お二人を迎えに行ったあいつです。あれでもこの町の町会議員をしています。

――なぜその時の子供とわかるのか、ですか。彼女がそう言うたからです。女にはわかるのでしょうかな。

倅はわたしのもう一つの宝物になりました。

宮部さんのことを思い出して泣いたことがもう一度あります。

倅が小学校に上がって、初めての運動会の日でした。昭和三十年です。

子供たちが白い体操服を着て、運動場を走り回っていました。

わたしも家内も、運動場のはしっこにゴザを敷き、倅を応援していました。皆、楽しそうでした。大人も子供も本当に楽しそうに笑ってました。倅は徒競走でビリから二番目になり、べそをかいてましたが、わたしはそれさえも楽しくてたまりませんでした。

その時、周囲の楽しそうな光景を見ていて、ふと不思議な気持ちに襲われたんです。何か自分が別世界にまぎれ込んだような不思議な感覚でした。その時、突然気がついたのです。十年前、この国は戦争していたのだと。

周囲で笑っている父親たちは全員、かつては銃を持った兵士たちでした。中国で戦い、仏印で戦い、南太平洋の島々で戦った兵士たちだったのだと。

今はみんな会社員や商売人として日々家族のために懸命に働いているが、十年前はみんなお国のために命を懸《か》けて戦っていた男たちだったのだと。

その時、突然、宮部さんのことを思い出したのです。宮部さんも生きていれば、こんなふうに子供と一緒に運動会に参加出来たのだ。海軍航空兵でもなく零戦の搭乗員でもなく、ただ一人の優しい父親として、娘が校庭を走る姿に声援を送っていたのだ、と――。

いや、それは一人宮部さんだけではありません。ガダルカナルの白兵戦で撃たれ、インパールのジャングルで斃《たお》れ、あるいは戦艦大和と共に沈んだ将兵たち――あの戦争で亡くなった大勢の男たちは皆この幸せを奪われたんです。

わたしは涙が止まらなくなってしまいました。家内が不思議そうな顔をしていましたが、何も言いませんでした。

わたしは立ち上がって、校庭の端まで歩きました。後ろからは、子供たちの楽しそうな歓声が響いてきます。それがまたわたしの胸を打ちました。

わたしは大きなケヤキのそばにしゃがみ込み、そこで泣きました。

さっきからぼくの隣で姉が鼻をすすっていた。ぼくもまた体が強張《こわば》っていた。

しばらく沈黙があったあと、永井は言った。

「十八年の暮れになると、ラバウルはもはや基地として成り立たなくなり、搭乗員たちは全員、引き揚げました。残されたわたしたちには、アメリカ軍を迎え撃つ航空機もありません。われわれは毎日トンネルを掘り、来るべき地上戦に備えました。しかしアメリカ軍はラバウルなどには目もくれずに、一気にサイパンに向かったんです。あの時、米軍がラバウルを攻めていたら、わたしの命もなかったでしょうな。補給路を断たれたラバウルは日米双方から忘れられた島になったんです。わたしは終戦までラバウルにいましたが、そこでの暮らしは本当に大変でした――」

ぼくは頷くだけで精一杯だった。永井は続けた。

「しかし幸運にも命を長らえることが出来ました。わたしは戦後、一所懸命に働きました。生きて帰った喜びは、働くことの喜びを教えてくれたのです。わたしだけではありません。多くの男たちが生きていることの幸せと働くことの幸せを心から噛《か》みしめたことと思いますな。いや、男だけではない、女も同じやと思います」

永井は一言一言噛みしめるように言った。

「日本は戦後、素晴らしい復興を遂げました。でもね佐伯さん、それは、生きること、働くこと、そして家族を養うことの喜びに溢《あふ》れた男たちがいたからこそやと思います。ほんで、この幸せは、宮部さんのような男たちが尊い血を流したからやと思います」

永井はそう言って、涙を拭《ぬぐ》った。

ぼくも姉も言葉を失っていた。部屋に沈黙が流れた。

「ただ一つ、気になることがあります」

永井はふと気づいたように言った。

何ですか、というぼくの問いに、彼は腕組みしながら答えた。

「宮部さんは何よりも命を大切にする人でした。たとえ臆病者とののしられようとも、生き延びる道を選んだ人ですわ。そんな人が――」

永井は少し首を傾《かし》げた。

「なんで、特攻に志願したのか。不思議と言えば不思議です」

第七章　狂気

永井に会った後、ぼくは太平洋戦争の関係の本を読み漁《あさ》った。多くの戦場で、どのような戦いが行われてきたのかを知りたいと思ったのだ。

読むほどに怒りを覚えた。ほとんどの戦場で兵と下士官たちは鉄砲の弾のように使い捨てられていた。大本営や軍令部の高級参謀たちには兵士たちの命など目に入っていなかったのだろう。兵たちに、家族がいて、愛する者がいるなどということは想像する気もなかったのだろう。だからこそ彼らに降伏することを禁じ、捕虜になることを禁じ、自決と玉砕《ぎょくさい》を強要したのだろう。力を尽くして戦った末に敗れた者に「死ね」と命じたのだ。

ガダルカナルで全滅した一木支隊にも、戦いが済んで一夜明けた海岸には多くの負傷兵がいた。米軍が近づくと、彼らは動けないにもかかわらず、最後の力を振り絞って銃を撃ったという。そして銃の弾がない者は手榴弾で自決したという。やむなく米軍は戦車で負傷兵を踏みつぶした。こんなことがいたるところで繰り返されたのだ。航空兵の多くも死ぬまで戦わされたのは同じだ。被弾し、帰還がかなわない者は自爆するように教えられていた。操練と予科練の名簿は、おびただしい戦死者の名簿だ。

祖父たちは何と偉大な世代だったことか。あの戦争を勇敢に戦い、戦後は灰燼《かいじん》に帰した祖国を一から立て直したのだ。

ただ、特攻に関してはわからないことがいくつもあった。すべてが志願であったと書かれている本もあれば、強制的な志願だったと書かれている本もあった。はたして祖父はどっちだったのだろうか。

いずれにしても祖父たちの青春には、自由に生を謳歌《おうか》出来る時間も空気もなかったことはたしかだ。

元海軍中尉、谷川正夫は岡山の老人ホームにいた。

姉が一緒に行きたいと言った。いつのまにかこの仕事の主導権はぼくが握っていた。戦友会との連絡はすべてぼくが行っていたからだ。

岡山には新幹線で行った。

「姉さんに言っておくけど――」

とぼくは席に座ると、前から言おうとしていたことを言った。

「高山さんが言っていた祖父調べのことを記事にするという話、あれは正式に断るよ」

姉は頷《うなず》いた。

「高山さんが気を悪くするかもしれないけど、祖父のことを記事にされるのは嫌なんだ」

「高山さんならわかってくれるわ」

そう言う姉の表情に微妙な感じがあった。

「高山さんと何かあったの？」

姉は「別に」と言って、窓の外を眺めたが、嘘をついているのはすぐにわかった。姉は昔から感情がすぐに表情に出るのだ。だからジャーナリストなんかには向かないんじゃないかと思っていた。

「何か言われたの？」

姉は観念したというふうに肩をすくめた。

「結婚を前提に付き合ってって言われたの」

ぼくは驚いて姉の顔を見た。しかしその表情からは喜んでいるのかどうかわからなかった。

「オーケーしたの？」

姉は首を振った。

「ちょっと待ってって言った」

「じらしたの？」

「まさか——子供じゃあるまいし。ただ、結婚を前提となると、そう簡単には返事出来ないわ」

「本当のところ、どう思ってるの？」

「高山さんはいい人だし、私の仕事にも理解がある。だから——いいかなと思ってる」

ぼくが何か言おうとしたが、姉はそれを遮《さえぎ》った。

「この話はこれでおしまい！」

ぼくは、わかったと答えた。それから目を閉じて寝ようと思ったが、とうとう姉が結婚するのかと思うと、妙に気持ちが高ぶって眠れなかった。高山が姉にふさわしい人物かどうかは判断出来なかった。もっともぼくが判断しても仕方のないことだったが。

何度か薄目を開けて姉を見たが、姉はずっと窓の外を眺めていた。三十歳になる大人の女の横顔だった。自分の姉ながら、綺麗《きれい》だと思った。

その時、突然、八年前の光景が心に浮かんだ。

泣きじゃくる姉を藤木が懸命に慰めている光景だ。あれは藤木が故郷に帰る前日だった。箱根のドライブの翌週だった。ぼくが祖父の事務所へ遊びに行き、久しぶりに屋上へ上がろうとした時に目にしたのだ。屋上には植木がいくつも置いてあり、そこで一人の時間を過ごすのはぼくのお気に入りだった。

その時、屋上のドア付近で女性の泣く声が聞こえたような気がした。ぼくは足を忍ばせて、ドアを開けずに窓ガラスを通して屋上を覗《のぞ》いた。すると、そこに姉がしゃがみ込んで泣いている姿が見えた。その横には藤木が困ったような顔をして立っていた。藤木は何か言っているようだったが、声は聞こえなかった。藤木が何か言うたびに姉は泣いて首を振った。最初、姉が藤木に何かされたのかと思ったが、どうやらそうではないようだった。姉はまるで子供が駄々をこねるように泣いていた。あの気の強い姉があんなふうに泣く姿を初めて見た。そしてそんな姉を見る藤木も見たことのない悲しい顔をしていた。ぼくは足を忍ばせて階段を下りた。

二人の間に何があったのかは知らない。しかしあの時、女子大生だった姉は少女のように藤木に恋していたのだ。

老人ホームは岡山の郊外にあった。すぐ後ろが山で、自然に恵まれた所に建っていた。近代的な作りの白いビルで、一見するとマンションのように見えた。

その老人ホームは、姉の言うところでは、入所時に何千万円か支払うと死ぬまでいられる所らしい。姉がインターネットで調べたようだ。

事務所で、谷川さんに会いたいと告げると、応接ルームに通された。と言っても部屋全体は小さな会議室みたいなたたずまいで、部屋の真ん中には机が置かれていた。しばらくして、介護士に連れられて、車椅子に乗った老人がやって来た。

「谷川だ。座ったままで失礼する」

その老人は言った。ぼくたちも挨拶した。

「人が訪ねてくるのは何年ぶりかな」

谷川はそう言って笑った。

介護士がぼくたちにお茶を入れてくれた。谷川は湯呑みを慈しむように持ち、静かにお茶を飲んだ。

「戦争の話はほとんどしたことがない。手柄話と受け取られるのは嫌だし、可哀想と同情されるのもまっぴらだ。まして興味本位で質問されるのは耐えられない。これはあの戦争を戦った多くの人の共通した気持ちだろう」

姉が何かを言おうとするのを、谷川は手で制した。

「君らの言わんとしていることはわかっている。本当は後世に語りつがねばならない話なのかもしれん。それがあの戦争を戦った者の義務かもしれん。戦争体験を語る者の多くが、自らの使命として辛い体験を掘り起こしているのだと思う」

谷川は湯呑みをテーブルに置いた。

「わしももう長くない。妻に先立たれ、一人になってから、何年もそのことを考えている。しかしまだ答えは出ない。そのうちにお迎えが来るかもしれん」

谷川はぼくの目を見て言った。

「だが今日は語ろう」


わしは宮部とは中国の上海の第一二航空隊で一緒だった。宮部は非常に勇敢な、恐れを知らない戦闘機乗りだったな。操縦技術は抜群で、格闘戦にはめっぽう強かった。一旦敵に喰らいついたら、絶対に離さなかった。誰かが「宮部はスッポンみたいだ」と言っていたのを覚えている。

その頃の上海には、赤松貞明《あかまつさだあき》さんや黒岩利雄《くろいわとしお》さん、樫村寛一《かしむらかんいち》さんといった名人がごろごろいた。岩本徹三《いわもとてつぞう》さんもいたが、当時はまだ半人前扱いだった。

赤松さんにはよく殴られた。明治生まれの豪傑で、酒が入ると手がつけられなかった。酒の上の乱行は数知れずで、善行章まで取り上げられたくらいだ。赤松さんは戦後もいろいろと問題を起こした人でずいぶんと評判が悪いが、こと、操縦に関しては掛け値なしの名人だった。本人曰く三百五十機撃墜、というのは大嘘だが、空戦の腕は本物だった。

黒岩さんは単機空戦の達人で、若い頃の坂井三郎さんを模擬空戦で子供扱いしたのは有名だ。太平洋戦争前に除隊して民間の航空会社にいたが、戦争中は輸送任務に就き、十九年にマレー半島沖で未帰還になった。戦闘機の操縦桿を握っていれば、絶対に撃墜されなかった人だと思う。

樫村さんは片翼飛行で有名な人だ。南昌の空戦で九六艦戦の片翼を失いながら、見事な操縦で帰還した名人だった。当時、新聞にも載り、戦前では全国で一番有名な海軍搭乗員だった。もちろん空戦技術も超一流だった。わしなど何度も模擬空戦をやってもらったが、全然歯が立たなかった。しかし樫村さんも十八年にガダルカナルで戦死した。

そんな中にあっても宮部の操縦の腕前は先輩たちに引けを取らなかった。赤松さんなどは「あいつは天才かもしれん」と言っていた。

逆に黒岩さんなどは「そんな無茶をやっとると、命がいくつあっても足りんぞ」と言ってたね。

宮部とはとくに仲が良くもなければ悪くもなかった。年は同じで、海軍に入ったのも同じ頃だが、操縦練習生になったのは宮部の方が先で、そのぶん飛行機乗りの経験は宮部の方が長かった。腕もはっきり上だったから、競争心というのはあまり持たなかった。ただ一つだけ自慢させてもらうと、太平洋戦争が始まる前の操練はものすごくレベルが高かった。わしの時は八千人の受験者で受かったのは五十人、最後まで残って艦上機の搭乗員になれたのは二十人余りだ。競争率はおよそ四百倍だ。自分で言うのも何だが、選りすぐりの男たちだったと思う。

十六年の春に、二人とも内地へ呼び戻され、空母の乗員になった。しかし宮部は「赤城」、わしは「蒼龍《そうりゅう》」と艦が別れたので、真珠湾から半年間、ずっと同じ艦隊で行動を共にしていたが、出会うことはなかった。

わしらはその間は暴れ回った。向かうところ敵なしだった。結局、それが悪かったんだろうな。どうやったって負けるわけがないと長官たちが思いこんでしまったんだよ。

しかしわしら搭乗員は油断はしなかった。なぜって――わしらはいつも最前線で戦っていたんだ。機動部隊としては連戦連勝かもしれないが、搭乗員の損失がゼロということはありえない。どんな圧勝の戦いでも必ず未帰還機は出た。真珠湾でも未帰還機が二十九機も出たんだ。だからわしらはいつも必死だった。空の上で油断すれば死ぬのは自分自身だからだ。

ミッドウェーでも、わしら零戦隊は敵の基地航空機と空母の艦上機を百機以上撃墜した。あの海戦の負けを作ったのは南雲、それと源田だろうね。

ミッドウェーから戻ると、わしら搭乗員は内地で一ヵ月くらい軟禁状態にされた。空母四隻沈没のことは徹底して箝口令《かんこうれい》が敷《し》かれた。口外すれば、軍法会議で重罪みたいな空気があったな。馬鹿げてるよ。国民に本当のことを言わないでどうする。いや、それどころか海軍は陸軍にも本当のことを言ってなかったらしいな。それでガダルカナルの時も、陸軍は、なぜ海軍は米軍よりも優勢なのに制海権と制空権がとれないのだ、と不思議がっていたそうだ。

わしはその後、新たに編成された航空艦隊に配属となった。母艦に乗らなかった連中の多くがラバウルへ行った。

わしは改造空母の「飛鷹《ひよう》」に乗り、ガダルカナル奪回作戦に従事した。「南太平洋海戦」も戦ったが、あれはきつかった。数次にわたる攻撃で「ホーネット」を沈めたが、多くの歴戦搭乗員、特に艦爆と艦攻の優秀なやつらを大勢失った。

結局ガダルカナルを奪い返すことは出来なかった。半年にわたる戦いで、ミッドウエーの生き残りの搭乗員の大半はソロモンの空に散った。貴重な熟練搭乗員の八割方はそこで失われたと思う。帝国海軍は取り返しのつかないことをやってしまったのだ。

わしはその後、内地で半年くらい教員をやってから、インドネシアのチモール島のクーパン基地に配属となった。そこでオーストラリアのポートダーウィンへの攻撃を繰り返した。

その頃は東南太平洋の主導権は完全にアメリカに握られていた。ラバウルはアメリカの反攻作戦の矢面に立たされていた。そんな状況で、オーストラリアを攻めるも何もあったものじゃない。

ラバウルは搭乗員の墓場と言われていたが、十八年の後半になると、逆に数少ない生き残りの連中は腕利き揃いで、敵の反攻をよくしのいでいた。というのもかつてラバウルは千キロも離れたガダルカナルへ長駆侵攻していたが、その頃は逆に攻めてくる相手を邀撃《ようげき》する戦いだったからだ。言うなればホームで迎え撃つ戦いだったわけだな。

あの頃のラバウルには岩本徹三さんがいたはずだ。岩本さんは太平洋戦争で日米を通じて最高の撃墜王だ。最終的に撃墜数は二百機を超えたのじゃなかったかな。

西澤廣義もいたな。西澤は一時内地へ帰っていたが、十八年にはラバウルに戻っていたはずだ。西澤は岩本以上の達人だったかもしれない。米軍からも非常に高い評価を受けていて、現在もアメリカ国防省に西澤の写真が飾られているほどだ。そんなパイロットは他にいない。

それに岩井勉も小町定《さだむ》もいたはずだ。小町は若いが名人だった。とにかく、数は少ないが、凄腕が何人かいた。いずれも簡単に墜とされるような連中ではない。宮部もその中の一人にいた。

西澤らの奮戦でラバウルは持ちこたえていたが、いかんせん多勢に無勢だ。それに制海権を取られているから、補給がうまくいかない。それでついにラバウルも駄目になったというわけだ。そうなると敵もラバウルを無理に攻略する必要はない。結局米軍はラバウルを孤立させ、一足飛びにサイパンに攻め込んできた。

米軍は一気に内懐《うちぶところ》に斬り込んできたのだ。

十九年の初め、わしは比島に配属となり、空母「瑞鶴《ずいかく》」の搭乗員となった。比島というのはフィリピンのことだ。「瑞鶴」は真珠湾から戦い続けている艦だった。珊瑚海で空母「レキシントン」を沈め、南太平洋で空母「ホーネット」を沈めていた。そして自らは一度も被害を受けたことがない武運に恵まれた艦だ。わしは「瑞鶴」乗組になった時、ついていると感じた。この艦に乗っていれば、今度も生き延びることが出来るかもしれないと思ったのだ。兵隊というのは存外ゲンを担ぐものなのだ。

各基地から空母の乗員として多くの搭乗員がかき集められていた。

わしはそこで思わぬ男と再会した――宮部だ。

お互いに大いに驚いた。その頃はもう日中戦争からの生き残りはほとんど戦死していたから、古い戦友に巡り会えただけで、本当に嬉しかった。

宮部とは別に仲がいいわけではなかったが、今、こうして再会すると、かけがえのない旧友と巡り会えた喜びを感じた。宮部もそう感じたようだった。

「お前、生きていたのか」

「谷川さんもご無事で」

と宮部は言った。

「よせよ、同年兵でそんな言い方は。俺が話しにくい。俺、お前でいこう」

宮部はにこりと笑った。十年にわたる海軍生活で二人とも階級は飛曹長になっていた。准士官だ。

「わかったよ、谷川」

二人は互いにそれまでどこでどうやって戦ってきたのか何も語らなかったが、今日まで生き残ることがどれほど大変なことだったかは二人ともわかっていた。

「今度は総力戦だな」

とわしは言った。

「きつい戦いになるだろうな」

「今度こそ、死ぬかもしれんな」

わしの言葉に、宮部は口を引き締めた。

反攻する米機動部隊を迎え撃つ日本の機動部隊は、ミッドウェー以来の歴戦艦「翔鶴」と「瑞鶴」、それに新造の大型空母「大鳳《たいほう》」を中心とする九隻の空母だった。もっとも正規空母はこの三隻のみで、あとは商船改造などの小型空母だ。一方の米軍は大型空母「エセックス」級がぞくぞくと投入されていた。偵察機の情報によると、敵の空母は十数隻ということだった。もう彼我の戦力差は比べるべくもないほどに広がっていた。ちなみにこの「エセックス」級の空母というのはとてつもなく強靭《きょうじん》な空母で、日本海軍は終戦までついに一隻も沈めることは出来なかった。

しかし、たとえ敵兵力が多くともやらねばならない。それが戦争だ。

心強かったのは、「翔鶴」「瑞鶴」「大鳳」の第一航空戦隊に搭載された飛行機はいずれも最新鋭のものだったことだ。戦闘機は新型の零戦五二型、艦爆は彗星《すいせい》、艦攻は天山だった。もう旧式の九九艦爆や九七艦攻では戦えない状況になっていたから、これらの新型飛行機の存在は心強かった。特に彗星艦爆は敵戦闘機よりも速いと言われていたので、これは相当な戦力になると思われた。

それに新空母の「大鳳」は戦艦なみの四万トン級の大型空母で、飛行甲板には鉄板が敷かれ、五百キロ爆弾の急降下爆撃にも耐えうるというものだった。

「大鳳がミッドウェーにあれば、勝てたのになあ」

わしは「瑞鶴」の甲板から遠く「大鳳」を眺めながら宮部に言った。ミッドウェーでは四隻の空母はいずれも五百キロ爆弾で沈められたのだ。宮部は笑いながら言った。

「それは話が逆だろう。ミッドウェーでやられたから、こういう空母を作ったんじゃないか」

「それはそうだな」

「俺はそれよりも防御力のある飛行機が欲しい」

その思いはわしも同じだった。防弾板がないばかりにどれだけ多くの優秀な搭乗員が亡くなったたか。たった一発の流れ弾で命を失うというのはあまりにも理不尽な気がしたものだ。

グラマンF6Fなどは、七・七ミリ機銃だと百発くらい撃ち込んでもけろっとしている。クーパン基地にいる時に、一度撃墜したF6Fの残骸を見たことがあった。その時、鋼板の厚さに呆《あき》れたものだった。特に搭乗員の背中に設けられたぶ厚い防弾板は、七・七ミリ機銃では突き通せないほどのものだった。

米軍は搭乗員の命を本当に大事にするのだなあと感心した。

また米軍は空襲にやってくるときには、必ず道中に潜水艦を配備していた。途中、帰還がかなわず不時着水した搭乗員を救出するためだ。

その話を宮部とした時、彼は言った。

「墜とされてもまた戦場に復帰出来るということは、失敗を教訓に出来るということだ」

「俺たちは一度の失敗で終わりか」

「それもあるが、彼らはそうした経験を積み、熟練搭乗員に育っていく」

「こっちは逆に熟練搭乗員が減っていくというわけか」

この頃、米軍の搭乗員の技量は開戦当初とは比べものにならないほどに上がっていた。加えて新鋭戦闘機のグラマンＦ６Ｆやシコルスキーの性能は零戦よりも上だった。彼らはその優れた戦闘機で無線を使って巧みな編隊空戦をやる。しかも数の上でも圧倒しているのだ。

翻って我が方の搭乗員はほとんどが飛行経験二年未満の若い搭乗員だった。その技量の低下は覆うべくもなかった。それが歴然としたのは、比島のタウイタウイ泊地で発着艦訓練を見た時だ。何と着艦失敗が相次ぐのだ。艦尾にぶつけるもの、甲板でひっくり返るもの、勢い余って艦首から落ちるもの。発着艦訓練をやるたびに相当数の機体と搭乗員が失われた。たしか五十機以上の機体と同じくらいの搭乗員が亡くなったのではなかったか。発着艦の訓練だけで空母一隻くらいの戦力が失われたのだ。

「いったい、どうなってるんだ」

わしは搭乗員控え室で宮部と二人になった時に言った。

「着艦も満足に出来ない搭乗員で戦争が出来るのか」

宮部は椅子に腰掛け、腕を組んだ。

「おそらく、訓練期間を短縮して実戦にやってきたのだろう。この前、若い搭乗員に飛行時間を聞いたら、百時間と言っていた。百時間で空母への着艦は無理だ」

「百時間じゃ飛ぶだけで精一杯だぜ」

宮部は頷いた。わしは言った。

「俺たちが真珠湾に行った時は皆、千時間を超えていたぜ」

宮部は目を伏せて言った。

「つまりもう一航戦は昔とは全然違っているということだよ」


まもなく発着艦の訓練は中止になった。このまま訓練を続けていけば、おびただしい飛行機と搭乗員を失っていくばかりだからだ。それにもう一つ、タウイタウイの湾外は敵潜水艦の遊弋《ゆうよく》するところで、そんなところで発着艦訓練をするのは危険極まりなかったからだ。艦艇が潜水艦を警戒する時は之字運動と言ってジグザグに航進するが、航空機の発着時には空母は風上に向かって直進する。これは潜水艦にとっては絶好の攻撃目標になる。

我が駆逐艦は対潜能力に大いに欠けていた。跳梁跋扈《ちょうりょうばっこ》する敵潜水艦を仕留めることが出来なかったのだ。下手をすると逆に駆逐艦が潜水艦にやられることさえある。ネコがネズミにやられるようなものだ。これは敵の優秀な水測兵器と電探のせいだった。つまりテクノロジーの差だ。司令部はたかだか発着艦訓練のために貴重な空母を危険にさらせないと判断したのだろう。

発着艦訓練の中止を聞いた夜、わしは宮部を飛行甲板に誘った。

「訓練を中止してどうするつもりなんだ」わしは言った。

甲板にはなま暖かい風が吹いていた。熱帯の夜だった。二人は甲板に腰を下ろした。

宮部は言った。

「参謀連中は発艦さえ出来れば、と思っているのだろう。実際、発艦は何とか出来るようだから」

「すると攻撃は最初の一回限りということになるぞ」

宮部は頷いた。

「一撃に賭《か》けるつもりなのだろう」

わしは暗澹《あんたん》たる気持ちになった。

訓練中止は搭乗員にとって大きな痛手だった。搭乗員の練度というものは訓練で維持するものだ。スポーツのトレーニングと一緒だと言えばわかるかな。

大一番の戦いを前にして、わしらはひと月近く飛ぶことが出来なかったのだ。

そして十九年六月、ついに米軍がサイパンを猛攻した。

これは参謀たちにとって予期せぬものだったらしい。サイパンやグアム方面は多くの島々に我が軍の陸上基地が多数あり、航空機の総数もかなりのものだったから、まさか米軍がやってくるとは思わなかったのだろう。これも油断に他ならない。

米機動部隊はそれらの基地に凄まじい数の航空機を送り込んできた。日本軍の基地航空隊は各個に撃破され、ほとんど壊滅状態になった。

しかしサイパンは日本軍としては絶対に守り切らねばならないところだった。ガダルカナル島やラバウルは太平洋戦争が始まってから占領した島だが、サイパンは違う。ここは戦前から日本の統治領で、日本人町があり、多くの民間人も住んでいた。それにサイパンを取られたら、新型爆撃機B29の攻撃に本土がさらされる危険もある。だからこそ日本軍はここを絶対国防圏としていたのだ。

米軍のサイパン上陸を知った連合艦隊司令長官はただちに「あ」号作戦を発令し

た。「あ」号作戦とは米機動部隊撃滅作戦だ。

小澤治三郎長官の率いる第一機動部隊はタウイタウイからサイパン沖に向かった。連日、多数の索敵機を送り出した。これはミッドウェーの敗北を教訓にしたものだ。そして十八日、ついに索敵機が米機動部隊を発見した。しかし日没が近かったことに加え、距離が遠すぎたので、攻撃は翌日ということになった。

翌日、米機動部隊との距離は四百浬《かいり》まで近づいた。この時点で我が機動部隊はまだ米艦隊に発見されていない。我が軍にとって大きなチャンスだ。しかし仮に発見されていたとしてもかまわなかったのだ。なぜなら日本の航空機は米航空機よりも航続距離が長く、相手の手が届かない距離から攻撃出来るのだ。そう、ボクサーのリーチが長いみたいなものだ。

これが世に名高い小澤長官の「アウトレンジ」戦法だ。米機動部隊が攻撃不可能の距離から攻撃をかけるのだから、リスクゼロの戦法というわけだ。

こう言えば、まさに理想的な作戦に聞こえるが、実態はそううまい話ばかりではない。たしかに機動部隊にとってはリスクはないが、航空隊にとってはそうではない。搭乗員にとって、四百浬を飛んで敵機動部隊を攻撃するというのは容易なことではない。四百浬と言えば約七百キロだ。敵上空に達するまで二時間以上の洋上飛行を要求されるのだ。ハワイのように動かない陸上基地ならまだしも、相手は高速で動き回る機動部隊だ。敵艦隊上空にたどり着く間に百キロも移動する相手なのだ。はたして敵機動部隊にたどり着けるかどうかもわからない。誘導は熟練搭乗員がやるが、途中で敵邀撃機に出喰わして編隊がばらばらになれば、多くの搭乗員が敵機動部隊に行き着けないだろう。

しかも我が攻撃隊のほとんどが新人同様の搭乗員なのだ。たしかに彼らの志気は旺盛だった。戦いに倦《う》み疲れていた古参搭乗員よりははるかに強い戦闘意欲を持っていた。しかし空の上は気持ちだけではどうしようもない。純粋に航空機の性能と操縦技術がものを言うのだ。

首尾良く攻撃を終えた後は、母艦に戻る自信のない搭乗員たちはグアム島の陸上基地に行き、そこで燃料と機銃弾薬および爆弾を搭載し、反復攻撃をかけるように命じられていた。

ともあれ、こうして攻撃隊が発進した。

旗艦「大鳳」のメインマストには、前日Z旗が掲げられた。かつて東郷平八郎連合艦隊司令長官が日本海海戦の直前に掲げたという栄光の旗旒《きりゅう》信号だ。今度の戦いでは、真珠湾攻撃以来、一度も掲げられたことがないZ旗が大きくはためいた。まさに「皇国の興廃この一戦にあり」だ。

われわれ搭乗員の気持ちもいやが上にも引き締まった。

こうして六月十九日早朝、まず第三航空戦隊から第一次攻撃隊が母艦を飛び立った。次に第一航空戦隊から第二次攻撃隊が発進した。わしはその第二次攻撃隊の彗星の直掩機だった。

この日、我が機動部隊からは六次にわたって攻撃隊が出撃し、その総計は四百機を超えるすごいものだった。これほどの攻撃隊はかつてない。真珠湾攻撃をはるかに超える規模だった。しかも航空機は零戦五二《ごうにい》型、彗星艦爆、天山艦攻と新鋭機が揃っていた。

ただ悲しいことにそれを操縦する搭乗員たちが真珠湾の時とは違っていた。それは発艦直後に明らかになった。何と密集隊形の美しい編隊が組めないのだ。もはや昔日の海軍航空隊ではなかった。

――結果か。あなたの想像通りだよ。

敵は高性能の電探で我が方の攻撃隊を百浬も先から捉《とら》えていたのだ。しかも高度まで読みとっていたというから驚きだ。もっともこれらは全部戦後に知ったことだ。小澤長官以下参謀たちが米軍の電探の性能をどの程度まで知っていたのかは知らん。おそらく何も知らなかったのだろう。だがわしらは身をもって知らされた。

米軍は機動部隊の全戦闘機を迎撃機として発艦させ、我が攻撃隊を待ち伏せていたというわけだ。アウトレンジ戦法で先制攻撃をかけるはずが、逆に奇襲攻撃にあったのは我々の方だった。

我が攻撃隊は高位から、倍以上の敵戦闘機に襲われた。わしはあやうく攻撃を逃れたが、列機はあっというまに火だるまになって墜ちていった。わしは何とかグラマンに喰らいつこうとしたが、一機を追尾すると、別の機に後ろから撃たれるといった具合で、敵を墜とすどころではない。

次々と我が軍の飛行機が墜ちていった。練度の低い操縦員たちは回避運動も出来ないまま、次々と敵戦闘機の餌食になっていった。

この時の戦闘を米軍兵士たちが何と呼んだか――「マリアナの七面鳥撃ち」だ。

七面鳥という鳥はよく知らんが、この鳥は動きが非常にのろく、これを撃つのは子供でも出来るくらい簡単なことらしい。米軍の戦闘機乗りにとって、この時の日本軍の航空機は七面鳥みたいなものだったのだ。

敵戦闘機の第一陣をくぐり抜けても、次に第二陣があった。敵は何段にもわたって戦闘機隊を配備していたのだ。

結局、この邀撃ラインを突破できたのは数えるほどだった。かなりの攻撃機が撃墜された。

わしはそれでも何機かの彗星艦爆を援護して、敵機動部隊上空までたどり着いた。

彗星は速度があったから何とか突破出来たのだろう。しかし速度の遅い天山艦攻はおそらくほとんどが喰われたと思う。

敵艦隊上空まできて、わしは戦慄《せんりつ》を覚えた。大型空母が何隻も群がるようにいるではないか。十隻近くはあったと思う。日本海軍がこの海戦でつぎ込んだ正規空母が三隻。対する米軍はその三倍の大型空母を揃えていたのだ。リーチの差など関係あるもんか。重量級のボクサーに挑む軽量級のボクサーのようなものだ。

艦隊上空にはものすごい数の直衛機が待っていた。わしは観念した。わしの命運もここで尽きると思った。どうせ死ぬなら、自分の機を犠牲にしても、艦爆に一発の命中弾を与えてやりたい。

わしは彗星艦爆に襲いかかる敵戦闘機にほとんど体当たりせんばかりに向かっていった。わしの気迫に呑まれたのか、敵戦闘機の銃撃は彗星までは届かなかった。わしは彗星にぴたりと張りつき、敵戦闘機を追い払った。いざとなれば身代わりになってやる。

彗星が急降下に入るのが見えた。艦隊が猛烈な対空砲火を撃ち上げる。見たこともないものすごい弾幕だ。空が真っ黒に見えた。彗星はその中を勇敢に突っ込んでいく。頑張ってくれ、とわしは祈った。たとえ蟷螂《とうろう》の斧《おの》であろうと、一撃だけでもお見舞いしてくれ。敵《かな》わぬまでも一太刀浴びせてくれ！

しかし次の瞬間、信じられないものを見た。彗星艦爆が次々と火を噴いて墜ちていくのだ。米軍の対空砲火がまるで照準器つきの銃で狙撃するように彗星艦爆を撃ち墜としていくのだ。わしは墜ちていく彗星を呆然《ぼうぜん》と眺めていた。

結局、彗星艦爆はほとんど戦果を挙げられなかった。もうわしは何がなんだかわからなくなっていた。そんなわしにグラマンが襲いかかってきた。わしはもう本能だけで敵を回避した。反撃などとても出来ない。自分の身を守るのが精一杯だ。相手はまるでネコがネズミをいたぶるように次々と攻撃してくる。一機をかわせば次の一機という具合に。わしはただ敵弾を回避するのが精一杯だった。

ようやくのことで敵艦隊上空から逃れると、グラマンは追っては来なかった。おそらく艦隊護衛の任務があったからだろう。執拗《しつよう》に追われていれば、確実にやられていただろう。

わしは母艦に帰ることにした。周囲に味方機は一機もなかった。グアム島の基地に行くことも考えたが、あえて母艦に戻ることにした。この決断はわしの命を救った。わしらの後に出撃した第三次攻撃隊は敵空母を発見することが出来ず、母艦に戻らずにグアムへ向かったのだが、グアム上空で待ちかまえていた敵戦闘機にほとんど撃墜されたのだった。

わしが母艦に帰ると、味方空母は一隻しかない。「大鳳」と「翔鶴」の姿がないのだ。敵の攻撃機はまだ来ていないはずなのに。

わしは「瑞鶴」に着艦して、飛行長に戦闘報告に行った。

敵戦闘機の邀撃によって多くの攻撃機が失われ、また自分の見るところは敵機動部隊への戦果は、ほとんどなかったことを伝えた。

飛行長はそれを聞くと、そうかと言ったきり黙ってしまった。

わしは報告を終えた後、乗員に「大鳳」と「翔鶴」のことを尋ねた。すると二隻の空母は敵潜水艦の雷撃で沈められたというではないか。全身の力がいっぺんに抜けてしまった。こちらの全戦力を傾けた攻撃が不発に終わったその間に、我が方の空母が二隻も沈められるとは――。

大負けだ、と思った。

しばらくして一機の零戦が戻って来た。宮部だった。列機は連れていなかった。あの空戦で、列機を連れて帰るなど出来るものではない。宮部機も何発も被弾していた。飛行機から降り立った宮部も疲れ切っていた。

戦闘報告を終えた宮部はわしを見ると驚いたようだった。それから目で「よく生き延びたな」と言うのがわかった。

二人は搭乗員控え室に入った。その部屋はがらんとしていた。今日出撃したほとんどの搭乗員が戻らなかったのだ。

「大勢喰われたな」

　とわしは言った。

「多分、電探だな。敵の電探は相当すぐれたものになっているみたいだ」宮部は答えた。

「敵さんにはたどり着けたか」

　宮部は頷いた。

「すると、あれを見たか？」

　宮部はちょっと間を置いて答えた。「見た」

「戦闘報告で言ったか？」

「一応、伝えたが、飛行長も幕僚たちも、ああ、そうかという感じだった」

「俺もそうだ。一所懸命に報告したが、まともに取り合って貰えなかった」

「見た者でなければわかってもらえないだろう」

「あれは、一体なんだ？」

　宮部は首を振った。

「何かはわからんが、とんでもなく恐ろしいものだというのはわかる――。もう敵空母を沈めることなんか出来ないかもしれない」

　二人が話していたのは、敵の対空砲火のことだった。ものすごい確率で爆撃機に命中するのだ。それはもう信じられないほどだった。何かとんでもない新兵器が出てきたのかもしれないと思った。

二人の推測は当たっていた。

その秘密兵器は「近接信管」と呼ばれるものだった。「マジックヒューズ」とか「VTヒューズ」という渾名《あだな》を持つこの信管は、砲弾の先が小型レーダーになっていて砲弾の周囲何十メートルか以内に航空機が入ると、その瞬間に信管が作動して爆発するという恐ろしい兵器だった。

これらもすべて戦後何年も経ってから知った。米軍はこの「VTヒューズ」の開発にマンハッタン計画と同じくらいの金をかけたという。マンハッタン計画とは原爆の開発計画だ。

それを知った時、米軍と日本軍の思想はまったく違うものだったのだと知った。「VTヒューズ」は言ってみれば防御兵器だ。敵の攻撃からいかに味方を守るかという兵器だ。日本軍にはまったくない発想だ。日本軍はいかに敵を攻撃するかばかりを考えて兵器を作っていた。その最たるものが戦闘機だ。やたらと長大な航続距離、素晴らしい空戦性能、それに強力な二十ミリ機銃、しかしながら防御は皆無——。

「思想」が根本から違っていたのだ。日本軍には最初から徹底した人命軽視の思想が貫かれていた。そしてこれがのちの特攻につながっていったに違いない。

日本軍は、当時この「VTヒューズ」のことはまったく気づいていなかった。だが生き残った彗星艦爆隊の連中は本能的に「VTヒューズ」の仕組みを知ったようだった。

「突然、目の前で爆発するんだ。砲弾が俺たちの近くに来ると爆発する仕掛けか何かがあるようだ」

これは帰還した彗星艦爆のある操縦員がわしに言った言葉だ。彼は真珠湾以来の生き残りの艦爆乗りだった。それだけに言葉に重みがあった。

しかし参謀たちは、前線の搭乗員たちがいくら言おうと、謎の新兵器の存在を信じようとはしなかった。ただ対空砲火の数を増やしたのだろうというくらいにしか考えなかったようだ。もっとも仮に「VTヒューズ」のことを知ったとしても効果的な対策が練られたとも思えない。

帝国海軍が総力を挙げた「マリアナ沖海戦」は、初日で航空機を三百機以上失い、虎の子の空母を二隻も失った。数時間でほとんどの戦力が壊滅したのだ。一方、米軍の損失は皆無に近かった。

二日目、今度は遁走《とんそう》する我が軍に向けて、米機動部隊が攻撃する番だった。おびただしい敵艦載機が我が艦隊に襲いかかった。わしも邀撃に上がったが、多勢に無勢でどうしようもなかった。爆撃機を撃墜するどころか、敵の戦闘機に墜とされないでいることに必死だった。何百機という敵の攻撃機を十数機の戦闘機で守れるはずもない。

この戦いで「瑞鶴」は爆弾を受けて小破した。「瑞鶴」が被弾したのは開戦以来初めてだった。しかし改造空母「飛鷹」と給油艦二隻を失っただけで、何とか逃げ切った。

わしは海上に不時着し、駆逐艦に救助された。宮部もどこかで駆逐艦に救助されたのだろう。

こうして乾坤一擲《けんこんいってき》の大勝負をかけたマリアナ沖海戦で、連合艦隊は戦力の大半を失い、敵のサイパン上陸部隊を叩くことはまったく出来なかった。

この後、サイパンの日本陸軍はほとんど全滅し、民間人も犠牲になった。バンザイ岬では多くの日本人が身を投げて死んだ。戦後、崖の上から次々と落下する日本人の姿を映した米軍の映像を見た時、わしは涙が止まらなかった。「許して下さい」と心の中で何度謝ったかしれなかった。

マリアナから内地へ戻った後、「瑞鶴」はドックで修理に入った。わしら搭乗員たちは一日各地の航空隊へ配属された。その際、少しばかりの休暇を貰えた。宮部がその後、どこの航空隊に行ったのかは覚えていない。しかし宮部との別れ際の会話は覚えている。

「家族に会うのは久しぶりだ」

と宮部は言った。

「谷川はどうする」

「俺の休暇は三日だし、岡山まで行って帰るだけで潰れてしまう。長い休暇が貰えた時に帰るよ」

宮部は少し考えていたが、

「想う人はいないのか」

と訊いた。

「女か」

宮部は頷いた。

「そんなものはいない。俺が会える女は慰安所の女しかない」

「故郷にはいないのか」

「いないよ」

わしはそう言って笑ったが、その時不意に一人の少女の顔を思い出した。

「一人いた」とわしは言った。「幼なじみの女の子だ。他愛もない子供の頃のことだ。もうとっくに嫁に行っている」

そう言いながら、わしは少し寂しい気持ちがした。わしは二十五歳になっていたが、十五歳からずっと海軍で生きてきたのだ。海軍の他は何も知らなかった。それ以外の青春はなかった。

宮部との会話はただそれだけだった。しかしこの会話がわしの人生を変えた。

わしは木更津でしばらく教員をやったが、秋には再び、戦地へまわされることになった。行く先は比島だった。

再び戦地に行くことが決まった時、輸送船の都合で、一週間の休暇が貰えた。わしは久しぶりに故郷へ戻った。故郷では村の人たちが歓迎会をしてくれた。わしは真珠湾攻撃に参加した搭乗員ということで、二年前から村の英雄にされていたのだ。

村の人たちからは戦況のことを訊かれて困った。大本営の発表は嘘ばかりだったからだ。しかし村の人たちはそれを信じていて、わしに華々しい話をさせようとするのだ。内地では驚くほど切迫感がなかった。日常物資などはかなり欠乏していたようだったが、当時はまだ本土に空襲はなく、銃後の国民にとっては、戦争の怖さを身近に感じることはなかったのだ。

こんな人たちにマリアナで起こったことは口が裂けても言えない。それに休暇を貰う時に、海戦の状況については一切喋《しゃべ》ってはならぬと言い渡されていた。

その時、手伝いに来ていた女性の中に、一人の美しい女性がいた。何と小学校の同級生の島田加江《しまだかえ》だった。宮部に話した女だ。

「正夫さん、立派になられましたね」

彼女は言った。

「ありがとうございます」

わしはそれだけ言うのが精一杯だった。当時、わしは、まだ女を知らなかった。慰安所には何度も誘われていたが、実は一度も行ったことがなかった。

「正夫さんがお国の英雄なんて、信じられない」

彼女はそう言って、けらけら笑った。

「わたくしもそう思います」

わしがまじめくさって言うものだから、彼女は一層おかしそうに笑った。

「私は昔、正夫さんを泣かしたことがあるのですよ」

「覚えています」

たしか小学校の一年生かその時分だった。加江は気の強い女の子で、ある時、ささいなことで喧嘩になり、加江に頭をさんざん叩かれて泣かされたのだった。かなり長い間、屈辱的な思い出だっただけに、しっかりと覚えていた。

「でも今では英米の戦闘機を撃墜しているんでしょう」

「はい」

「お国のために、ご苦労様です」

加江は両手をついて深々と頭を下げた。そして座敷を後にして二度と戻らなかった。

宴会の間中《あいだじゅう》、わしの心の中は彼女のことで一杯だった。多分、酒が入っていたせいだろう。わしは宴会の終わりに、村長に「島田加江さんは今独身ですか」と訊いた。

「お前、加江を気に入ったのか。あれは行き遅れだが、村一番の別嬪《べっぴん》だ」

「もう誰か決まった人がいるのですか」

「そんなものはおらんはずだ。お前、加江を貰うか」

自分でも思いがけなく「はい」と答えていた。

村長は、よしわかったと言った。その場の話はそれだけだった。翌日、実家で休んでいると、村長と加江の父親がやって来た。二人はわしの父と兄と話し合い、わしと加江を結婚させることを決めた。話は進み、祝言は二日後ということになった。わしが隊に戻るのは三日後だった。

今更待ってくださいと言えるものではない。わしは覚悟を決めた。

二日後、わしの家で祝言を挙げた。加江とはあの日以来、一度も会話をしていなかった。宴会が済んで二人きりになった時は、すっかり夜も更けていた。

加江は「よろしくお願いします」と深々と頭を下げた。わしも「こちらこそ」と神妙に頭を下げた。わしは緊張していた。戦場でもこんなに緊張することはあったかというくらい緊張していた。

しかしわしは腹を据えて言った。

「加江さんに言っておかなければならないことがあります」

「はい」

「大本営では日本は勝っているようなことを言っていますが、本当は負けています」

加江は黙って頷いた。その様子を見て、村人たちも本当は大本営の発表など信用していないのだなとわかった。空襲は受けていなくとも戦況の悪化は感じていたのだ。

「自分は明日、隊に戻ります。次はどこへ行くかわかりません。もしもう一度戦地に行くようなことがあれば、今度こそ、生きて戻れないかもしれません」

「はい」

「祝言まで挙げてこんなことを言うのはなんですが、わたくしの不用意な一言から申し訳ないことをしたと思っています。もし、わたくしが戦死したら、あなたは後家になります。その時は、わたくしの家のことなどは気にせず、別の男と一緒になって下さい」

「生きて帰って来てはくださらないのですか」

「約束は出来ません。わたくしは加江さんを生娘のままにしておきたいのです。もしわたくしが帰ってこなくて、あなたが別の男と一緒になる時、そのほうがいいと思うからです」

加江はわしの話をじっと聞いていたが、長い時間があって、言った。

「なぜ、わたしをお嫁さんに欲しいといってくれたのですか」

「好きだからです」

「わたしがなぜ正夫さんのところにお嫁に来たかわかりますか」

「なぜです」

「好きだからです」

その言葉を聞いた時、加江のためなら死んでも悔いはないと思った。

わしはその夜、加江を抱いた。

――下らない話を聞かせてしまったな。堪忍してくれ。

翌日、わしは加江と別れ、多くの村人たちに見送られて村を後にした。

さらに三日後、わしは再び日本を離れた。

米軍の次なる反攻地点は比島のレイテ島だった。

連合艦隊はレイテ上陸の米軍を叩くための作戦を展開した。「捷《しょう》一号」作戦と呼ばれるものだ。

わしはルソン島のマバラカット基地に配置になった。


マバラカット――何という嫌な響きだ。いや土地の名前に罪はない。しかしわしにとってはこの町は、今も名前を聞くだけで心に暗い影が差す。

わしが到着してしばらくしたある夜、下士官以下の搭乗員が総員、指揮所前に集合させられた。集まった搭乗員を前にして、副長は言った。

「諸君に集まってもらったのは他でもない。今、日本は未曾有《みぞう》の危機である。戦況は極めて厳しいと言わざるを得ない。そこで、今後は、米軍に対して必殺の特別攻撃を行う」

どういう意味かすぐにわかった。体当たり攻撃せよというのだ。

「しかし特別攻撃は十死零生の作戦であるから、志願する者だけがこれに参加することとする」

空気が張りつめた。息をするのも苦しいような重い静寂が指揮所の周囲を覆った。

「志願する者は一歩前へ出ろ！」

副長の横にいた士官が大声で言った。

しかし誰も動かなかった。はい、そうですかと動けるものではない。「今ここで、死ぬ者は名乗りを上げよ」と言われて、即答出来るはずがない。いかに死を覚悟していようと、そのこととは別だ。

「行くのか、行かないのか！」

一人の士官が声を張り上げた。その瞬間、何人かが一歩前に進んだ。つられるように全員が一歩前に進んだ。わしも気がつけば皆に合わせていた。

戦後になって、この時の状況が書かれた本を読んだ。士官の言葉に搭乗員たちが我先に「行かせてください」と進み出たことになっていたが、大嘘だ！

そう、あれは命令ではない命令だった。考えて判断する暇など与えてくれなかった。わしらは軍人の習性として、上官の言葉に反射的に従ったようなものだ。

隊舎に戻ってから、ことの重さがひしひしと伝わってきた。最初に考えたのは加江のことだった。彼女との約束を破ってしまうことになると思った。加江の泣く顔ではなく、怒る顔が浮かんできた。かつて子供の頃、わしを叩いた加江の顔が浮かんできた。わしは心の中で何度も謝った。

これまで一度も遺書など書いたことはなかったが、初めて書いた。何を書いたかは覚えていない。しかし書き出しは今でも覚えている。「愛する加江様へ」と書いたのだ。

わしは正直に言って死ぬことを怖れてはいなかった。これは強がりではない。真珠湾攻撃の時から、命はないものと思っていた。わしよりも優れた搭乗員が何人も亡くなっていた。わし自身、これまで百回近い空戦で、何度も機体に敵弾を受けた。いずれも致命傷にはならなかったが、あと数十センチずれていれば撃墜されていたということが何度かあった。今日まで生き延びてきたのは幸運だったに過ぎない。いずれはわしも戦友たちの後を追う――。

しかし死を覚悟して出撃することと、死ぬと定めて出撃することはまったく別ものだった。これまでは、たとえ可能性は少なくとも、一縷《いちる》の望みをかけて戦ってきたのだ。だが特攻となればもう運も何もない。生き残る努力もすべて無駄なのだ。出撃すれば必ず死ぬ。

しかし、志願したからには、潔く死ぬしかない。ただ加江のことだけが心残りだった。結婚するのではなかったと心から後悔した。しかしその一方で、加江を守るためなら死ねると思った。

第一航空艦隊司令長官、大西瀧治郎がマバラカットに到着したのは、わしらの志願があった後だったと記憶している。

史実によれば、マバラカットに来た大西長官が特攻を発案し、関行男大尉を隊長に任命したことになっているが、それはおかしい。それ以前に、下士官一同に特攻志願させているからだ。大西長官の到着前に、特攻が行われることが決まっていたに違いない。

それからまもなく特別攻撃隊の搭乗員が発表された。関大尉を隊長とする二十四人だった。

わしの名前がないと知った時はほっとした。志願したからには遅かれ早かれ特攻に参加することになるが、それがわかっていてもその時はほっとした。そしてそんな自分を嫌悪した。

選ばれた搭乗員に対しては何とも言えない気持ちだった。可哀想だとか不運だとかという見方は出来なかった、わかるかな。

彼らは顔色一つ変えなかった。彼らこそは本当の侍だった。自分なら果たしてそんなふうに振舞えるかと自問した。選ばれなかった多くの搭乗員が同じことを思っただろう。

大西長官は選ばれた特攻隊員を前に言った。

「日本はまさに危機にある。この危機を救えるものは大臣でも大将でも軍令部総長でもない。もちろん自分のような長官でもない。それは諸子のごとき純真にして気力に満ちた若い人たちのみである。自分は一億国民に代わってお願いする。どうか成功を祈る。皆は既に命を捨てた神であるから、欲望はないであろう。ただ自分の体当たりの戦果を知ることが出来ないのが心残りであろう。自分はこれを見届けて、必ず上聞に達するようにする」

そして訓示が終わると、台から降りて一人一人の特攻隊員の手を取った。

特別攻撃隊は「神風《しんぷう》特別攻撃隊」と名付けられた。カミカゼではない、その時は「しんぷう」と読んだ。もっともそれ以降は「かみかぜ」と呼ばれるようになっていたが。そして隊ごとに「敷島隊」「大和隊」「朝日隊」「山桜隊」と命名された。これは本居宣長の「敷島の大和心を人とはば朝日ににほふ山桜花」という歌を由来にしたものだった。

同じ頃、連合艦隊では「捷一号」作戦が発令されていた。米軍の比島の上陸作戦を、連合艦隊が総力を挙げて阻止する作戦だった。

日本はもうぎりぎりまで追いつめられていた。

サイパンを陥とした米軍が次の目標としたのは比島だった。比島が米軍の占領下に入れば、南方との連絡が完全に絶たれてしまうことになる。そうなれば石油などの資源も途絶える。だから陸軍も海軍も比島は死守しなければならなかったのだ。

連合艦隊は米軍の比島上陸部隊を叩くべく出撃した。

敵輸送船団を撃滅すること――これが連合艦隊に与えられた使命だった。そのため連合艦隊はものすごいことを考えた。機動艦隊を囮《おとり》として、米機動部隊を引きつけ、その間に戦艦「大和」と「武蔵」をはじめとする水上艦隊をレイテ湾に突入させ、敵輸送船団を一気に葬り去ろうというものだった。まさに肉を切らせて骨を断つという必死の作戦だった。

もっとも当時のわしら基地搭乗員は全体の戦況がどうなっているのかも何もわからず、ただ言われるがまま戦っていただけだった。

特別攻撃は、レイテ湾突入の水上部隊を側面より援護するためのものだった。米空母の飛行甲板を特攻で破壊すれば、艦上機の発着は不可能になる。その結果、水上部隊は空からの攻撃を受けることが減り、レイテ湾への突入が容易になる。

我が方に航空機が十分にあれば、基地航空隊で水上部隊を援護し、あるいは米機動部隊を直接叩けるのだが、もはや日本の基地航空隊ではそうした大規模な攻撃は不可能だった。

こんな状況の中で特攻は生まれたのだ。

関行男大尉率いる敷島隊は十月二十一日に出撃した。しかしその日は接敵出来ず、基地に戻って来た。翌日もまた出撃したが、同じく接敵出来ずに基地に戻って来た。

これは非常に残酷なことだと思う。

関大尉には新婚の奥さんがいた。彼女をおいて死ぬことはどれほど辛かっただろう。彼は出撃前に親しい人に「自分は国のために死ぬのではない。愛する妻のために死ぬのだ」と語ったそうだが、その心境はわかる。関大尉以外の隊員たちもみんな死を前にして、自分なりの死の意味を考え、深い葛藤《かっとう》の末に心を静めて出撃したと思う。

それが敵を発見出来ず、再び帰還する時の気持ちはいかばかりだろうか。再びわずかばかりの生を享受出来ることが、彼らにどれほどの苦しみを背負わせたことだろう。今宵はなき命と思っていた身で、再び夜を過ごすことがどれほどの苦しみを与えたことか。

しかし関大尉を始めとする隊員たちは、わしらにそんな苦悩を決して見せなかった。何という偉い男たちだったかと思う。

そして彼らは四度目の出撃でついに帰って来なかった。

その日、敷島隊を援護したのは、前日クラーク基地から呼ばれてやって来た西澤飛曹長率いる四機の零戦だった。そう、かつて「ラバウルにこの人あり」と言われた西澤廣義だ。彼が呼ばれたのはおそらく特攻機の援護に加えて、敵艦までの誘導という任務もあったのだろう。

関大尉たちの敷島隊の五機は全機体当たりに成功し、護衛空母を三隻大破させるという大戦果を挙げた。このことはセブ島基地からの電報でわかった。史上初の特攻は大成功に終わったのだ。戦果報告をしたのは西澤飛曹長だった。なお、この時の西澤の報告は非常に正確なもので、戦後、米軍の発表では一隻沈没、二隻大破というものだった。

西澤飛曹長は敵戦闘機から敷島隊を守りきり、対空砲火の猛火の中でその突入を見届けた上、追いすがるグラマンF6Fを二機撃墜して、セブ島の基地にたどり着いたのだった。

これは後にセブ島の基地にいた搭乗員から聞いた話だが、零戦から降り立った西澤飛曹長のまとう異様な殺気に誰も声をかけられなかったという。

ちなみに終戦まで行われた航空特攻作戦だが、この時の攻撃が最大の戦果を挙げたものだった。米軍の意表を衝《つ》いたことがもっとも大きな成功要因だったが、西澤という日本海軍随一の戦闘機乗りが援護したということも大きな理由だっただろう。皮肉なことに、この時の大戦果が軍令部に「特攻こそ、まさに切り札」と信じさせたのかもしれない。

西澤はその夜、親しい人にぽつりと呟《つぶや》いたという。「俺もまもなく彼らの後を追う」と。

西澤はその日の出撃で、対空砲火で二番機を失っていた。彼が列機を失ったのはこの時が初めてだったと言われる。これまで何百回と出撃し、百機以上の敵機を撃墜してきた男の、実は一番の勲章はただの一度も部下の命を失わなかったことだ。こんな男は他には坂井三郎さんしかいない。いや、あの地獄のラバウルで一年以上も戦い、ついに一機の列機も失わなかったのだから、西澤は坂井さん以上といえるかもしれない。

西澤が「後を追う」と呟いたのは、関大尉の敷島隊のことを思って言ったのだろうが、加えて失った列機に対して言った言葉かもしれない。西澤のその言葉は現実のものとなった。

翌日、マバラカット基地に戻ろうとした西澤飛曹長に、基地の指揮官は「零戦を残して置け」と言い、搭乗員だけでマバラカットの基地に戻ることを命じた。西澤は他の二人の搭乗員とともにダグラス輸送機に乗りマバラカットに向かった。そして、その輸送機が敵戦闘機に撃墜されたのだ。米軍パイロットたちから「ラバウルの魔王」と怖れられた男のあっけない最期だった。

西澤はどれほど無念だったことだろう。零戦の操縦桿を握っていれば絶対に墜とされることはなかったはずの男が、生涯最後に乗っていたのは、武器を持たない鈍足の輸送機だったのだ。

こうして日本海軍の生んだ最高の撃墜王が、特攻の翌日に死んだ。二十四歳の若さだった。

関大尉は軍神として日本中にその名を轟かせた。関大尉は母一人子一人の身の上で育った人だった。一人息子を失った母は軍神の母としてもてはやされたという。しかし戦後は一転して戦争犯罪人の母として、人々から村八分のような扱いを受け、行商で細々と暮らし、最後は小学校の用務員に雇われて、昭和二十八年に用務員室で一人寂しく亡くなったという。「せめて行男の墓を」というのが最後の言葉だったという。戦後の民主主義の世相は、祖国のために散華した特攻隊員を戦犯扱いにして、墓を建てることさえ許さなかったのだ。関大尉の妻は戦後、再婚したと聞いている。

さて「捷一号」のこともお話ししておこう。もっとも今から語ることは、わしが当時、直接見聞きしたことではない。

敷島隊が特攻出撃を繰り返している同じ頃、レイテ湾を目指して進む栗田艦隊はシブヤン海で敵空母艦上機の猛烈な空襲を受けていた。波状攻撃で多くの艦艇が被害を受けていたが、その攻撃は「武蔵」に集中していたという。「武蔵」はあの「大和」の姉妹艦で、不沈戦艦と呼ばれていた世界最大の戦艦だ。しかし、のべ数百機におよぶ米艦上機の攻撃に、さしもの「武蔵」も満身創痍になった。

一方、小澤治三郎司令長官の率いる空母部隊は、米機動部隊による栗田艦隊への攻撃を我が方に向けるべく、レイテ湾を目指して南進していた。敵の機動部隊にわざと発見されるように派手に電信を打ちまくり、多くの索敵機を飛ばしていた。

そしてついに敵機動部隊を発見し、攻撃隊を送り込んだ。この攻撃は特攻ではなかったが、実質は特攻に近いものだった。なぜなら二度と戻って来られない攻撃だからだ。空母は囮だから沈められる運命にあった。つまり攻撃隊には戻るべき母艦はなかったのだ。搭乗員たちは、敵機動部隊を攻撃した後は、帰還が難しい場合はそれぞれがフィリピン各地にある基地に向かえという命令を受けていたという。しかし広い太平洋上で洋上航行に慣れていない若い搭乗員たちにそんなことが出来るわけがない。ましてや敵の強大な空母群から発進する戦闘機隊の邀撃にあっては生き残ることさえ至難だった。

事実、この時の攻撃隊のほとんどは敵戦闘機によって撃ち墜とされたということだ。

しかし小澤司令長官の決死の作戦は成功した。ハルゼー率いる米機動部隊は小澤艦隊を発見し、こちらこそが主力だったと勘違いしたのだ。

その頃、栗田艦隊は一時反転していたから、ハルゼーは栗田艦隊は被害甚大で撤退したと思い込んだのだ。ハルゼーは栗田艦隊を追わず、全力で小澤艦隊に向かった。小澤艦隊は米機動部隊が自隊の位置を摑《つか》んだと判断するや、今度は北上し、ハルゼーに自分を追わせた。ハルゼーは日本の機動部隊を叩くべく、小澤艦隊を追った。ハルゼーのこの判断は当然だろう。真珠湾以来、太平洋の戦いは空母こそが主力だったのだから。しかも小澤艦隊には連合艦隊の最大の空母「瑞鶴」がいた。真珠湾作戦に参加して大いなる戦果を挙げ、その後、米空母を二隻も沈めている空母だ。米軍にとっては、過去三年にわたって苦しめ続けられた恐るべき空母だった。

アメリカ機動部隊の攻撃は凄《すさ》まじかったと聞いている。小澤艦隊の多くはほとんどなすすべもなく沈められた。真珠湾以来の歴戦艦、我が連合艦隊一の武運に恵まれた「瑞鶴」もついにエンガノ岬沖に沈んだ。

しかし小澤司令長官の命を賭《か》けた大作戦は成功した。ハルゼーはまんまとおびき出され、レイテ島の周辺海域はがら空きになったのだ。

実はその頃、敵機の空襲がなくなった栗田艦隊は再びレイテを目指していたのだ。栗田艦隊は、敵の航空攻撃と潜水艦攻撃で、「武蔵」をはじめ何隻かの艦艇が沈められ、残りの艦艇も傷を負っていたが、世界最強の「大和」は健在で、まだ多くの艦艇が力を残していた。

小型の護送空母六隻と駆逐艦七隻からなる米艦隊は突然、サマール沖に日本艦隊が現れたのを見て、驚愕《きようがく》したという。煙幕を張り、駆逐艦が魚雷を放ち、必死で逃走を図った。頼みとする高速機動部隊は小澤艦隊におびき出されていた。米艦隊は全滅を覚悟したという。

ついに肉を切らせて骨を断つという日本海軍の決死の作戦が実ったのだ——。

しかし米軍にとって奇跡が起こった。栗田艦隊が突如、反転したのだ。

これが史上有名な「栗田艦隊の謎の反転」だ。

一体なぜ、栗田艦隊は反転したのか。後年、様々な説が飛びかったが、このことについて栗田長官は戦後ついに一言も弁明せずに亡くなったという。

栗田長官はハルゼーの機動部隊が小澤艦隊によってフィリピンのはるか北におびき出されていたことを知らなかった。多くの航空攻撃を受けて、敵機動部隊はまだ近くにいると判断したのかもしれない。そしてこのままレイテに突入すれば、艦隊は全滅すると考えたのかもしれない。

歴史に「if」はないが、もしもあの時、栗田艦隊がレイテに突入していたなら、ほとんど丸裸の米輸送船団は全滅していただろう。そうなれば米軍のフィリピン侵攻作戦は大いなる蹉跌《さてつ》を被ったことは間違いない。大量の物資と人員を失った米軍はその作戦の立て直しに、あるいは一年以上はかかったかもしれない。少なくとも、この後に起こったレイテ島の陸上戦闘における日本陸軍の何十万人にも及んだ戦死者は防げただろう。

しかし栗田艦隊の反転で、アメリカ軍に一矢を報いる最後の機会を逸した。小澤艦隊の多くの将兵の犠牲はすべて無駄になった。また敵攻撃機の攻撃を一身に引き受けてスリガオ海峡に沈んだ「武蔵」の奮戦も無駄になった。

敷島隊の特攻が行われたのは、栗田艦隊の反転の翌日だった。しかし勝機は既に去っていた――。


当初、特攻はレイテの「捷一号」作戦のためのものだった。栗田艦隊のレイテ突入を援護するべく、敵空母の甲板に決死の体当たりを敢行し、飛行甲板を使用不可能にしてしまえば、敵の艦上機の攻撃はなくなる――特攻はあくまでレイテだけの限定作戦のはずだった。

しかし栗田艦隊が去り、「捷一号」作戦が失敗に終わっても特攻は終わらなかった。

特攻が一人歩きを始めたのだ。長官たちが狂気に取り憑《つ》かれたのか――。

マバラカットからも連日、特攻機が出撃した。わしはなぜか特攻にはまわされず、直掩任務につけられた。数少ない熟練搭乗員だったからかもしれないが、特攻直掩もまた過酷だった。日本軍の必殺攻撃の洗礼を受けた米軍は邀撃態勢を恐ろしく強化させていた。高性能の米戦闘機が何十機も待ちかまえる中を、わずか数機の直掩機で特攻機を守れるはずはない。多くの直掩機が特攻機を守るために犠牲となった。日中戦争以来の大ベテラン南義美少尉も未帰還となった。

　南義美少尉は歴戦の搭乗員で、真珠湾攻撃から数々の海戦を戦ってきた、まさに海軍航空隊の至宝ともいえる戦闘機乗りだった。下士官からの叩き上げで、人間的にも素晴らしい人だった。やさしく物静かな人で、上海では手取り足取り教えて貰った。レイテ沖海戦では空母の搭乗員だったが、帰るべき母艦を失い九死に一生を得て比島に辿り着いたのだ。そして不運にも特攻直掩任務で亡くなった。

　わしもここで死を覚悟した。

　数日後、攻撃から戻る途中、発動機の不調でニコルス基地に着陸した。そこで何と宮部と再会した。聞けば、宮部は「瑞鶴」に乗っていて、敵機動部隊を攻撃した後、この飛行場に降り立ったのだった。

　宮部も特攻のことは知っていた。関行男大尉の敷島隊のことは全軍に布告されていた。ニコルス基地ではまだ一機の特攻も出していなかったが、搭乗員たちの志気はこれ以上にないくらい落ちていた。

　戦後、特攻のことが書かれた本で、敷島隊の特攻が全軍に布告された時、全搭乗員の志気は大いに上がったと書かれたものも少なくないが、決してそんなことはない。搭乗員の志気は明らかに下がった。当たり前だ！

わしがニコルス基地に着いた翌日、全搭乗員に集合がかかった。司令や飛行隊長たちの緊張した様子から、この地にも来るものが来たなと思った。おそらく他の搭乗員たちも皆、そう思ったことだろう。

司令は、今や日本は未曾有の危難の時である、と大仰な言葉を振り回した後に、

「特別攻撃に志願する者は前へ」

と言った。全員が一歩前へ踏み出した。すでに敷島隊のことを聞き及んでいる搭乗員たちは覚悟していたのだろう。わしもマバラカットと同じように一歩出た。今更やめるとは言えるものではない。

その時わしは信じられない光景を見た。ただ一人、その場から動かない男がいたのだ。宮部だった。

飛行隊長が顔を真っ赤にさせて、司令に代わって大きな声で怒鳴った。

「志願する者は前へ！」

しかし宮部は一歩も動かなかった。その顔は真っ白だった。飛行隊長は軍刀を引き抜くと、再び「志願する者は一歩前へ出ろ！」と言った。

しかし宮部は石像のように動かなかった。飛行隊長の体は怒りでぶるぶると震え

た。

「宮部飛曹長」

飛行隊長が怒鳴った。

「貴様、命が惜しいか」

宮部は答えなかった。

「どうなんだ。答えろ！」

宮部は叫ぶように言った。

「命は惜しいです」

飛行隊長は信じられないものを見たように口をあんぐりあけた。

「貴様は——それでも帝国海軍の軍人か」

「軍人であります」

宮部ははっきりした声で言った。飛行隊長は司令の方を見た。司令は静かな声で「解散する」と言った。

士官が「解散」と怒鳴り、搭乗員たちはみな整列をといて宿舎に戻った。宮部に声をかける者は誰もいなかった。

翌朝、出撃はなかったが、隊内は異様な雰囲気に包まれていた。昨日の「特攻志願」が搭乗員の心に重くのしかかっていたのだ。

わしは宮部を誘って、飛行場から少し離れた丘の上に登った。二人とも一言も喋《しやべ》らなかった。

小高い丘の上に来た時、わしは草の上に座った。宮部も座った。

やがて宮部が言った。

「俺は絶対に特攻に志願しない。妻に生きて帰ると約束したからだ」

わしは黙って頷いた。

「今日まで戦ってきたのは死ぬためではない」

わしは何も言えなかった。

「どんな過酷な戦闘でも、生き残る確率がわずかでもあれば、必死で戦える。しかし必ず死ぬと決まった作戦は絶対に嫌だ」

その思いはわしも同じだった。

しかし、今思う。あの当時、何千人という搭乗員がいたはずだが、こんなことを口にした搭乗員がはたして何人いたか。しかしこの宮部の言葉こそ、ほとんどの搭乗員たちの心の底にある真実の思いだった。

しかしその時は宮部の言葉が恐ろしかった。何かしら得体の知れない不気味な恐怖を感じたのだ。今思えば、それは自分自身の姿を見ることへの恐怖だったのだ。

ふと宮部は聞いた。

「谷川は初めて志願したのか」

「二度目だ。最初はマバラカットで志願した」

宮部は「俺には妻がいる」と言った。

「俺にも妻がいる」

そう言うと、宮部は驚いた顔をした。

わしは日本を発つ四日前に結婚したことを告げた。

「奥さんを愛しているか？」

宮部の問いに、わしは思わず頷いていた。そうか、わしは妻を愛していたのか
——。

「それなら、なぜ特攻なんか志願した」

宮部は非難するように言った。

「俺は帝国海軍の搭乗員だ」

わしは怒鳴った。そして泣いた。戦闘機乗りになって初めて泣いた。宮部は何も言わずじっと見ていた。

わしが立ち上がろうとした時、宮部は言った。

「いいか、谷川、よく聞け。特攻を命じられたら、どこでもいい、島に不時着しろ」

わしは驚いた。軍法会議にかけられたら、間違いなく死刑に値するほど恐ろしい言葉だった。

「お前が特攻で死んだところで、戦局は変わらない。しかし——お前が死ねば、お前の妻の人生は大きく変わる」

わしの脳裏に加江の姿がうかんだ。

「言うな。俺は特攻を命じられれば、行くだけだ」

宮部はもう何も言わなかった。

その時、警報が鳴り響き、遅れて遠くに爆音が聞こえた。敵機の来襲だ。

わしらは防空壕に走った。飛行場では、すでに整備員たちによって飛行機が掩体壕に入れられようとしているところだった。この頃には、空襲に邀撃機が上がることはなかった。少数機が邀撃に上がって敵の大編隊に撃墜されるよりも、機体を温存する策が取られていた。ニコルス基地には稼働が可能な機体は数機しかなかったのだ。

しかしこの日はついていなかった。敵戦闘機の発見が遅れ、多くの航空機が地上銃撃を受けた。結局、この日の空襲でニコルス基地の稼働機は一機もなくなった。

まもなくニコルス基地の搭乗員は内地帰還が決まった。

わしらはクラーク基地からやって来た輸送機に乗り、台湾を経由して、九州の大村に着いた。そこで搭乗員たちはそれぞれもといた航空隊に戻ることになった。

宮部とは大村で別れた。最後にどんな会話を交わしたかは覚えていない。宮部とはその後二度と再会することはなかった。

わしは岩国で教官をやった後、横須賀航空隊に着任して、本土防空戦を戦った。二十年の三月からは南九州から多くの特攻機が沖縄に飛んだ。終戦末期は「全機特攻」が叫ばれていた。その頃はもう志願がなくても特攻命令があったとも聞いている。

わしもいつかは特攻を命じられると思っていたが、幸いなことにその日は来ず、三沢で終戦を迎えた。宮部が特攻で死んだと知ったのは、かなり経ってからだった。

戦争が終わって村に帰ると、村の人々のわしを見る目が変わっていた。穢《けが》れたものでも見るような目で眺め、誰もわしに近寄ろうとはしなかった。村人たちは陰でわしのことを「あいつは戦犯じゃ」と言っていた。ある日、川の土手を歩いていると、村の子供たちが「戦犯が歩きよる」と言ってわしに向かって石を投げた。

悔しくてたまらなかった。昨日まで「鬼畜米英」と言っていた連中は一転して「アメリカ万歳」「民主主義万歳」と言っていた。村の英雄だったわしは村の疫病神になっていたのだ。父は亡くなっていて、わしは跡を継いだ兄の家の離れで加江と暮らしていたが、兄は明らかにわしを厄介者扱いした。

誰かが流したデマだろうが、真珠湾攻撃に参加したパイロットは戦犯として絞首刑になるという噂が広まった。戦犯を匿《かくま》った者や村も罰せられると。それを聞いたわしは腹をくくった。

そんなある日、兄が五升の米を餞別《せんべつ》代わりにくれ、これで東京へ逃げろと言った。体のいい追い出しだった。わしは加江を連れて故郷を後にした。

東京へ出たのは十月の終わりだった。一面が焼け野原だった。わしと加江はトタンで囲ったバラックで寝泊まりした。毎日仕事を捜したが、何もなかった。五升の米はまもなく底をつき、わしは日雇い人夫のようなことをして何とか喰いつないだ。

あの頃は本当に苦しかった。街には進駐軍の兵士がいたるところにいた。アメリカ兵は日本の女を連れていた。わずか三ヵ月前まで米軍の戦闘機と戦っていたのが、嘘のようだった。

あの時、何とか食べることが出来たのは、加江が「裁縫出来る人求む」という貼り紙を見つけて、小さな服屋にわしと一緒に住み込みで雇って貰えたからだ。二人は二畳ほどの物置で暮らしたが、それまでバラックで寝泊まりしていたことを思うと天国だった。

翌年、わしは海軍の元上官のつてで水道局の臨時職員に雇って貰えた。しかし一年後、公職追放にかかって馘《くび》になった。十一年にわたる海軍生活でわしの最終階級は中尉だったが、それで職業軍人とみなされたのだ。わしが仕事を失ったことを知った加江は、わしを慰めてくれた。

「職業軍人とは何とひどい言葉でしょう。日本のために命懸けで戦ってきた人を、まるで銭儲けで戦ったように言うのは、絶対に許せません」

あの時の加江の言葉ほど嬉しかったものはない。わしはこの女のために生きると決意した。

わしは自分で商売することを決めた。様々な商売に手を出した。何度もだまされ、何度も裏切られた。戦後の人々は戦前の人々とはまるで違う人たちだった。人にだまされた夜、戦争で死んだ戦友たちを思い出し、彼らの方が幸せかもしれないと思ったこともあった。こんな日本を見なくてすんだ彼らの幸運を羨《うらや》んだ。

しかしそれは終戦直後の混乱と貧困による一時的なものだった。多くの日本人には人を哀れむ心があり、暖かい心を持っていた。自分が生きるのでさえ大変な時にも人を助けようとする人がいた。だからこそ、わしたち夫婦もあの悲惨な時代を生き延びることが出来たのだと思う。東京に小さいながらもビルを持てたのも多くの人に助けられたからだ。

本当に日本人が変わってしまったのはもっとずっと後のことだ。

日本は民主主義の国となり、平和な社会を持った。高度経済成長を迎え、人々は自由と豊かさを謳歌した。しかしその陰で大事なものを失った。戦後の民主主義と繁栄は、日本人から「道徳」を奪った——と思う。

今、街には、自分さえよければいいという人間たちが溢《あふ》れている。六十年前はそうではなかった。

わしは、少し長く生き過ぎたようだ。

西日の入っていた応接室はすっかり暗くなっていた。

谷川が話していた数時間よりも、はるかに長い時間が経ったような気がした。話をしている時の谷川はまるで青年に見えた。輝きに満ちた精悍《せいかん》な若者の姿に見えた。しかし今、ぼくの目の前にいる谷川は車椅子に乗った一人の痩《や》せこけた老人だった。

ぼくは谷川の細い腕を見た。今にも折れそうな腕だった。かつてこの腕が零戦の操縦桿を握り、大空に舞い上がって、戦っていたのだ。

六十年の歳月を思うと、なぜか胸が熱くなった。

谷川は静かに言った。

「今でも、わしがあの時ニコルス基地で見たことは実際にあったことなのかと思う時もある。もしかしたら、夢でも見ていたのかなと」

「祖父の特攻拒否のことですね」

「あれは命令ではなかったから抗命にはあたらないが、やはり一種の抗命だろう」

「抗命とは何でしょう？」

「命令に逆らうことだ。軍隊では死刑に相当する」

ぼくは唸った。祖父は何という男だったのだ。

「それにしてもわからないことがある。なぜ宮部が終戦の年、特攻を命じられて不時着しなかったかということだ。あの時、わしに不時着してでもいいから体当たりするなと言った本人が、なぜ体当たりしたのか」

谷川はそう言って腕を組んだ。

「レイテでは少なくない熟練搭乗員が特攻にやられたが、多分それは混乱の中で行われたからだと思う。また特攻ではなかったが、南少尉は小澤艦隊から出撃し、機動部隊を攻撃した後に、比島のエチアゲ基地にたどり着き、そこで過酷な特攻直掩任務につかされて亡くなった」

「実質、特攻死のようなものだったのですね」

谷川は頷いた。

「あの時は、小澤艦隊から岩井勉少尉なども比島に飛んで来て、あわや特攻に出されるところだったと聞いている。しかし、二十年三月から始まった沖縄特攻では熟練搭乗員は出さなくなっていた。熟練搭乗員は教員や本土防衛に必要だったからだ」

「すると、特攻は若いパイロットが多かったのですか」

「特攻の大部分は終戦の年の沖縄戦だ。その時、特攻で亡くなったのは、ほとんどが予備学生や年若い飛行兵たちだった。わしは熟練搭乗員を特攻に出すのは間違いだと思っている。もちろん熟練搭乗員も新人搭乗員も命の価値は同じだから、予備学生だから出していいというものではない。しかしそれでも南さんを戦死させた上層部は許せない気持ちだ」

谷川は大きな声で言った。

「卑怯《ひきょう》なのは、俺も後から行くと言って多くの部下に特攻を命じておいて、戦争が終わるとのうのうと生き延びた男たちだ」

谷川は机を叩いた。灰皿が音を立てた。ぼくは驚いた。

「すまん。少々興奮した」

「いいえ」

谷川は胸ポケットから薬を取りだし、それを口に含んだ。姉が立ち上がり、部屋の中にある洗面所からコップで水を汲《く》み、谷川に渡した。

「ありがとう」

谷川はコップを受け取ると、水で薬を流し込んだ。

それから、ややあって言った。

「わからないのは、なぜ宮部が不時着しなかったか——宮部の腕なら、やろうと思えばやれたはずだ」

「そんなことをした航空兵がいたのですか」

谷川は少し表情を曇らせた。

「接敵に失敗という理由や、発動機の不調という理由で戻ってくる特攻隊員はいた」

「それって——」

姉の言葉に、谷川は大きく首を振った。

「意図的なものであったかどうかはわからない——。ただ、そうした搭乗員はいた」

部屋に沈黙が流れた。

ぼくは口を開いた。

「祖父は沖縄方面の海上で戦死したとなっています。もし、祖父の飛行機の発動機が不調であったなら、どこに不時着出来たというのでしょう」

「喜界島だ」谷川は即座に答えた。「南九州から飛び立った特攻機が発動機の不調で作戦遂行が無理となった場合は、その島に降りることになっていたはずだ」

「そうだったのですか」

「しかし、終戦直前は喜界島上空も敵の制空権下にあったから、さすがの宮部も、重い爆弾を抱えてはいかんともしがたかったのかもしれん」

ぼくは頷いた。

「いずれにしても、六十年も前のことだ。真相はわからない」

谷川は大きなため息をついた。それから手を伸ばして壁のスイッチを押し部屋の蛍光灯をつけた。暗かった部屋が明るくなった。

谷川はおもむろにポケットから一枚の写真を取り出した。

「家内の写真だ。五年前に亡くなった。あれはよく尽くしてくれた。復員して故郷に戻った時、加江はわしの姿を見て、大きな声で泣いた。あれは気の強い女で、泣いたのは後にも先にもその時だけだった」

谷川は妻の写真を見ながら、うっすらと目に涙を浮かべた。

「宮部のあの時の言葉がなければ、あれとは夫婦になっていなかったかもしれん」

「愛し合っていらしたのですね」

姉の言葉に、谷川は深く頷いた。

「子供は出来なかったが、幸せな人生だった」

老人ホームを出た後、姉がハンカチで目を拭いているのがわかった。

「私、悔しい」

と彼女は言った。

「おじいさんはみんなを幸せにして、自分一人が亡くなったのよ。そんなのって、ありなの。不公平すぎる」

「おじいさん一人が死んだわけじゃないよ。あの戦争では三百万人の人が亡くなっている。将兵だけでも二百三十万人も戦死しているんだ。おじいさんはその中の一人に過ぎない」

　姉は何も言わなかった。

　タクシーの中でも姉は一言も喋らなかった。

　車を降りて、駅のホームに向かっている時、姉が突然嚙《か》みつくように言った。

「さっき二百三十万人の戦死者の一人って言ったけど――おばあちゃんにとっては、おじいさんはただ一人の夫だったのよ。それにお母さんにとってもただ一人の父じゃない」

「おばあちゃんにとっておじいさんがただ一人の夫だったように、亡くなった二百三十万人の人にもそれぞれかけがえのない人がいたんだと思う」

　姉は驚いたようにぼくを見た。

「こんなこと言うと笑われるかもしれないけど、今、ぼくはあの戦争で亡くなった多くの人の悲しみを感じてるんだ」

　姉は深く頷いて、「笑わない」と言った。

新幹線では二人とも黙っていた。

姉はずっと何かを考えている様子だったし、ぼくはぼくで谷川の話を頭の中で反芻《はんすう》していた。目を閉《と》じると、祖父の姿が浮かんでくるような気がした。しかしそれは陽炎のようにおぼろげで、はっきりした像では捉《とら》えられなかった。

新大阪を過ぎてしばらくした時、不意に姉が話しかけてきた。

「戦争に行った人の話を聞いてると、本当に兵士たちは使い捨てられたって気がする」

ぼくは頷いた。

「赤紙一枚でいくらでも補充がつくと思っていたのね。昔の兵隊さんは、上官に、お前たちより馬の方が大事なんだって言われたって。お前たちなんか一銭五厘でいくらでも代わりがあるって」

「一銭五厘って？」

「赤紙、つまりハガキ一枚の値段よ。つまり、陸軍の兵士も海軍の兵士も、そしてパイロットも、軍の上層部にとっては、わずか一銭五厘のハガキ代でいくらでも集められるものだったのよ」

「それでもみんな国のために勇敢に戦ったんだね」

姉は悔しそうな顔で頷いた。

少し沈黙が続いた後、姉が口を開いた。

「ちょっと聞いてくれる？」

ぼくは「うん」と言った。

「私、太平洋戦争のことで、いろいろ調べてみたの。それで、一つ気がついたことがあるの」

「何？」

「海軍の将官クラスの弱気なことよ」

「日本軍て、強気一点張りの作戦をとってばかりじゃなかったのかな」

「強気というよりも、無謀というか、命知らずの作戦をいっぱいとっているのよね。ガダルカナルもそうだし、ニューギニアの戦いもそうだし、マリアナ沖海戦もレイテ沖海戦もそう。有名なインパールもそう。でもね、ここで忘れちゃいけないのは、これらの作戦を考えた大本営や軍令部の人たちにとっては、自分が死ぬ心配が一切ない作戦だったことよ」

「兵隊が死ぬ作戦なら、いくらでも無茶苦茶な作戦を立てられるわけか」

「そう。ところが、自分が前線の指揮官になっていて、自分が死ぬ可能性がある時は、逆にものすごく弱気になる。勝ち戦《いくさ》でも、反撃を怖れて、すぐに退くのよ」

「なるほど」

「弱気というのか、慎重というのか——たとえば真珠湾攻撃の時に、現場の指揮官クラスは第三次攻撃隊を送りましょうと言ってるのに、南雲長官は一目散に逃げ帰っている。珊瑚海海戦でも、敵空母のレキシントンを沈めた後、井上長官はポートモレスビー上陸部隊を引き揚げさせている。もともとの作戦が上陸部隊支援にもかかわらずよ。ガダルカナル緒戦の第一次ソロモン海戦でも三川長官は敵艦隊をやっつけた後、それで満足して敵輸送船団を追いつめずに撤退している。そもそもは敵輸送船団の撃破が目的だったのに。この時、輸送船団を沈めていれば、後のガダルカナルの悲劇はなかったかもしれない。ハルゼーが言っていたらしいけど、日本軍にもう一押しされていたらやられていた戦いは相当あったようよ。その極めつけが、さっき聞いたレイテ海戦の栗田長官の反転よ」

姉の口から詳しい戦記の話が出てきたので驚いた。相当、様々な本を読んだのだなと思った。

「なぜ、そんなに弱気な軍人が多いの」とぼくは聞いた。

「多分、それは個人の資質の問題なのだろうけど、でも海軍の場合、そういう長官が多すぎる気がするのよ。だからもしかしたら構造的なものがあったと思う」

「どういうこと」

「将官クラスは、海軍兵学校を出た優秀な士官の中から更に選抜されて海軍大学校を出たエリートたちよ。言うなれば選りすぐりの超エリートというわけね。これは私の個人的意見だけど、彼らはエリートゆえに弱気だったんじゃないかって気がするの。もしかしたら、彼らの頭には常に出世という考えがあったような気がしてならないの」

「出世だって――戦争しながら？」

「穿《うが》ちすぎかもしれないけど、そうとしか思えないフシがありすぎるのよ。個々の戦いを調べていくと、どうやって敵を撃ち破るかではなくて、いかにして大きなミスをしないようにするかということを第一に考えて戦っている気がしてならないの。たとえば井崎さんが言ってたように、海軍の長官の勲章の査定は軍艦を沈めることが一番のポイントだから、艦艇修理用のドックを破壊しても、石油タンクを破壊しても、輸送船を沈めても、そんなのは大して査定ポイントが上がらないのよ。だからいつも後回しにされる――」

「でも、だからって、出世を考えていると言うことはないんじゃないかな」

「たしかに穿ちすぎた考えかも知れない。でも十代半ばに海軍兵学校に入り、ものすごい競争を勝ち抜いてきたエリートたちは、狭い海軍の世界の競争の中で生きてきて、体中《からだじゅう》に出世意欲のことが染みついていたと考えるのは不自然かな。特に際立った優等生だった将官クラスはその気持ちが強かったように思うんだけど――。太平洋戦争当時の長官クラスは皆、五十歳以上でしょう。実は海軍は日本海海戦から四十年近くも海戦をしていないのよ。つまり長官クラスは海軍に入ってから、太平洋戦争までずっと実戦を一つも経験せずに、海軍内での出世競争の世界だけで生きてきた――」

ぼくは心の中で唸った。姉の意外な知識の豊富さにも驚かされたが、それ以上に感心したのが、鋭い視点だった。

姉は続けた。

「当時の海軍について調べてみると、あることに気がついたのよ。それは日本海軍の人事は基本的に海軍兵学校の席次――ハンモックナンバーって言うらしいけど、それがものを言うってこと」

「卒業成績が一生を決めるってことだね」

「そう。つまり試験の優等生がそのまま出世していくのよ。今の官僚と同じね。あとは大きなミスさえしなければ出世していく。極論かもしれないけど、ペーパーテストによる優等生って、マニュアルにはものすごく強い反面、マニュアルにない状況には脆《もろ》い部分があると思うのよ。それともう一つ、自分の考えが間違っていると思わないこと」

ぼくは背もたれに寄りかかっていた上半身を起こした。

「戦争という常に予測不可能な状況に対する指揮官がペーパーテストの成績で決められていたというわけか」

「私は、日本海軍の脆さって、そういうところにあったんじゃないかなと思うの」

ぼくは大きく頷いた。

「アメリカはどうなの？」

「そこまでは詳しく調べていないけど、出世に関してはアメリカも同じみたいね。海軍大学の卒業席次が大きくものを言う。ただしそれはあくまで平時の場合で、いざ戦争になったら、戦闘の指揮に優れた人物が抜擢《ばってき》されるらしいの。太平洋艦隊司令長官のニミッツは何十人とごぼう抜きしたわ。もちろん失敗の責任もきちんと取らされる。日本軍の攻撃によって真珠湾の艦隊を撃滅されたことで、太平洋艦隊司令長官のキンメルは解任された上に、大将から少将に降格させられている。真珠湾での敗北は、はたしてキンメルの責任なのかどうか微妙なんだけど、アメリカ軍には、失敗にはきっちりと責任を取らせるというケジメがあるみたい。もう一つ、アメリカ海軍に弱気な指揮官はほとんどいない。皆、驚くほどアグレッシブよ」

姉はどこまで調べているんだと思った。昔から一旦のめり込むとすごい集中力を見せたが、今度の調査では、かなり本気になっているようだった。元々頭は悪くない。

「なるほど、アメリカの強さって、そこにあるのかもしれないね」

「今、日本海軍のことを言ったけど、帝国陸軍も同じだったみたいよ。戦前の陸軍大学校と海軍大学校はある意味、東大以上に難関だったらしい。士官から選抜されて受験するだけで官報に載ったくらいだから、おそろしく難しかったんだと思う。なぜこんな話をするのかというとね、かつての日本の軍隊について調べれば調べるほど、今の日本の官僚組織に通じるところがあるような気がしたからなの」

ぼくは姉の顔をあらためて見た。ぼくはずっと姉の本質を理解していなかったのかもしれない。

「実は、ぼくも軍隊について調べて気づいたことがある」

「何？」と姉は聞いた。

「姉さんも言ってたけど、日本海軍の高級士官たちの責任の取り方だよ。彼らは作戦を失敗しても誰も責任を取らされなかった。ミッドウェーで大きな判断ミスをやって空母四隻を失った南雲長官しかり。マリアナ沖海戦の直前に、抗日ゲリラに捕まって重要な作戦書類を米軍に奪われた参謀長の福留中将しかり。福留中将は敵の捕虜になったのに、上層部は不問にした。これが一般兵士ならただではすまなかったはずだ」

「兵士には、捕虜になるなら死ねと命じておいて、自分たちがそうなった時は知らん顔するのね」

「高級エリートの責任を追及しないのは陸軍も同じだよ。ガダルカナルで馬鹿げた作戦を繰り返した辻政信も何ら責任を問われていない。信じられないくらい愚かなインパール作戦を立案して三万人の兵士を餓死させた牟田口中将も、公式には責任はとらされていない。ちなみに辻はその昔ノモンハンでの稚拙な作戦で味方に大量の戦死者を出したにもかかわらず、これも責任は問われることなく、その後も出世し続けた。代わって責任は現場の下級将校たちが取らされた。多くの連隊長クラスが自殺を強要されたらしい」

「ひどい！」

「ノモンハンの時、辻らの高級参謀がきちんと責任を取らされていたら、後のガダルカナルの悲劇はなかったかもしれない」

姉が悔しそうに顔を歪《ゆが》めた。

「でも、どうして責任を取らされないの？」

「そのあたりはよくわからないんだけど」とぼくは言った。

「もしかしたら官僚的組織になっていたからだと思う」

姉は頷いた。

「そうか――責任を取らされないのは、エリート同士が相互にかばい合っているせいなのね。仲間の失敗を追及すれば、自分が失敗した時に跳ね返ってくるってわけね」

「それはあったと思う。インパール作戦で牟田口の命令に反して兵を撤退させた佐藤幸徳師団長は軍法会議にかけられず、心神喪失ということで、不問にされた。軍法会議を開けば、牟田口総司令官の責任問題に及ぶ。だから牟田口をかばうために、佐藤師団長の気がふれたことにして、軍法会議は行われなかったんだと思う。更に言うと、軍法会議になると、牟田口の作戦を認めた大本営の高級参謀たち、つまり自分たちにも責任が及ぶからだ。ちなみに牟田口のインパール作戦を認めた彼の上官、川辺中将は大将に昇級している」

「最低ね」姉は呟いた。「そんな人たちのために、一般の兵士たちは命を懸《か》けて戦わされたのね」

「責任の話のついでに言うと、真珠湾攻撃の時、山本五十六長官が『くれぐれもだまし討ちにならぬように』と言い残して出撃したにもかかわらず、宣戦布告の手交が遅れて、結果的に卑怯な奇襲となってしまった原因は、ワシントンの駐米大使館員の職務怠慢だったって伊藤さんが話したこと覚えてる？　あの後、気になって調べたら、戦後、責任者は誰もその責任を取らされていない」

「たしか上の人たちって、パーティーか何かしてたのよね」

「そう、送別会で飲みまくって、翌日の日曜日に遅れてやってきたんだ。前日に外務省から『対米覚書』という十三部からなる非常に重要な予告電報が送られていたにもかかわらず、それをタイプすることもしないでパーティーで遊んでいたんだ。翌朝届いた宣戦布告の電報を見て、慌てて『対米覚書』からタイプにとりかかったが、遅れに遅れて、それをハル国務長官に手交したのは真珠湾攻撃開始後だった。宣戦布告の電報だけなら、わずか八行だったのに」

「懲戒免職もののミスね」

「それ以上だよ。そのミスのせいで『日本人は卑怯な騙《だま》し討ちをする民族』という耐え難い汚名を着せられたんだ。それがどれほど大きいものか。たとえばアメリカには原爆を使用したことに関して『卑怯な日本に当然の仕打ちだ』という主張があるんだ。9・11の時も、アメリカのマスメディアは『このテロは真珠湾と同じだ！』と言ったらしい。日本という国にこれほどの汚辱を与えたにもかかわらず、当時の駐米大使館の高級官僚は誰も責任を問われていない。あるキャリア官僚はノンキャリの電信員のせいにしようとした。前日『泊まりこみましょうか』と申し出た人をだ。それを『不要』と帰らせた男が、戦後、彼に責任をなすりつけようとしたんだ」

姉はため息をついた。

「結局、当時の高級官僚は誰も責任を取らされていないばかりか、何人かは戦後、外務省の事務次官にまで上り詰めている。もしこの時、彼らの責任をしっかりと問うていれば日本人の『卑怯な民族』という汚名は雪《そそ》がれ、名誉は回復されたかもしれない。アメリカ人も『あれはだまし討ちではなかったのだな』と理解したはずだよ。しかし今に至るも外務省は公式にミスを認めていないから、国際的には、真珠湾奇襲は日本人のだまし討ちということになっている」

姉は頭を押さえた。

「日本て、何て国なの？」

その問いには答えようがなかった。姉も答えを期待して言ったわけではないだろう。ぼくは言った。

「軍隊や一部の官僚のことを知ると暗い気持ちになるけど、名もない人たちはいつも一所懸命に頑張っている。この国はそんな人たちで支えられているんだと思う。あの戦争も、兵や下士官は本当によく戦ったと思う。戦争でよく戦うことがいいことなのかどうかは別にして、彼らは自分の任務を全うした」

「みんな国のために懸命に戦ったのね」

姉はそう言って真っ暗な窓の外を眺めた。ガラスに映るその顔は険しい表情だった。そしてぽつりと呟いた。

「あの片腕を失った長谷川さんにしても、胸の奥深くには報われなかった悔しさがあったと思う」

「国を恨むことが出来ないので、おじいさんに憎しみを転嫁したんだろうね」

「周囲の人々もまたあの人に対して冷たかったんだと思うわ。腕を失くした彼に対して、その苦労に謝するよりは、職業軍人の自業自得だろうという目で見ていたのかもしれない」

ぼくは頷いた。

「だから、あの人がおじいさんのことを悪く言っても許してあげて」

「わかってるよ」

姉は初めて少し笑顔を見せた。しかしすぐに表情を曇らせた。

「でも、日本の軍隊の偉い人たちは、本当に兵士の命を道具みたいに思っていたのね」

「その最たるものが、特攻だよ」

ぼくは祖父の無念を思って目を閉じた。

第八章　桜花《おうか》

数日後、ぼくは姉の携帯に電話した。

「元特攻隊員と連絡が取れたよ」

電話口で、姉が驚く様子がわかった。

「その人がおじいさんを知っているんだ」

しかし姉の返事は意外だった。姉は「行きたくない」と言った。

「どうして」

姉は答えなかった。

「元特攻隊員の話を聞きたいと言ってただろう」

「聞きたいよ。でも、もう私、おじいさんの悲しい話を聞きたくないの」

姉は怒ったように言った。

「私は自分なりに特攻についても調べたわ。辛くて本が読めなかった」

「わかるよ」

「だから、おじいさんを知っている元特攻隊員の話の中に、おじいさんが特攻に行った時の話が出るかもしれないじゃない。そんな話とても聞けない。健太郎は平静に聞けるの」

「そりゃ、ぼくだって聞くのは辛いよ」ぼくは言った。「でもね、ぼくは今度のことは何かの引き合わせのように感じてるんだ。六十年もの間、誰にも知られることのなかった宮部久蔵という人間が、今こうしてぼくの前に姿を見せ始めているんだ」

電話の向こうで、姉が息を呑むのがわかった。

「これって、もしかしたら奇跡のようなことじゃないかと思っている。戦争に行った人たちが歴史の舞台から消えようとしている、まさにこの時にこの調査を始めたことは、何か運命的な巡り合わせのような気がしてならないんだ。もし、あと五年遅かったら、宮部久蔵のことは永久に歴史の中に埋もれてしまったと思う。だから、ぼくはおじいさんを知っている人すべての話を聞かなくちゃいけないと思っている」

姉は少し間を置いて言った。「健太郎――あなた、変わったね」

「でも聞くのが辛いという姉さんの気持ちもわかるし、その気持ちはぼくにもある。今回はぼくだけ行って来るよ」

姉は黙っていた。

「高山さんには返事をしたの？」

ぼくは車を運転しながら、助手席の姉に聞いた。

元海軍少尉、岡部昌男の家は千葉県の成田にあった。ぼくは母の車を借りた。

「まだだけど、オーケーするつもりよ」

姉は答えた。

今度の取材は、前日になって姉が「やっぱり行く」と言ってきたのだ。

ぼくは高速に入ってから言った。

「姉さん、本当は藤木さんのこと好きだったんだろう」

姉は驚いたようにぼくを見た。

「今だから言うけど、ぼくは姉さんが藤木さんと一緒にいて泣いているところを偶然見たんだ」

姉は黙った。二人の間に長い沈黙があった。ぼくはエアコンを強にした。

しばらく沈黙が続いた後、姉は言った。

「笑わないで聞いてくれる？　私は藤木さんのことが好きだった。彼が司法試験に受かって、奥さんになるのが夢だったの。それだけに彼が司法試験をあきらめて、田舎に帰ると聞いた時はショックだった。私は就職が決まっていたし、帰らないで、と言った」

「藤木さんと付き合っていたの？」

姉は首を振った。

「手も握らなかった。告白もされなかったし、二人きりでデートしたこともない。だから恋人でも何でもなかったの」

「そうだったのか――」

「あえて言うなら、あの時、私が泣いたことが愛の告白だったのかもね」

姉はそう言って少し悲しそうに笑った。

「でも、彼は帰っちゃった。一緒に来てくれとも、待っててくれ、とも言わずに」

藤木なら、絶対に言わないだろうなと思った。みすみす苦労することがわかっているところに、ついて来てくれなどと言う人ではない。

「後悔してない？」

「後悔？　――どうしてよ。私は自分の選択が正しかったと思ってる。あの時、一緒に田舎に来てくれって言われなくてよかったと思ってる。あの時は子供だったから、もしかしたら決まった就職も蹴《け》って行っていたかもしれない」

姉はそう言うと、声を上げて笑った。それからぼくに訊いた。

「藤木さんの工場、相当厳しいのを知ってる？」

ぼくは頷《うなず》いた。

「もし、藤木さんと結婚していたら、苦労していたよね」

姉はハンドバッグからタバコを取り出して、火をつけた。ぼくはちょっと驚いた。

「タバコ吸うようになったの？」

「お母さんの前では吸わないけどね」

姉はそう言って、窓を開けた。熱い風が入ってきた。

「昨日、藤木さんから結婚してくれないかって電話があったの」

一瞬、姉が何を言っているのかわからなかった。

「私、ある男性と結婚するかもしれないって、藤木さんに手紙を書いたの。手紙を書いたのは初めてよ。それから十日ほどして、突然、藤木さんから電話があったの」

「何言ってんだよ！」

ぼくは姉の方を向いて怒鳴った。姉はびっくりした顔をした。車の車間距離が詰まって、慌ててブレーキを踏んだ。

「姉さんは振られた復讐がしたいのかよ」

「復讐なんて考えてないわ。ケジメをつけたかっただけよ。それよりちゃんと前向いて運転してよ！」

「それで、何て答えたんだよ！」

「断ったに決まってるじゃない」

ぼくは追い越し車線に車を入れると、アクセルを踏みこんだ。姉は黙っていた。ぼくは藤木さんの心境を思うと、たまらない気持ちになった。

それから、二人とも高速を降りるまで、一言も口を利かなかった。


元海軍少尉、岡部昌男は千葉県の県会議員を四期も務めた人だった。その前は長く県の教育委員会に勤めていた。最初その経歴を知った時、元特攻隊員が議員になっていることに驚いたが、よく考えれば別段おかしなことでも何でもなかった。当時は若者のすべてが軍隊に行っていたし、戦後の日本を支えた人たちのほとんどが元兵士だったのだ。その中に元特攻隊員がいても何ら不思議ではない。

岡部の家は成田の閑静な住宅街にあった。こぢんまりした小さな家で、県会議員を四期も務めた人の家には思えなかった。

「普通の家だね」

ぼくの感想に姉も同意した。

ドアの横の呼び出しボタンを押すと、すぐに玄関の戸が開き、小柄な老人が顔を見せた。

元特攻隊員はすっかり頭が禿《は》げ上がった老人になっていた。にこにこと笑う愛想のいい人だった。元県会議員ということで、威圧的な人物を想像していたぼくはちょっと肩すかしを喰った。

「家内は公民館にお花を教えに行っています。私一人では何のおもてなしも出来ませんが」

岡部はそう言って、和室に案内してくれた。

「年寄りの二人暮らしなものですから、若いお客さんに何を出してよいものやら」

そう言って、サイダーを出してくれた。

「おかまいなく」

とぼくは言った。

目の前にちょこんと座っている小さな老人が元特攻パイロットというイメージとまったく重ならなかった。もっとも特攻パイロットのイメージなど本当は何も持っていなかったのだ。

「宮部さんは素晴らしい教官でした」

岡部はいきなり言った。

「教官と言いますと？」

「練習航空隊の教官です。同じ教官でも士官は教官、下士官は教員と呼びました。軍隊というところはそういうところにも、士官と下士官を区別したのですね」
「祖父が教官をしていたとは知りませんでした」
「宮部さんが筑波の練習航空隊に教官として来られたのは、昭和二十年の初めでした」

私は飛行科予備学生でした。予備学生というのは、一口に言えば大学出身の士官のことです。

海軍では、もともと少数の予備学生を採用していましたが、昭和十八年からは大量の予備学生を採りました。

その頃は今みたいに誰でも大学に行ける時代ではありません。百人に一人も大学に行けなかったのではないでしょうか。当時の大学生というのは大変なエリートだったのです。だから当初は軍もそうしたエリートを軍隊に入れることはしなかったわけですが、昭和十八年になると、戦局も悪化し、そんな悠長なことも言っていられない事態になってきました。十八年といえば、ガダルカナルの戦いに敗れ、山本五十六長官が戦死した年です。

それで、これまで徴兵を免除していた大学生たちや旧制高校生たちを学徒出陣で軍隊に入れることになったのです。理科系の学生を除くすべての大学生が徴兵の対象となりました。私たちも、いよいよ国民皆兵の時代に入ったと思いました。

私たち大学生の多くも自分たちが徴兵を猶予されていることには非常に心苦しいものを感じていました。同い年の若者たちが兵士となって戦い、日々亡くなっているのに、のんびり学問なんかしていいのかという思いがあったのです。もちろん、中には兵役を逃れるために大学に籍を置いている者もいました。たとえば当時、「職業野球」と呼んでいたプロ野球選手の中には、夜間大学に籍を置いて徴兵を逃れている者がいました。しかし、多くの大学生たちは自分の特権を喜んではいませんでした。

十八年の第一回の学徒出陣では十万人を超える学徒兵が生まれました。全国の大学が空っぽになったと言われました。十月に、明治神宮外苑競技場で出陣学徒壮行会が行われました。冷たい雨が降る中、五万人の女子学生に見送られ、二万五千人の学徒兵は行進しました。

運命とは皮肉なものだと思います。特攻隊の多くは、この年の学徒兵の中から選ばれたのです。なぜなら、海軍も陸軍も、学徒兵から大量に飛行学生を採ったからです。

飛行機の操縦は車のように簡単なものではありません。操縦以前に覚えなくてはいけないものが数多くあります。ですから、戦前の操縦練習生たち、あるいは予科練の飛行練習生たちは大変な難関の試験をくぐり抜けて選ばれた優秀な少年たちだったのです。航空隊は、それだけ優秀な人材が必要とされたのです。その点、大学生たちは豊富な知識と高い知性があります。手っ取り早く飛行機乗りに仕立て上げるのに恰好の素材だったのです。そして速成の特攻用パイロットとして作られていったのです。特攻で亡くなった人たちは四千四百人以上おられます。その半分近くがこうした飛行予備学生出身のパイロットたちでした。

　この年の学徒出陣の中から選ばれたのが予備学生十三期、後の海軍の特攻の主力となった人たちです。私は翌年の十四期の飛行科予備学生でした。この十四期からも多くの特攻隊員が選ばれました。

　ところで最初の特攻隊はレイテにおける関大尉の敷島隊というのが一般に流布されていることですが、実は本当の特攻第一号は同じレイテの大和隊の久納好孚《くのうこうふ》中尉です。久納中尉は十一期の予備学生でした。

　関大尉の敷島隊が突入したのは十月二十五日ですが、久納中尉の大和隊が突入したのは二十一日です。この日、大和隊も敷島隊も接敵出来ず、全機基地に引き返したのですが、久納中尉だけは帰還することなく、単機で敵を追い求め、ついに戻らなかったのです。

本当は久納中尉こそが特攻第一号ですが、その栄誉は彼に与えられませんでした。戦果確認が出来なかったこともありますが、もう一つの大きな理由は、久納中尉が予備学生出身の士官だったからです。海軍としては「特攻第一号」の栄誉はやはり海軍兵学校出身の士官にしたいということで、関大尉が第一号として発表されたのです。このことを見ても、海軍がいかに兵学校の士官を重んじ、予備学生を軽んじていたかがわかるでしょう。

にもかかわらず十三、十四期の予備学生を、特攻隊員として養成するため大量に搭乗員にしたのです。

熟練搭乗員が特攻に行かされることは稀《まれ》でした。十九年の比島方面では熟練搭乗員も何人か特攻を命じられていますが、翌二十年の沖縄戦になると、そうしたことはなくなりました。その頃は開戦当初からの熟練搭乗員がほとんど死に絶えていましたから、軍にとっては高い技量を持ったベテランは本当に貴重な存在だったのです。

熟練搭乗員は本土防空の戦闘に従事したり、あるいは特攻隊の援護機として出撃したり、あるいは練習生の教員になったりという任務がほとんどでした。何度も言うように、特攻には、使い捨ての予備学生や予科練の少年飛行兵が選ばれました。

私が予備学生として第十四期の予科飛行学生となったのは、昭和十九年の五月です。敷島隊の関大尉の特攻は半年後ですが、多分その前から、海軍はもう特攻作戦を真剣に考えていたはずです。十三期と十四期の予備学生たちを特攻要員にすると決めていたと思います。もちろんそんなことは私たちは知るよしもありません。

私たちは空戦のやり方も爆撃のやり方も何も教えられませんでした。そんなものを教えてもまったくの無駄だからでしょう。私たちはただ爆弾を抱いて、敵艦にぶつかるだけなのですから。

飛行訓練は過酷なものでした。二、三年はかかる訓練を一年足らずでやらなければならないのですから、教える方も教わる方も必死でした。とにかく軍としても一刻でも早く飛べるようにして、特攻で使えるようにしなくてはいけませんでしたから。ただ、教員は下士官だったので、教え方は丁寧でした。私たち予備学生は准士官と下士官の中間だったので、階級的には教員よりも上ということになります。そして訓練期間を終えるとすぐに少尉になります。戦争の経験も何もないのに士官です。一般の兵隊は士官になるのに十年以上かかるのですから、考えてみれば随分不合理です。

また練習航空隊でも、教わる方が教える方より階級が上なので、双方にやりにくいところがあったのもたしかです。教員も私たちには遠慮があったと思います。厳しく教えたいと思っても、階級の差がそうはさせないところがあったのでしょう。しかし仮にそうでなくても、私たちは特攻用の搭乗員として教育されていたのですから、結局はたいして違いはなかったのですが――。

私たちは自分たちが特攻要員だとも知らずに、早く一人前の搭乗員となって、敵機を撃墜すると決意して訓練に励んでいたのですから、滑稽《こっけい》ですね。

しかし十九年の十月に敷島隊のことを知り、その後も比島で神風特攻隊が次々に出撃していくというニュースを聞かされると、自分たちももしかしたら特攻に行かされるかもしれないと思うようになりました。

宮部さんが教官としてやって来たのは、私たちの教育がもうすぐ終了するという頃でした。たしか二十年の初めだったと思います。

第一印象ははっきり覚えています。全身に異様な空気を漂わせていました。筑波航空隊には戦地から帰った搭乗員が何人かいて、いずれも死線を越えたという凄《すご》みがありましたが、宮部さんもそうした空気を持っている男でした。

不思議なことに、より厳しい戦場から帰ってきた者ほど戦場のことは話しませんでした。むしろたいして実戦を積んでいないような搭乗員の方が戦地風を吹かす傾向にありました。宮部さんもまた戦場体験はほとんど語りませんでした。華々しい話や手柄話はまったく言わない人でした。

宮部教官の階級は少尉でしたが、いつも私たちには丁寧な言葉で話す人でした。少数いる海軍兵学校出身の教官はたいてい言葉も乱暴で、怒鳴ることも当たり前でしたが、宮部教官は学生に一度も大きな声を上げたことはありません。もっとも少尉とは言っても宮部さんの場合「特務少尉」といって一段下の士官です。下士官上がりの士官は「特務士官」といって海兵出の士官よりも低く扱われたのです。一度、ある年輩の特務中尉に、海兵出身の若い少尉が怒鳴っているのを見たことがあります。それが軍隊というところです。

私たちの先輩たちもまた「予備士官」とか「スペア」と言われ、海兵出身の士官よりは一段低く見られていました。それだけに特務士官に対してはシンパシーがありました。しかしそういう私たちも下士官たちから見れば、特権階級に見えたことでしょうね。

ただ宮部教官は言葉遣いの丁寧さとは別に、非常に厳しい教官でした。というのはなかなか私たちに合格点をくれない教官として有名でした。他の教員だと十分に合格点をくれるのに、宮部教官は「不可」をつけることが非常に多かったのです。

私も含め何人かの予備学生には評判はよくありませんでした。

「戦地帰りの目から見れば、俺たちの飛び方などまだまだヒヨッコと言いたいのだろうけど、ありゃあ戦地風を吹かすよりもたちが悪いぜ」

「俺たちが士官候補なのが気に入らないのだろうが、こんな形で嫌がらせをすることはないだろう」

私も宮部教官のやり方には、何か意固地なものを感じました。誰かが言ったように、自分が十年以上かかってやっとなれた少尉という階級に、予備学生たちが何の苦労もなしになるということに対して、面白くない気持ちがあるのかなとも思いました。その気持ちは理解出来ますが、私たちのせいではありません。

宮部教官が来てから、私たちの教程のペースががくっと落ちました。それである日、予備学生何人かが、先任教官に訴えました。

その翌日、私たちは宮部教官から旋回訓練を受けましたが、教官はまたしても全員に「不可」をつけました。大半に不可をつけるならまだしも、全員に不可をつけるのはあまりにもあからさまな嫌がらせでした。

私たちは再び先任教官に訴えました。しかし宮部教官の態度は頑《がん》として変わりませんでした。彼は徹底的に不可をつけ続けました。これには私たちも「敵ながら天晴れ」という気持ちがしました。この教官は案外骨のある男ではないかと思ったのです。しかしやがて宮部教官は教官を外されました。

ところが教官の数が足りず、宮部さんはまもなく教官に復帰しました。ただ宮部教官は飛行訓練を教えるものの、実技の可否をつけることは他の教官が行うことになりました。おそらく上官の命令だったのでしょう。

これには宮部教官もこたえたようです。それはそうでしょう。学生に可否をつけることの出来ない先生というのは先生ではありません。宮部教官は大いに誇りを傷つけられたことでしょう。これ以降、私たちに対する教え方は以前に増して丁寧になりました。私たちは内心で「ざまあみろ」という気持ちでした。

ただ、宮部教官が「上手《うま》くなりました」と言う時は露骨に嫌そうで、その表情は私たちをいらいらさせました。

ある日、私は旋回の訓練を終えた時、宮部教官から「上達しました」と言われましたが、その顔は心から言っていないことが明らかでした。その日は自分でもまずまずの出来だったので、私は思わず言いました。

「宮部教官は、わたくしが上手くなるのが不満なのでしょうか？」

宮部教官は驚いた顔をして答えました。

「そんなことはありません。そう見えたなら、不徳のいたすところです」

宮部教官はそう言って深々と頭を下げました。その態度にも私は慇懃《いんぎん》無礼な印象を持ちました。

「本当にそう思っているなら、もっと嬉しそうな顔をして言ってくれてもいいじゃないですか」

宮部教官は黙っていました。

「それとも、本当は下手糞と思ってるんですか」

それにも宮部教官は答えませんでした。

「どうなんですか。それともただの嫌がらせですか」

その時、宮部教官は言いました。

「正直に言いますと、岡部学生の操縦は全然駄目だと思っています」

私は顔が赤くなるのがわかりました。

「何をもって――」

私はそう言うのがやっとでした。

「岡部学生が今戦場に行けば、確実に撃墜されます」

私は言い返そうとしましたが、一言も言い返せませんでした。

「わたくしが皆さんに不可をつけ続けたのは嫌がらせなどではありません。わたくしは戦場で多くの搭乗員が命を失うのを見てきました。わたくしよりも腕のある古い搭乗員も数多く撃墜されました。零戦はもう無敵の戦闘機ではありません。敵戦闘機は優秀で、しかも数の上でも我が方を圧倒しています。戦場は本当に厳しいものなのです。わたくしが戦地風を吹かしていると思われますか」

「――思いません」

「マリアナでもレイテでも、多くの若い搭乗員が十分な訓練を積めないままに実戦に投入されました。そしてそのほとんどが初陣で戦死しました」

淡々と話す宮部教官の言葉に、私は何も言えませんでした。

「飛行隊長にもそのことを言いました。しかしわかってもらえませんでした。逆によほどのことがなければ合格点をつけるように命ぜられました。とにかく今は搭乗員が足りない、だから一人でも多くの搭乗員が欲しい、と」

私は頷きました。

「皆さんのような優れた人たちを教えていて、わたくしの正直な気持ちは、皆さんは搭乗員などになるような人たちではない、ということです。もっと優れた立派な仕事をするべき人たちだと思います。わたくしは出来ることなら、皆さんには死んで欲しくありません」

あの時の宮部教官の言葉は、戦後ずっと私の心の中に残っていました。仕事で苦しい時、いつもあの時の宮部教官の言葉を思い出しました。

「生意気なことを言いました。申し訳ありません」

宮部教官はそう言って頭を下げると、宿舎の方へ帰っていきました。

私は自分を恥じました。浅ましい精神で宮部教官を推し量った自分を許せない気持ちでした。

二月の終わり、私たちはすべての教育課程を終えました。わずか一年足らずの短い教育期間でした。かつての予科練の教育期間が二年以上でしたから、いかに私たちが速成だったかがわかります。

その夜、私たちは一枚の紙を渡されました。そこには「特攻隊に志願するか」という質問が書かれていました。提出は翌日と言われました。

ついに来るべきものが来たか、と思いました。しかし実際に紙を渡された時の衝撃は自分の覚悟をはるかに上回る大きなものでした。

私は予備学生として入隊した時から死ぬことは覚悟していました。そのことは同期の友人たちとも何度も語りあったことです。ただそれはあくまで命を懸《か》けて戦った結果としての死でした。必ず死ぬと決まった特別攻撃隊に志願することは、私の覚悟を超えたものがありました。

しかし、前年から特攻が実施されていることは知っていましたから、特攻志願書を前に慌てふためくということはありませんでした。十九年秋のレイテにおける敷島隊のことは新聞紙上などで大々的に発表されていましたし、その後も神風特別攻撃隊のことは連日、新聞や大本営発表で報じられていました。だからもしかしたらという気持ちがあったのもたしかです。

——初めて特攻隊のニュースを耳にした時の衝撃ですか？　はっきり言って、それほどの衝撃はなかったように思います。ただ、気持ちは引き締まりました。

おそらくその頃は、人間の死に対して鈍感になっていたのでしょう。新聞でも「玉《ぎょく》砕《さい》」という文字は珍しくありませんでした。玉砕の意味ですか？　全滅という意味です。ひとつの部隊総員が死ぬことです。全滅という言葉を「玉砕」という言葉に置き換えて、悲惨さを覆い隠そうとしたのです。当時、日本軍はそういう言葉の置き換えをあらゆるものにしていました。都会から田舎に避難することを「疎開」と言い、退却を「転進」と言いました。しかし「玉砕」はもっともひどい例だと思います。そこには死を美しいものに喩《たと》えようとする意図があります。やがて新聞紙上に「一億玉砕」という言葉も躍るようになります。

連日、新聞などでそうした多くの死を見ていると、命がどんどん軽いものに思われてきます。毎日、戦場で何千人という人が亡くなっている中で、十人ほどの特別攻撃隊が出たところで、それほどの衝撃はありませんでした。

しかし、いざ自分がその身になってみると、事態はまったく違ったものになります。人間というものはつくづく自分勝手なものだと思います。

私は父母のことを考えました。私のことを何より可愛がってくれた両親のことを。そして十歳違いの妹のことを考えました。私が死ねば、父母は耐えることが出来ても、妹は泣きじゃくるだろうと思いました。妹は私のことを誰よりも愛していました。「お兄さまが一番好き。お父さまよりもお母さまよりも、お兄さまが好き」というのが妹の口癖でした。

実は私の妹は少し知能に障害があったのです。そうした子供の多くがそうであるように、非常に純真で人を疑うことのない子でした。それだけに不憫《ふびん》でいじらしくもあったのです。

もし私に恋人か妻がいれば、また違ったことを考えたのでしょうが、幸い私は独身でした。また想いを寄せた女性もいませんでした。だからその時、父母と妹のことだけが私の心に重くのしかかっていたのです。

父母は耐えてくれるだろう。そして私の親不孝を許してくれるだろう。祖国を守るために死んでいったことを誇りに思ってくれるだろう。しかし妹には申し訳ない思いで一杯でした。また父母がいずれ年老いて亡くなった時、妹を助けてやれる人がいなくなる。それが心残りでもありました。

私が志願書を前にどういうふうに心を決めたのかは、何も覚えていません。心の深いところで、はっきりとした覚悟をもって決断したのかどうかさえ、今となっては思い出せません。

明け方近くに「志願します」という項目に丸印を書き入れました。多くの者が志願すると書くはずだという意識が書かせたように思います。私一人が卑怯者《ひきょうもの》になりたくなかったのです。名前を書く時に、文字が震えないように気をつけたのを覚えています。こんな時にも、そんなことを考えたのです。

飛行学生たちは全員「志願する」を選びました。しかし後に、当初、何人かは「志願しない」としたらしいと聞きました。志願しないと書いた人たちは、上官に個別に呼ばれ、説得を受けたようです。当時の日本の軍隊における上官の説得というのは、これはもうほとんど命令と同じです。これに逆らうことは不可能でしょう。

私たちを意気地なしと思いますか。しかしこれは今日《こんにち》の自由な空気に育った人には理解出来ないでしょう。いや現代でも、果たして会社や組織の中で、自分の首をかけて上司に堂々と「NO」が言える人たちがどれほどいるのでしょうか。私たちの状況はそれよりもはるかに厳しいものでした。

「志願せず」と書いた男が何人かいたらしいと聞いた時、私は、どうせ説得されて志願させられるのだから、初めから志願すると書けばよかったのにと思いました。

しかし今、確信します。「志願せず」と書いた男たちは本当に立派だった——と。

自分の生死を一切のしがらみなく、自分一人の意志で決めた男こそ、本当の男だったと思います。私も含めて多くの日本人がそうした男であれば、あの戦争はもっと早く終わらせることが出来たかもしれません。

彼らを志願させたのはもしかしたら上官ではなく私たちだったのかもしれません。そういう私たち自身、決して喜んで死を受け入れたわけではありません。しかしあの時代はそれ以外に選択の余地はなかったのです。軍部は特攻隊を志願しない者を決して許さなかったでしょう。実際にそうした噂も聞きました。他の練習航空隊で頑として特攻を志願しなかった者は、前線の陸戦隊に送られたり、あるいはほとんど絶望的な戦いに投入された、と。噂ですから、どこまでが真実かわかりません。けれどもあの時代を生きた私には、真実に近いものがあったと思います。

あの頃の軍部は、兵隊の命など何とも思っていなかったのです。先程、特攻隊で散った若者は四千四百人と言いましたが、沖縄戦での戦艦「大和」の海上特攻では一度の出撃で同じくらいの人が命を失っています。

「大和」の出撃は絶望的なものでした。沖縄の海岸に乗り上げて陸上砲台として上陸した米軍を砲撃するという荒唐無稽《こうとうむけい》な作戦のために出撃させられたのです。しかしそんなことが出来得るはずもありません。航空機の護衛もなく、一隻の戦艦と数隻の護衛艦が沖縄にたどり着けることなど、万が一にもあり得ないことです。

つまり「大和」もまた特攻だったのです。そしてこの特攻は「大和」の乗組員三千三百人とその他の小型艦艇の乗組員を道連れにするものでした。この作戦を立てた参謀たちは人間の命など屁とも思わなかったのでしょう。三千三百人の乗組員たちそれぞれ家族がいて、母や妻、それに子供や兄弟がいる人間の姿を想像出来なかったのでしょう。負けることがわかっている戦いでも、むざむざ手をこまねいているわけにはいかず、それなら特別攻撃で、意地を見せるという軍部のメンツのために「大和」と数隻の軽巡、駆逐艦、それに数千人の将兵が使われたのです。

連合艦隊の誇りとも言うべき「大和」でさえ特攻で捨ててしまう作戦を立てる軍令部や連合艦隊幕僚が、予備学生を使い捨てることに躊躇《ちゅうちょ》するはずもありません。うまくいけば、一人の人間と一機の飛行機で軍艦を一隻沈めることが出来るかもしれない。その一発の命中のために、数十機が無駄になっても仕方がないと思っていたのでしょう。

ところで、特攻を志願したからといって即特攻隊員になったわけではありません。軍にとって特攻志願は当然の前提であり、手続きの一つにすぎなかったのです。一旦、特攻を志願すれば特攻要員となり、軍はそこから自由に特攻隊員を指名することが出来ます。

私たちは教育期間を終えて任官しても、引き続き訓練が行われました。その頃は特攻要員がいても航空機が足りなかったのです。いや航空機だけではありません。燃料さえも足りず、満足に練習さえ出来ない有様だったのです。

沖縄特攻作戦が始まったのはその頃です。

二十年の三月に入ると、沖縄周辺海域の米艦隊に対して、特攻機が連日、九州の各基地から出撃しました。それらは新聞でも大々的に報道されていました。

四月のある日、我々十四期の予備士官の中から十六名の名前が特攻隊員として発表されました。私の名前はその中にありませんでした。選ばれた者は優秀な技量の者ばかりでした。

その十六名の中に、私の親友、高橋芳雄がいました。彼は慶應での同級生でした。文学をこよなく愛する男で、将来は国文学者になる夢を持っていました。同時に柔道の達人であり、講道館三段の腕前がありました。六尺近い偉丈夫で、まさに文武両道の男でした。

高橋には忘れられない思い出があります。

彼が我が家に遊びに来た時、たまたま私の妹が泣きながら帰ってきたのです。一緒にいた近所の女の子に聞くと、学校の帰り道、中学生たちに「知恵遅れ」とからかわれた挙句、さんざん頭を叩かれて泣かされたというではありませんか。これまでも妹は障害があることを笑われたりからかわれたりして、そのたびに私は悔しい思いをしていましたが、この時ばかりは本当に腹が立ちました。知恵遅れだというだけで、他人に叩かれる謂《いわ》れはない。

私は女の子に、そいつらはどこの中学生かと聞きました。

その時、振り返った私は驚くものを見ました。高橋が妹の頭を撫《な》でながら、泣いていたのです。

「可哀想になあ、可哀想になあ。和子ちゃんは何も悪いことをしていないのになあ」

そう言って、高橋は涙をぼろぼろ流しているのです。

私は高橋の優しさに心打たれました。私はこの男のためなら何だって出来ると思いました。

今、その高橋が特攻隊員に選ばれたのです。

私は高橋に「代わってくれ」と言いました。

「馬鹿言うな」

高橋は笑って言いました。

「頼むから、代わってくれ」

「駄目だ」

私は彼の胸ぐらを摑《つか》みました。

「俺に代われ！」

私は怒鳴るように言いました。

「駄目だ！」

高橋もまた大声で言い返しました。私は彼を押し倒そうとしました。

「代われ、高橋」

「嫌だ」

高橋はそう言うと、逆に私を投げ飛ばしました。私は立ち上がると、彼の腰にしがみつきました。彼はまたも私を投げ飛ばしました。私は再び立ち上がると、泣きながら向かっていきました。彼もまたそんな私を泣きながら、何度も投げ飛ばしました。

しまいに私は力つき、地面に突っ伏して泣きました。

「岡部、お前は生き残れ。和子ちゃんのためにも死ぬな」

高橋はそう言って私の肩を抱きました。彼もまた泣いていました。

この日、泣いた男は私だけではありませんでした。夜、酒が入ると、選ばれなかった者は号泣し、選ばれた者に「代わってくれ」と無茶を言いました。中には「特攻に行かせてくれ」と涙ながらに飛行長に直訴した者もありました。

選ばれた者も選ばれなかった者も泣きました。

翌日から、選ばれた十六名はオクタン価の高い実戦用の航空燃料で訓練を始めました。文字通り死ぬための訓練です。

それにしても高橋たちは立派でした。

特攻隊員に選ばれたからには死の宣告を受けたのと同じです。しかし彼らは決して私たちの前で、それを怖れるようなことは言いませんでした。暗い顔を見せることもありませんでした。むしろ朗らかに明るく振舞っていました。

それが本心であるはずはありません。彼らがそうした笑顔を見せていたのは、私たちのことを思ってのことなのです。死を前にして、後に残る者たちの心を慮《おもんぱか》る——一体何という男たちだったのか。

彼らの教官は宮部さんでした。宮部教官は高橋らが特攻隊員に選ばれたことは当然知っていました。

ある時、高橋が宮部教官のことをこう言いました。

「あの人は本当の心を持った人だよ」

私はどういう意味か聞きました。

「あの人は俺たちを教えるのが辛くてたまらないんだ。それははっきり感じる。俺たちが死ぬのが辛いんだな」

「そうか」

「俺はそんな宮部教官の辛そうな顔を見るのが辛い」

私は、以前に宮部教官に言われた言葉を高橋に伝えました。高橋は、うんうん、と頷いていました。小さな声で、そういう人なんだな、と言いました。

それからこんなことを言いました。

「噂だが、宮部教官は比島で特攻を拒否したらしい」

これは驚きでした。

「多分その話は本当だと思う」と高橋は言いました。「俺はあの人を尊敬する」

私は何も言えませんでした。そして高橋は悲しげな顔で言いました。

「俺たちは弱虫だな」


五月の初め、高橋たちは九州の国分基地に飛び立ちました。飛行機の数が足りず、十六名中十一名だけが十一機の零戦に乗って行きました。誘導は宮部教官でした。

出発前、高橋は私に
「行ってくるよ」と言いました。

私は返す言葉が思い浮かびませんでした。

「しょんぼりするな」

高橋はそう言って、にっこり笑いました。その笑顔はまぶしいくらいに爽やかでした。

そして高橋は滑走路の方へ走っていきました。

後に知りましたが、この時の十一名はその後一月足らずで全員亡くなりました。

宮部教官はそのまま国分基地に残り、そこで特攻機の直掩機として何度も出撃したそうです。そして終戦間際に特攻で亡くなったと聞いています。

私はその後、茨城県の神之池基地に配属され、そこで桜花《おうか》の搭乗員となりました。

――桜花のことはご存じですか？　人間が操縦するロケット爆弾です。

いや飛行機ではありません。本当に爆弾なのです。自力で飛び立つことも出来ず、また着陸することも出来ません。旋回も出来ず、ただ真っ直ぐに滑空することしか出来ません。一式陸攻に懸吊《けんちょう》され、上空から敵艦に向かって飛んでいくだけの人間ロケットです。

よくもまあこれほど非人間的な兵器が作られたものだと思います。

ここでの訓練は急降下だけでした。高空から落下して目標物にまっすぐにぶつかる――ただそれだけです。そのために零戦を使って急降下訓練もやりました。

桜花に乗っての降下訓練はただ一度です。桜花には着陸用の車輪がないために、機体にソリをつけ、高空から凄まじい速度で落下し、地上付近で水平飛行し、滑走路に着地するのです。これに成功した者は「A」とランクされ、桜花の搭乗員として登録されます。そして成功した者から次々に九州へ送られました。

――着地訓練に失敗した者ですか？　そこで死にます。

多くの者が着地に失敗して亡くなりました。水平飛行が出来ず地面に激突する機体、滑走路を大幅に越えて土手に激突する機体、ソリが壊れて滑走路との摩擦で燃え上がる機体、ロケットの噴出装置の故障で墜落する機体――。

本当にあの訓練は恐ろしさを通り越したものでした。

私もやりました。あの恐怖は忘れられません。母機から桜花に移る時は足がすくみました。一式陸攻の床が開き、ものすごい風圧で飛ばされそうになる中を、懸吊してある桜花の操縦席に飛び移るのです。もちろん命綱などありません。もしこの時何らかの手違いか故障で桜花が落下すれば、命はありません。

しかしこの恐怖さえ落下する時の恐ろしさに比べたら、何ほどのものでもありません。母機から切り離された途端、桜花はものすごい勢いで三百メートルくらい落下していきます。そのマイナスGは強烈で、頭に体中の血が昇り、破裂しそうな感じになります。そして口から内臓が飛び出しそうな感じになります。気を失いそうになるのを必死でこらえ、渾身《こんしん》の力を込めて操縦桿を引き、機体を立て直して飛行場の目標に向かって滑空します。そして地面ギリギリで更に引き起こし、今度は水平飛行に移ります。これまた想像を絶するほどのGで、目の前が真っ暗になりました。あやうく失神するところでした。おそらく引き起こしに失敗して亡くなった友人たちはこの時、失神したのかも知れません。桜花が着地した時の衝撃は凄《すさ》まじいものがありました。

体ごと地面に叩きつけられた感じでした。

　私は八十年生きていますが、後にも先にもあれほどの恐ろしい体験をしたことはありません。

　しかし実際に特攻で敵艦に突入した人は、もっと大きな恐怖を味わったに違いありません。

　七月に、私は桜花隊員として長崎の大村基地に行きました。その頃は鹿児島や宮崎などの南九州の基地群は空襲でやられて基地としての機能をほぼ失っていました。だから鹿児島の基地群はただ、特攻出撃する時にだけ使われていたのです。

　大村で宮部教官の姿を見たような気がします。しかし話をしたのかどうか、記憶にありません。その頃のことは何か夢でも見ているかのようなぼんやりした記憶しかないのです。朝、搭乗員割に自分の名前がないと知ると、一日命が延びたなという思いがしたことは覚えています。

　しかし出撃命令が出る前に戦争が終わりました。

　――戦争が終わった時の気持ちですか？　安堵《あんど》感はたしかにありました。しかし同時に、間に合わなかった、という気持ちもありました。自分だけが生き残ってしまったという後悔のような気持ちと、先に死んだ友人たちに申し訳ないという気持ちでした。

その思いはずっと消えなかったですね――今も消えていません。

長い沈黙があった。遠くで蟬《せみ》の声が聞こえていた。

「桜花を考えた人は、人じゃない！」姉は涙声で言った。

岡部は深く頷いた。

「私が訓練していた神之池基地は、今、桜花公園という公園になっているそうです。そこには桜花も展示してあるとか。しかし私は二度と桜花を見たいとは思いません」

岡部の言葉に、ぼくはわかりますと答えた。

「ところが、十年前、偶然に桜花を見ました。アメリカに旅行に行った時、スミソニアン博物館で目にしたのです。桜花は天井から吊されていました。あまりの小ささに驚いたのを覚えています。そしてそれ以上に衝撃的だったのは、そこに付けられていた名前です。何と書かれていたかわかりますか――バカボムです」

「バカボン――？」

姉は聞き返した。

「BAKA―BOMB、すなわちバカ爆弾です。私は息子夫婦が隣にいるにもかかわらず、声を上げて泣きました。悔しくて、情けなくて――いくら泣いても涙が止まりませんでした。しかし本当のところは、『ＢＡＫＡ』そのものずばりだったのです。すべての特攻作戦そのものが、狂った軍隊が考えた史上最大の『バカ作戦』だったのです。しかしそれだけで泣いたのではありません。そんなバカな作戦で死んでいった高橋たちが、ただただ、哀れで、哀れで、涙が止まらなかったのです」

岡部は急に顔をくしゃくしゃにしたかと思うと、ぼろぼろと涙をこぼした。

彼の悔しさと無念がぼくにも伝わった。ぼくもまた「ＢＡＫＡ」という言葉に大きなショックを受けていた。まるで祖父が「馬鹿」とののしられているような気持ちになったのだ。

「ちなみに桜花を中心とした神雷部隊での桜花の戦死者は百五十人以上、神雷部隊全体の戦死者は八百人以上です。なぜかと言うと、桜花を積んだ一式陸攻の搭乗員も含まれているからです」

「母機と一緒に撃墜されたのですね」

ぼくの質問に、岡部は「その通りです」と答えた。

「桜花一機の重量は二トン近くもあります。一式陸攻が桜花を懸吊して飛べば、スピードはまったく出ず、まさに撃ち墜としてくれといわんばかりの状態になります。桜花の射程距離は最大三十キロです。しかし桜花を抱いた一式陸攻が、敵戦闘機の邀撃《ようげき》を突破して、艦隊に三十キロまで近づけるなどということは万に一つもありません。

桜花を考えた人たちは航空戦の実態を何も知らない人だったのでしょう」

岡部は悔しそうに言った。

「最初の桜花の攻撃は二十年の三月に行われたのですが、十八機の一式陸攻に十五機の桜花を積んで出撃して、全機が敵戦闘機に墜とされました。この時、神雷部隊の指揮官である野中五郎少佐はこの作戦は無謀だとして徹底して反対しましたが、宇垣纏《まとめ》長官は作戦を強行しました。野中少佐は、出撃にあたっては零戦の援護機を七十機つけてくれと言ったにもかかわらず、実際につけられたのは三十機でした。野中少佐は生き延びることの困難な作戦に部下だけを行かせるのに忍びなく、自らが指揮官となって出撃されたのです」

姉は、ああ、と声を上げた。

「野中少佐を知る人は皆、本当に素晴らしい上官だったと言っています。野郎ども、いっちょうやってやろうじゃねえか、というのが口癖の親分肌で、心から部下のことを大事にした人だったといいます。彼の部隊は野中一家と呼ばれ、多くの部下たちから父親のように慕われた人でした」

「立派な人だったのですね」

「野中少佐は自ら出撃しなくてもよい立場だったはずです。それでも行ったというのは部下を見殺しに出来ないという思いと同時に、自分の命を捨ててまで、上層部に馬鹿な作戦だと教えようとしたのかもしれません」

「本当の軍人ですね」

岡部は頷いた。

「しかし野中一家が全滅したにもかかわらず、その後も桜花を積んだ神雷部隊は何度も出撃しました。当然ながら、そのほとんどが敵機動部隊まで行き着くことが出来ず、母機もろとも撃墜されています。こうして神雷部隊は全部で八百人もの戦死者を生んだのです」

三人の中にしばしの沈黙があった。

ややあって、姉が聞いた。

「岡部さんは、どのようにして特攻を受け入れたのですか」

「受け入れた、とは？」

「特攻に際して、どのように自分の死を納得させたのですか」

「難しい問題ですな」

岡部は腕を組んだ。

「死を受け入れるからには、その死を上回る崇高な目的がなければ出来ないと思うのです。岡部さんにとって、そのような高次な目的とは何だったのでしょうか」

姉の質問は意外だった。もしかしたら、前もって用意していた質問かもしれなかった。

岡部はしばらく沈黙していたが、やがて口を開いた。

「綺麗事《きれいごと》のように聞こえるかも知れませんが、自分が死ぬことで家族を守れるなら、喜んで命を捧げようと思いました」

「死ぬことでご家族が守れると思いましたか」

岡部は黙って姉を見つめた。

「特攻隊の死は犬死にとおっしゃりたいのですか」

「いいえ」

姉は少し慌てたように首を振った。岡部は言った。

「少し違う話をしていいですか」

「はい」

「アメリカは自由主義の国です。どこの国よりも国民の命を大切にする国です。しかし、そのアメリカも第二次大戦では自由主義を守るためにナチスドイツと戦いました。そして一九四三年にドイツの軍需工場を爆撃するために、B17爆撃機が戦闘機の護衛なしで昼間爆撃を行いました。戦闘機の護衛がなかったのは、当時アメリカには航続距離のある戦闘機がなかったからです。また昼間爆撃をしたのは、夜間では工場を照準出来ないからです」

「はい」

「しかしこれは非常に危険な任務でした。B17はドイツ空軍の激しい迎撃にあい、毎回四十パーセント以上の未帰還機を出したのです。四度の出撃を生き延びる搭乗員はいなかったと言われています。それでもアメリカ軍はヒットラーとナチスを倒すために、昼間爆撃をやめませんでした。そしてアメリカ軍の兵士たちもまた勇敢にドイツの空に突入しました。B17の搭乗員の戦死者は五千人を超えているのです。この数は実は神風特攻隊の戦死者四千人を上回るものです」

「そんなに――」

「これが戦争なのです。アメリカの兵士たちが祖国の勝利を信じて命を懸《か》けて戦ったように、私たちも命を懸けていたのです。たとえ自分が死んでも、祖国と家族を守れるなら、その死は無意味ではない、そう信じて戦ったのです。戦後の平和な日本に育ったあなた方には理解出来ないことはわかっています。でも、私たちはそう信じて戦ったのです。そう思うことが出来なければ、どうして特攻で死ねますか。自分の死は無意味で無価値と思って死んでいけますか。死んでいった友に、お前の死は犬死にだったとは死んでも言えません」

姉は黙っていた。

部屋全体に重苦しい空気が漂った。沈黙を破ったのは岡部だった。

「しかし、それでも私は特攻を否定します。断固否定します」

岡部は強い口調で言った。

「特攻は十死零生の作戦です。アメリカのB17爆撃機搭乗員たちも多くの戦死者を出しましたが、彼らには生きて帰れる可能性がありました。だからこそ勇敢に戦ったのです。必ず死ぬ作戦は作戦ではありません。これは戦後ある人に聞いた話ですが、五航艦の司令長官であり、全機特攻を唱えた宇垣纏長官が特攻出撃を前にした隊員たち一人一人手を取って涙を流しながら激励した後、『何か質問はないか』と聞いたそうです。その時、ミッドウェーから戦っていたベテラン搭乗員が『敵艦に爆弾を命中させたら、戻ってきてもいいでしょうか』と尋ねたそうです。すると宇垣長官は『ならん』と言い放ったそうです」

ぼくは思わず、えっと声を上げた。

「これが特攻の真実です。勝つための作戦ではなかったのです。特攻の目的は搭乗員の体当たりなのです。そして、沖縄戦の後半は志願するもしないもない、通常の命令で行われたのです」

第九章　カミカゼアタック

元海軍中尉、武田貴則とは白金のホテルで会った。彼自身がこの会談のためにわざわざホテルを取ってくれたのだ。

驚いたことに武田はぼくも知っている一部上場企業の社長まで務めた男だった。姉も、彼の名前を聞いたことがあると言っていた。彼は東大在学中に飛行予備学生となったが、戦後は大学に戻り、大学院を出た後、企業に入り、戦後の経済復興の第一線で働いていた男だった。

元特攻隊員が経済界の大物になっていたというのは不思議な気がしたが、むしろ武田の経歴からすれば、海軍軍人だった一年余りの期間のほうが極めて例外的なことであったのかもしれない。

姉とはロビーで待ち合わせることにしていたが、少し遅れるというメールがあったので、ぼくは武田の部屋に電話を入れた。

まもなく武田は妻と一緒に降りてきた。

「武田です」

しっかりした声で挨拶した。武田は長身だった。白髪で、鼻の下にも白い髭《ひげ》を蓄えていた。ダンディーという言葉がぴったりたりする老人だった。とても八十過ぎには見えなかった。

「佐伯健太郎と申します。宮部久蔵の孫です」

ぼくは連れの者が遅れていることを告げ、それからわざわざホテルまで取っていただいたことに対するお詫《わ》びと感謝を述べた。

「いや、たまには夫婦でのんびりホテルで過ごすことを兼ねたまでです。しばらく家から出ていなかったから、ちょうどいい機会です」

武田はそう言って、妻の方を見て笑った。

「それでは、お連れの方が見えるまでお茶でも飲みましょうか」

と武田は言った。

三人はラウンジへ行った。

テーブルに座って注文を終えた時、姉がやって来た。ところが驚いたことに、姉の隣に高山がいた。

「高山さんも、ぜひ武田さんのお話をお聞きしたいというのですが、同席させてもよろしいでしょうか？」

武田はそれには答えず、ぼくの方を見た。

「困るよ、姉さん。これは個人的な話なんだから。高山さんは関係ない」

姉は困ったような顔をした。しかしいくら姉が頼んでもここは曲げられない。

「まあ、いいでしょう。お座りなさい」

武田が言った。

「恐れ入ります」

高山は丁寧に頭を下げると、テーブルに着いた。そして名刺を武田に渡して自己紹介した。

「新聞記者ですか」

武田は名刺を見て呟《つぶや》くように言った。その顔がちらりと曇った。

「今日は取材ではありません。あくまで個人的なお話に同席させていただくということで、よろしくお願いします」

高山は深々と頭を下げた。武田は黙って頷《うなず》いた。

ちょうど飲み物が運ばれてきた。

「話はのちほど、ゆっくりと部屋でしましょう」

武田の言葉に、高山と姉もそれぞれウェイターに飲み物を注文した。

「ただし、電話でも申し上げましたが、私自身のこと、それと特攻のことは話しませんよ。話すのはあくまで宮部久蔵氏の思い出についてです」

武田は紅茶にミルクを注ぎながら言った。

突然、高山が口を開いた。

「なぜ、特攻のことを話されないのですか？」

武田は高山を見た。

「私は武田さんが元特攻隊員であったということに大きな関心を持っています」

「私は特攻隊員ではない。特攻要員だったに過ぎない。特攻隊員とは特攻隊に選ばれた者です」

「僭越《せんえつ》ですが、私は、武田さんのような方が特攻の体験を語ることは、大変貴重なことと思います」

「特攻の体験は語りたくない。特にあなたには」

「なぜですか？」

武田は大きく息を吐くと、高山の顔を見据えて言った。

「私はあなたの新聞社を信用していないからだ」

高山の表情が強《こわ》ばった。

「あなたの新聞社は戦後変節して人気を勝ち取った。戦前のすべてを否定して、大衆に迎合した。そして人々から愛国心を奪った」

「戦前の過ちを検証し、戦争と軍隊を否定したのです。そして人々の誤った愛国心を正しました。平和のために」

「軽々しく平和という言葉を持ち出さないで貰いたい」

武田の言葉に、高山は表情を変えた。

しばしの重苦しい沈黙の後、高山は言った。

「一つ質問させてください。特攻隊員は特攻要員から選ばれるのですか？」

「そうだ」

「特攻要員は志願ですね？」

「そういう形をとっていた」

「すると、武田さんも志望されたのですね？」

武田はそれには答えず、紅茶のカップを口に運んだ。

「ということは、あなたにも、熱烈な愛国者だった時代があったということですね？」

武田のカップを持つ手が止まった。高山はかまわず続けた。

「あなたは戦後立派な企業戦士となられましたが、そんなあなたでさえ、愛国者であった時代があったということが、私には大変興味があります。あの時代は、あなたのような人でさえそうだったように、すべての国民が洗脳されていたのですね」

武田はカップを皿に戻した。スプーンとぶつかって派手な音を立てた。

「私は愛国者だったが、洗脳はされてはいない。死んでいった仲間たちもそうだ」

「私は特攻隊員が一時的な洗脳を受けていたと思っています。それは彼らのせいではなく、あの時代のせいであり、軍部のせいです。しかし戦後、その洗脳は解けたと思っています。だからこそ、戦後日本は民主主義になり、あれだけの復興を遂げたと思っています」

武田は小さな声で「何と言うことだ」と呟いた。

高山は畳みかけるように言った。

「私は、特攻はテロだと思っています。あえて言うなら、特攻隊員は一種のテロリストだったのです。それは彼らの残した遺書を読めばわかります。彼らは国のために尽くし、国のために命を捨てることを嘆くよりも、むしろ誇りに思っていたのです。国のために散ることを。そこには、一種のヒロイズムさえ読みとれました」

「黙れ！」

いきなり武田は怒鳴った。ウェイターが驚いて振り返った。

「わかったようなことを言うな！　我々は洗脳などされておらんわ」

「しかし、特攻隊員の遺書を読めば、殉教的精神は明らかだと思いますが」

「馬鹿者！　あの遺書が特攻隊員の本心だと思うのか」

武田は怒りで顔を真っ赤にさせた。周囲の人が皆こちらを見たが、武田はまったく気にしなかった。

「当時の手紙類の多くは、上官の検閲があった。時には日記や遺書さえもだ。戦争や軍部に批判的な文章は許されなかった。また軍人にあるまじき弱々しいことを書くことも許されなかったのだ。特攻隊員たちは、そんな厳しい制約の中で、行間に思いを込めて書いたのだ。それは読む者が読めば読みとれるものだ。報国だとか忠孝だとかいう言葉にだまされるな。喜んで死ぬと書いてあるからといって、本当に喜んで死んだと思っているのか。それでも新聞記者か。あんたには想像力、いや人間の心というものがあるのか」

武田の声は怒りで震えていた。武田の妻がそっと夫の腕に手を添えた。

高山は挑戦的に身を乗り出して言った。

「喜んで死を受け入れる気のない者が、わざわざそう書く必要はないでしょう」

「遺族に書く手紙に『死にたくない！　辛い！　悲しい！』とでも書くのか。それを読んだ両親がどれほど悲しむかわかるか。大事に育てた息子が、そんな苦しい思いをして死んでいったと知った時の悲しみはいかばかりか。死に臨んで、せめて両親には、澄み切った心で死んでいった息子の姿を見せたいという思いがわからんのか！」

武田は怒鳴った。

「死にたくないという本音が書かれていなくとも、愛する家族にはその気持ちはわかる。なぜなら、多くの遺書には、愛する者に対する限りない思いが綴られているからだ。喜んで死にいく者に、あれほど愛のこもった手紙を書けるものか」

武田は涙を流した。さきほどからウェイターがじっと見ていた。

「新聞記者だと――。あんたは死にいく者が、乱れる心を押さえに押さえ、残されたわずかな時間に、家族に向けて書いた文章の本当の心の内を読み取れないのか」

涙を流して語る武田に、高山は口元に冷ややかな笑みを浮かべた。

「私は書かれた文章をそのまま受け取ります。文章というものはそういうものでしょう。出撃の日に、今日は大いなる喜びの日と書いた特攻隊員もいます。また天皇にこの身を捧げる喜びを書いた者もいます、同じようなことを書いた隊員たちは大勢います。そんな彼らは心情的には殉教的自爆テロのテロリストと同じです」

「馬鹿者！」

武田は手のひらで机を叩いた。コップが音を立てた。ウェイターが思わず一歩近づいた。先程からずっと周囲の人たちがこちらを見ていた。

「テロリストだと――ふざけるのもいい加減にしろ。自爆テロの奴らは一般市民を殺《さつ》戮《りく》の対象にしたものだ。無辜《むこ》の民の命を狙ったものだ。ニューヨークの飛行機テロもそうではないのか。答えてみろ」

「そうです。だからテロリストなのです」

「我々が特攻で狙ったのは無辜の民が生活するビルではない。爆撃機や戦闘機を積んだ航空母艦だ。米空母は我が国土を空襲し、一般市民を無差別に銃爆撃した。そんな彼らが無辜の民というのか」

高山は一瞬答えに詰まった。武田は更に続けた。

「空母は恐ろしい殺戮兵器だった。我々が攻撃したのは、そんな最強の殺戮兵器だ。しかも、特攻隊員たちは性能の劣る航空機に重い爆弾をくりつけ、少ない護衛戦闘機しかつけて貰えずに出撃したのだ。何倍もの敵戦闘機に攻撃され、それをくぐり抜けた後は凄《すさ》まじい対空砲火を浴びたのだ。無防備の貿易センタービルに突っ込んだ奴らとは断じて同じではない！」

「しかし、信念のために命を捨てるという一点において、共通項は認められ――」

「黙れ！」

武田は言葉を封じた。

「夜郎自大とはこのことだ――。貴様は正義の味方のつもりか。私はあの戦争を引き起こしたのは、新聞社だと思っている。日露戦争が終わって、ポーツマス講和会議が開かれたが、講和条件をめぐって、多くの新聞社が怒りを表明した。こんな条件が呑めるかと、紙面を使って論陣を張った。国民の多くは新聞社に煽《あお》られ、全国各地で反政府暴動が起こった。日比谷公会堂が焼き討ちされ、講和条約を結んだ小村寿太郎も国民的な非難を浴びた。反戦を主張したのは徳富蘇峰《そほう》の国民新聞くらいだった。その国民新聞もまた焼き討ちされた」

高山は「それは」と言いかけたが、武田はかまわず言った。

「私はこの一連の事件こそ日本の分水嶺《ぶんすいれい》だと思っている。この事件以降、国民の多くは戦争賛美へと進んでいった。そして起こったのが五・一五事件だ。侵略路線を収縮し、軍縮に向かいつつある時の政府首脳を、軍部の青年将校たちが殺したのだ。話せばわかる、という首相を問答無用と撃ち殺したのだ。これが軍事クーデターでなくて何だ。ところが多くの新聞社は彼らを英雄と称《たた》え、彼らの減刑を主張した。新聞社に煽られて、減刑嘆願運動は国民運動となり、裁判所に七万を超える嘆願書が寄せられた。その世論に引きずられるように、首謀者たちには非常に軽い刑が下された。この異常な減刑が後の二・二六事件を引き起こしたと言われている。現代においてもまだ二・二六事件の首謀者たちは『心情において美しく、国を思う心に篤《あつ》い憂国の士』と捉《とら》えられている向きがある。いかに当時の世論の影響が強かったかだ。これ以後、軍部の突出に刃向かえる者はいなくなった。政治家もジャーナリストもすべてがだ。この後、日本は軍国主義一色となり、これはいけないと気づいた時には、もう何もかもが遅かったのだ。しかし軍部をこのような化け物にしたのは、新聞社であり、それに煽られた国民だったのだ」

「たしかに戦前においてはジャーナリストの失敗もあります。しかし戦後はそうではありません。狂った愛国心は是正されました」

高山は胸を張って言った。

武田の妻が再び夫の腕をそっと押さえた。武田は妻の方を見て小さく頷いた。それからまるで呟くように言った。

「戦後多くの新聞が、国民に愛国心を捨てさせるような論陣を張った。まるで国を愛することは罪であるかのように。一見、戦前と逆のことを行っているように見えるが、自らを正義と信じ、愚かな国民に教えてやろうという姿勢は、まったく同じだ。その結果はどうだ。今日、この国ほど、自らの国を軽蔑《けいべつ》し、近隣諸国におもねる売国奴的な政治家や文化人を生み出した国はない」

そして高山に向かってはっきりした声で言った。

「君の政治思想は問わない。しかし、下らぬイデオロギーの視点から特攻隊を論じることはやめてもらおう。死を決意し、我が身なき後の家族と国を思い、残る者の心を思いやって書いた特攻隊員たちの遺書の行間も読みとれない男をジャーナリストとは呼べない」

武田の言葉に、高山は傲然《ごうぜん》と身を反らせた。そして腕を組んで言った。

「いかに表面を糊塗《こと》しようと、特攻隊員たちの多くはテロリストです」

武田はじっと高山を見つめた。そして静かに言った。

「貴様のような男たちを口舌の徒というのだ。帰ってくれたまえ」

「わかりました。失礼します」

高山は憮然《ぶぜん》とした顔で立ち上がった。姉は一瞬迷った表情を見せたが、すぐにそのあとを追った。

「君は帰らないのか？」

武田は一人残ったぼくに聞いた。

「ぼくの祖父は特攻隊で死にました」

「そうだったな。宮部さんのお孫さんだったな」

「ぼくは祖父の最後を知りません。我が家には祖父の遺書も残っていません。ですが、今、武田さんのお話を伺って、祖父の苦しみが幾分か理解出来たような気がします」

武田はゆっくりと首を振った。

「特攻隊員の皆さんの苦しみは、特攻隊員でなければわかりません。私のような特攻要員と彼らとの間には雲泥万里のごとく高い隔りがあると思っています」

その時、姉が戻って来た。

「高山さんは帰りました。私は残ってお話を聞かせていただいてよろしいでしょうか」

「聞く心があれば、かまわない」

「あります」と、姉は言った。

武田は頷くと「席を変えよう」と言って立ち上がった。

数分後、ぼくたちは武田の部屋に移った。一流ホテルのスィートルームに入るのは初めてだった。

武田の妻が部屋に備えつけのお茶を入れてくれた。美味しいお茶だった。

武田は興奮した心を落ち着けるように黙ってお茶を飲んだ。ぼくたちも黙ってお茶を飲んだ。

やがて武田が静かに口を開いた。

「宮部さんの話をする前に、話しておきたいことがある」

戦後、特攻隊員は様々な毀誉褒貶《きよほうへん》にあった。国のために命を投げうった真の英雄と称《たた》えられた時もあったし、歪《ゆが》んだ狂信的な愛国者とののしられた時もあった。

しかしどちらも真実をついていない。彼らは英雄でもなければ狂人でもない。逃れることの出来ない死をいかに受け入れ、その短い生を意味深いものにしようと悩み苦しんだ人間だ。私はその姿を間近に見てきた。彼らは家族のことを考え、国のことを思った。彼らは馬鹿ではない。特攻作戦で、回天の望みがないことくらいは知っていた。

彼らは二・二六事件の狂信的な青年将校たちではない。散華のヒロイズムに酔った男たちはいなかった。中には、死を受け入れるために、そうした心境に自らを置いた者もいるかも知れない。しかし仮にそうした者がいたとして、誰がそれを非難出来るのか。受け入れがたい死を前にして、自らを納得させるために、また恐怖から逃れるために、そうした死のヒロイズムに身をさらしたからといって、どうだというのだ。

特攻隊員の中には、隊員に選ばれて、取り乱すような男は一人もいなかった。もちろん、出撃に際して泣きわめくような男もいなかった。彼らの多くは、出撃前に笑顔さえ浮かべる者もいた。痩《や》せ我慢などではない。すでに心が澄みきっていたのだ。

死刑を宣告された犯罪者の多くが、執行当日には恐怖で泣き叫ぶと聞いたことがある。自ら立って歩くことも出来ず、刑吏たちに抱きかかえられるように刑場へ連れて行かれる者もいると聞く。自らの非道な行いの報いでそうなるにもかかわらず、哀れにもそれを受け入れることが出来ないのだ。

死刑反対論者の中には、その心理的な恐怖感はあまりに残酷だという者もいる。おそらくそうなのだろう。「お前を殺す」と宣告されて、その日がいつ来るかいつ来るかという恐怖の中で生き続けることは、想像を絶する恐ろしさだと思う。朝、ドアが開いて、迎えに来た時が死ぬ時だ。来なければ、一日命が延びるが、それは恐怖が引き延ばされるだけだ。いずれ来るその日まで続く責め苦は、まさに煉獄の苦しみであろう。

特攻要員たちも特攻隊員に選ばれた瞬間から同じ状況にある。朝、指揮所の黒板の搭乗員割に名前がある時が死ぬ時だ。名前がなければ、命が一日延びる。その日はいつ来るかわからない。名前が書かれた日、人生は終わる。愛する人にも会えないし、やりたかったことはもう二度と出来ない。未来は数時間で打ち切られる。それがどんなに恐ろしいものだったか——私がいかに想像しようとも、それをはるかに超える恐ろしいものだったに違いない。

しかし彼らは従容としてそれを受け入れた。私の前で笑って飛び立っていった友人を何人も見た。彼らがそこに至るまでにどれほどの葛藤《かっとう》があったのか。それさえ想像出来ない人間が、彼らのことを語る資格はない。私が特攻隊員と特攻要員がまったく違うと言ったのは、だからだ。

むろん私たち特攻要員も死ぬ気ではいた。特攻隊員に指名されれば、潔く散る覚悟は出来ていた。しかし現実にその境遇に置かれた者とそうでない者の差は大きい。我々の中には天皇陛下のために命を捧げたいと思っている者など一人もいなかった。

戦後、文化人やインテリの多くが、戦前の日本人の多くが天皇を神様だと信じていたと書いた。馬鹿げた論だ。そんな人間は誰もいない。軍部の実権を握っていた青年将校たちでさえそんなことは信じていなかっただろう。

何度も言うが、日本をあんなふうな国にしてしまったのは、新聞記者たちだ。戦前、新聞は大本営発表をそのまま流し、毎日、戦意高揚記事を書きまくった。戦後、日本をアメリカのＧＨＱが支配すると、今度はＧＨＱの命じるままに、民主主義万歳の記事を書きまくり、戦前の日本がいかに愚かな国であったかを書きまくった。まるで国民全部が無知蒙昧《もうまい》だったという書き方だった。自分こそが正義と信じ、民衆を見下す態度は吐き気がする。

話が逸《そ》れたな。

この年になって、そんなことを愚痴っても仕方がない。ただ、先程の男を見ていると、あの当時、軍隊にいた多くの士官たちを思い出す。自分が属す組織を盲信し、自らの頭で考えることをせず、自分のやっていることは常に正しいと信じ、ただ組織のために忠誠を尽くすタイプだ。

特攻作戦を指揮した多くの者たちもそうだった。彼らは言った。「お前たちだけを死なせはしない。自分も必ず後を追う」と。

しかしそう言った連中の中に、後を追う者はほとんどいなかった。戦争が終わると、みな知らん顔をして、まるで自分には何の責任もないような顔をしていた。それどころか「特攻隊員は志願だった。彼らは純粋に心から、国のために命を捧げた」と言う輩《やから》が大勢いた。特攻隊員を祭り上げることによって、自分たちの責任を逃れたのだ。あるいは自らの良心の痛みを少しでも軽くするためか――。彼らのこうした詭弁《きべん》のために、特攻隊員たちに対する毀誉褒貶が始まったのだ。

今、特攻隊員の後を追う者はほとんどいないと言ったが、「特攻の父」と言われる大西瀧治郎中将は終戦の翌日に切腹して死んだ。この死を「責任を取って死んだ」立派な死と受け取る者も少なくないが、私は少しも立派とは思わない。多くの前途ある若者の命を奪っておいて、老人一人が自殺したくらいで責任が取れるのか。

百歩譲って、レイテの戦いでは、やむを得ない決死の作戦であったのかもしれない。しかし沖縄戦以降の特攻はまるで無意味だった。死ぬ勇気があるなら、なぜ「自分の命と引き換えても、特攻に反対する」と言って腹を切らなかったのだ。

特攻作戦は大西中将が十九年の十月に提案して採用されたということだが、はたして本当にそうなのか。彼自身は特攻を「統率の外道」と呼んでいた。海軍は特攻兵器「回天」や「桜花《おうか》」などを十九年終わりから使用しているが、その開発は十九年の初めにさかのぼる。いやしくも新兵器の開発がなされる時は軍の方針がなければ出来るものではない。とすると、大西中将はスケープゴートにされたに違いない。大西中将はしかし何ひとつ言い訳はしなかった。おそらく多くの関係者をかばって死んでいったのだろう。かばうなら若者たちをかばってほしかった。

ちなみに「回天」とは人間魚雷だ。現代の魚雷はコンピューターがついていて、敵艦が逃げても、正確にそれを追尾して、命中するように出来ているが、「回天」はそのコンピューターの役目を人間にさせたものだ。こんなことはどこの国の軍隊も思いつかなかっただろう。

しかし海軍には「特攻」の下地は初めからあったのかもしれない。開戦劈頭《へきとう》の真珠湾で、甲標的による特別攻撃のようなことが行われていたからだ。

甲標的とは二人乗りの特殊潜航艇だ。海軍は真珠湾攻撃の時に、甲標的を潜水艦に搭載してハワイ近海まで運び、それを真珠湾に突入させた。だが警戒の厳しい米軍港に小型潜水艇が潜入出来るはずはない。よしんば成功したとしても、脱出して沖で待つ潜水艦に回収されるのはまず不可能だ。つまりこれは特攻隊とほとんど変わらない。甲標的の十人の隊員たちは生還を期せずに出撃した。そして実際に五隻全部が生還しなかった。この時、後の「特攻」が約束されたとも言える。

余談になるが、この時、一隻が湾口に座礁し、一人が捕虜となった。大本営は戦死した九人を九軍神と称え大々的に発表し、生き残って捕虜になった酒巻少尉の存在は無視した。しかしまもなく酒巻少尉の名前は知れることになり、彼の実家は石を投げられ「非国民」「なぜ自決しなかった」という嫌がらせの手紙が全国から舞い込んだそうだ。

酒巻少尉の艇は航行に絶対必要なジャイロコンパスが故障していたのだが、母艦の潜水艦長の「どうする？」という声に、「行きます」と答えて出撃したそうだ。「どうする？」と聞かれて断る軍人などいるはずがない。なぜ艦長は「出撃中止」を命令しなかったのかと思う。酒巻少尉は結局ジャイロコンパスの故障で艇を上手《うま》く操ることが出来ず、艇位を失って座礁したのだ。同乗の一人は死んだ。

非国民呼ばわりされた酒巻少尉とは逆に、九軍神の実家には、彼を英雄と称える村人や子供達が大勢列をなしたそうだ。しかし戦後は一転して「戦争犯罪人」を出した家として、村人達から白眼視されたと聞いている——。このエピソードを聞く時ほど、嫌な気持ちになるものはない。

特攻にまつわる人や出来事で怒りにかられるものはいくらでもあるが、私がどうしても許せないのが五航艦司令長官の宇垣纏《まとめ》だ。宇垣は終戦を知った後、自分の死に場所を求めて、十七名の部下を引き連れて特攻した。あたら死なないでいい多くの若者を道連れにしたのだ。道連れにされた隊員の一人、中都留《なかつる》大尉の父親が「死ぬなら一人で死んでほしかった」と言ったというが、その通りだ。

しかし、忘れてはならない人もいる。特攻に断固反対した美濃部正少佐だ。

美濃部少佐は二十年の二月に、指揮官八十人余が参集して木更津で開かれた連合艦隊の沖縄方面作戦会議の席上、首席参謀から告げられた「全力特攻」の方針に真っ向から反対した男だ。

軍人は「上官の命令は朕《ちん》の命令」と刷り込まれている。抗命罪で軍法会議にかけられれば死刑すらあり得る。だが美濃部少佐は死を賭《と》して敢然《かんぜん》と反対した。それどころか色をなして怒鳴りつけた上官に対して「ここにおられる皆さんに自ら突入出来る方がいるのか」と言い返した。そして「練習機まで特攻に出すのは言語道断。嘘だと思うなら、練習機に乗って攻撃してみられるとよい。私が全部零戦で叩き墜としてみせる」と言った。

私は戦後、この時の美濃部少佐の言葉を知り、帝国海軍にもこれほどまでに勇気ある指揮官がいたのかと心から感動を覚えた。もしこの時の会議の席に美濃部少佐のような男がもう少しいれば、あるいは沖縄特攻はなかったかもしれない。

美濃部正の名前が多くの日本人に知られていないことこそ、ジャーナリズムの怠慢だ。

——なぜ彼は知られていないのか？

それは彼の戦後の経歴にあると思う。美濃部少佐は戦後、自衛隊の幹部になった。自衛隊は悪であると考える進歩的ジャーナリストたちが、自衛隊の幹部を褒《ほ》め称える ことは出来なかったのだろう。もう一つ、美濃部は特攻そのものを完全否定しなかった。戦後、彼は「特攻以外に効果的な攻撃方法がない時は、特攻もやむなし」ということを述べている。この言葉が「特攻肯定」と受け取られたのかもしれん。しかし美濃部少佐は自らの部隊から一機の特攻機も出していない。

美濃部正の名前は日本よりもむしろ海外で高く評価されているという。残念なことだ。美濃部正こそ、真に立派な日本人の一人だ。忘れてはならない人だと思う。

進藤三郎少佐も立派な戦闘機隊指揮官だった。進藤は零戦が中国大陸で華々しいデビューを飾った時の十三機の零戦の指揮官だった人だ。その後、ラバウルで戦い、マリアナやレイテを転戦し、終戦の年は鹿児島の二〇三航空隊の飛行長になっていたが、上層部の「全機特攻」の掛け声の中、一機の特攻機も出さなかった。岡嶋清熊少佐もまた戦闘三〇三飛行隊で、司令部から「国賊」呼ばわりされても特攻機を出すことを断固拒否したと言われている。海軍兵学校出身の士官にも立派な人たちがいたということだ。ただ、残念なことにその数は非常に少なかった。

宮部さんの話をしよう。

あの人は素晴らしい教官だった。多くの予備学生から慕われていた。優しい物腰と丁寧な口調は、全然軍人らしくなかった。しかし、それでいて全身には何とも言いようのない凄《すご》みがあった。私たちは、あれがプロフェッショナルというものかと噂したものだ。

私たちに空戦の訓練はなかった。予備学生たちは全員、特攻用の操縦員だったからだ。

教育終了の日に特攻志願書を書かされていた。これは志願書の形をとった命令だ。このために特攻隊員たちは、それを命じた者から「彼らは自らの意志で特攻へ行った」と言われ、また六十年も経って尚、先程のような男から同じことを言われ続けるのだ。

私は断じて言う。一部の例外を除き、特攻は命令であった。「志願する」と書いた時の苦しみと葛藤は言いたくない。たとえ言ってもわかっては貰えないだろう。

私たちは飛行学生を終えて少尉に任官しても、実戦配備とはならず、引き続き操縦訓練が行われた。その頃は航空燃料がなく、学生時代はあまり飛ぶことが出来ず、形ばかりの卒業だった。

訓練中も私たちが乗るのは「赤トンボ」と呼ばれる複葉の練習機か旧式の九六艦戦だった。それらの練習機に粗悪なガソリンや松の根から取った松根油《しょうこんゆ》、エチルアルコールなどを使って飛んでいたのだ。後に聞いたが、実戦機にもオクタン価の高い航空ガソリンは使えなかったそうだ。

余談だが、戦後、米軍が日本の戦闘機の性能テストをした時、陸軍の四式戦闘機に米軍の高オクタンのガソリンを入れると、Ｐ51ムスタングよりも高い性能を示したという。Ｐ51は第二次大戦の最強戦闘機と言われている飛行機だ。その話を聞いた時、つくづく戦争とは総合力だと思った。一つ二つが優れていても、どうにかなるものではない。

それでも私たちは頑張った。たとえ微力でも国のためになるならと志願したのだ。祖国を守るためにこの身を捧げようと思ったのだ。この考えが狂信的愛国者なのか。

特攻要員になってからの訓練で初めて零戦に乗った。練習機とはまったく違う素晴らしい性能に驚いた。これが米軍機をばったばったと墜としている零戦かと思うと、操縦席に座っているだけで感激するほどだった。

しかし私たちの訓練は零戦で急降下することだけだった。これは特攻の訓練だ。爆弾を抱いて敵艦目がけて突っ込む、死ぬための訓練だった。それでも私たちは真剣に訓練に取り組んだ。

――なぜ？　人間とはそういうものだろう。

ある日、急降下からの引き起こしの訓練で、自分でも上手く出来たと思う時があった。訓練が終わって、飛行場で宮部教官に言った。

「今日は上手く出来たでしょう」

「驚きました。非常に上手かったです」と宮部教官は笑顔で言った。

「本当ですか」

「本当です。お世辞ではありません。武田さんを始め皆さんは非常に優秀です。海軍が大学生の多くを飛行機乗りにしたのがわかります。しかし――」

宮部教官の顔から笑いが消えた。

「上手くなった者から、戦地へやられます」

その意味は私にもわかった。戦地へ行くということは特攻へ行くということだ。宮部教官は言った。

「わたしにとって操縦訓練は、生き残るための訓練でした。いかに敵を墜とすか、いかに敵から逃れるか。すべての戦闘機乗りの訓練はそのためにあるはずです。しかし皆さんは違います。ただ死ぬためだけに訓練させられているのです。しかも上手くなった者から順々に行かされる。それなら、ずっと下手《へた》なままがいい」

私は何と答えていいのかわからなかった。

「皆さんは日本に必要な人たちです。この戦争が終われば、必ず必要になる人たちです」

宮部教官ははっきりと言った。

しかし、今私は確信している。宮部さんこそ、日本に必要な人だった、と。あの人こそ死んではならない人だった。

「戦争は終わるのですか？」

「終わります。近いうちに」

「勝つのですか？」

宮部教官は笑った。それは実に寂しそうな笑いだった。

「それはわかりません」宮部教官は言った。「わたしは真珠湾以来、太平洋で米軍と戦ってきました。彼らの力は恐ろしいものです」

「物量ですか？」

「物量だけではありません。すべてが我が軍より上です」

「零戦は？」

「開戦当初は無敵の戦闘機でした。零戦に乗っている限り、負けるはずはないと思っていました。しかし十八年の後半から米軍はついに零戦にまさる戦闘機を送り出しました。グラマンF6Fとシコルスキーです。これらの戦闘機は零戦よりも格段に性能が優れています」

それは衝撃的な言葉だった。私たちはそれまで零戦こそ世界最強の戦闘機と教えられてきた。零戦こそ米軍のあらゆる戦闘機を撃ち破る最強の戦闘機だと。

「零戦は長く戦いすぎました」宮部教官は言った。「日中戦争から五年も第一線で戦い続けてきました。何度も改造を重ねてきましたが、飛躍的な性能向上はありませんでした。零戦の悲劇は、あとを託せる後継機が育たなかったことです。零戦はかつては無敵の戦士でしたが、今や――老兵です」

私は宮部教官の語る零戦と宮部さん自身がダブって見えた。零戦こそ、宮部教官のもう一つの姿なのではないかと――。

戦局が日増しに悪化する中にあっても、私たちは日々訓練に励んだ。訓練とはいえ命懸けだった。急降下は一歩間違えば死につながる。実際、飛行訓練中にも多くの学生が事故で亡くなった。

私の無二の親友、伊藤もそれで死んだ。急降下訓練で機首の引き起こしに失敗して、そのまま地面に激突したのだ。彼は明るい男でみんなの人気者だった。都々逸《どどいつ》が上手く、苦しい訓練を終えて、落ち込んでいる時に、よく得意の喉《のど》で皆を楽しませてくれた。その男が私の目の前で死んだ。ショックなどというものではなかった。

その時の教官は宮部さんだった。乗機から降りた宮部教官の顔面は蒼白《そうはく》だった。

その夜、学生全員が整列させられた。兵学校出の中尉がヒステリックな声で叫んだ。

「本日、事故があったことはお前たちも知っていることと思う」

私たちは彼への弔いの言葉がかけられると思っていた。しかし中尉の口から出た言葉は思いもかけないものだった。

「死んだ予備士官は精神が足りなかった。そんなことで戦場で戦えるか！」

中尉は叫ぶように怒鳴ると、軍刀の石突《いしづき》を床にたたきつけた。伊藤のことをわざわざ予備士官と呼んだのは、私らに対する明らかな蔑視《べっし》だった。

「たかだか訓練で命を落とすような奴は軍人の風上にもおけない。貴重な飛行機をつぶすとは何事か！　貴様たち、二度とこのようなことがないようにしろ」

私たちはみな心の中で悔し涙を流した。これが戦争か、これが軍隊かと思った。人間の命はここでは飛行機以下なのだと思った。

その時だった。「中尉」という宮部教官の声が聞こえた。

「亡くなった伊藤少尉は立派な男でした。軍人の風上にも置けない男ではありませんよ」

場が凍りつくとはあのような時を言うのだろうな。

中尉は怒りで顔を真っ赤にさせてぶるぶる震えた。

「貴様！」

中尉は壇上から降りると、宮部教官を殴りつけた。宮部教官は足を踏ん張って、その拳を耐えた。中尉は尚《なお》も殴った。宮部教官の鼻と口から血が噴き出したが、彼は倒れなかった。

中尉は背の低い男だった。その男が力一杯殴っても、宮部教官は倒れないどころか、逆に上から中尉を見下ろすように立っていた。中尉は半べそをかいたような顔になった。

「伊藤少尉は立派な男でした」

宮部教官は中尉に負けないくらいの大きな声で言った。中尉はびくっと体を震わせた。

「特務士官の分際で、生意気だぞ」

中尉はそう言うと、もう一度、宮部教官を殴った。それから、くるりと背を向けて隊舎の方に戻った。飛行隊長が少し困ったように「解散」と言い、私たちは解列した。

宮部教官の顔の傷はひどかった。唇が何ヵ所も切れて、目の上からも血が流れていた。

私たちは皆感動していた。伊藤の名誉を守ってくれた宮部教官に、心の中で「有り難う」と言った。

その時、私は思った。自分が特攻に行くことでこの人を守れるならそれでもいい、と。


その気持ちは私だけではなかった。実際に宮部教官を命を賭して守ろうとした男がいたのだ。

あれは伊藤が亡くなってまもなくのことだった。

宮部教官は予備士官の三機を連れて、急降下訓練をしていた。その時、低空を飛ぶ、宮部教官の後方から四機のシコルスキーが雲の隙間《すきま》から襲いかかって来たのだ。

空襲警報はなかった。おそらく近海の空母からやって来た艦載機の強行偵察だったのだろう。その頃には、艦載機がどうどうと本土に乗り込んで来ることも珍しくなかった。見張員が気づいた時にはもうかなりの低空に来ていた。

宮部教官はまったく油断していた。敵機に気づかず、今し方、降下訓練をした予備士官の機を見守るように飛んでいた。

シコルスキーはぐんぐん間を詰めてくる。我々は声を限りに叫んだが、宮部機に届くはずもない。

その時、先に降下訓練を終えて上昇していた予備学生の零戦が、宮部機とシコルスキーの間に飛び込むように突っ込んでいった。予備士官の乗機には機銃弾は積んでいないから、敵機を射撃することは出来ない。にもかかわらず彼は宮部教官を助けたい一心でしゃにむに敵機に体当たりするかのように突っ込んだのだ。

四機のうち二機のシコルスキーは練習機を避けて方向を変えたが、残りの二機はかまわず宮部機に迫る。先頭の機が機銃を発射した。宮部教官はその瞬間に気がついたようで、機体を滑らせたが、手遅れのように見えた。

しかし予備士官の零戦がシコルスキーの銃弾を受けた。宮部教官はシコルスキーをかわすと、下から機銃弾を撃ち込んだ。一機の敵機が一瞬で火だるまになった。

もう一機のシコルスキーは一旦旋回してから上昇して逃れようとしたが、すでに宮部機が後方に追尾していた。低空での戦いだったので、敵の得意戦法の急降下で逃れる術《すべ》はない。

敵は反転すると、宮部機に向かって行った。二つの機がすれ違ったと見るや、敵機は機体を傾けて墜ちていった。パラシュート降下もなかった。おそらく正面から操縦席を撃たれたのだろう。後方の二機のシコルスキーは上空へと避退した。あるいは上空へ誘ったものか。宮部教官はそれを追いかけることはしなかった。

宮部教官は残りの予備学生の機を上空で集めると、自分は高度を取り、見張りを十分してから、彼らを着陸させた。

最後に宮部機が降りて来たが、私はその機を見てぞっとした。両翼と胴体が蜂の巣にされていたからだ。後で調べてわかったのだが、翼内タンクから一センチずれたところに機銃痕《こん》があった。翼内タンクに当たっていたら、間違いなく宮部機は火を噴いていただろう。

「油断だ」

宮部教官の声は震えていた。その顔は真っ青だった。

「私を助けてくれたのは誰ですか？」

宮部教官を助けた予備士官は、操縦席に機銃弾をまともに受けていた。風防がこなごなに砕け飛び、計器も滅茶苦茶になっていた。搭乗者自身も銃弾を受けていたが、奇跡的に命はとりとめていた。

宮部教官は、担架で運ばれていく彼の元に走り寄った。

「なんという馬鹿なことをするんですか」

その予備士官は担架に体を横たえたまま、血だらけの顔だけを上げた。

「どうしてあんな無茶したのですか」

「無事でしたか」

「宮部教官は日本に必要な人です。死んではいけない人です」

その言葉を聞いた時、私は胸が一杯になった。彼の気持ちが痛いほど伝わったからだ。彼は宮部教官のためなら死んでもいいと思ったのだろう。それは私の気持ちでもあったからだ。

それにしても宮部教官の空戦技術は見事の一語に尽きた。性能をはるかに上回るシコルスキーを瞬時に二機撃墜したのだ。まさに彼こそ日本海軍の至宝だと思った。

しかし海軍はそんな彼にも生き残ることを許さなかったのだ。

宮部教官はそれからまもなく何人かの予備士官を連れて九州の基地に移動した。

この時、九州に飛んだ予備士官は全員特攻で亡くなったと聞いている。


それから程なくして私も九州行きを命じられた。

着いたところは鹿児島の国分基地だった。いよいよ死ぬのだなと思った。しかしすぐに特攻命令は下りなかった。特攻要員として待機させられたわけだ。私たちが運んだ零戦には別の特攻隊員が乗り込んで出撃した。

あの頃は国分からは毎日のように特攻機が出撃した。多くの友人たちを見送った。

次は自分の番だと思った。両親宛に遺書を書いた。往く前に一目会いたいと願ったが、おそらくそれはかなわないだろうと思った。

沖縄戦が終わった後、国分基地は米軍から何度も空襲を受けた。爆撃と地上銃撃で多くの航空機がやられた。私を含めた何人かは大分の宇佐空に行くことを命じられた。

基地を出ていく時、年老いた夫婦に声をかけられた。そして、ある予備士官の消息を尋ねられた。その少尉は数日前に特攻で出撃していた。そのことを二人に告げると、男性は深く頭を下げ、女性は地面にしゃがみこんだ。男性は、自分たちは少尉の両親だと言った。

「国分にいると聞いてやって来たのですが、間に合わなかった」

父親は無念そうに言った。

「立派に笑って出撃されました。男らしく飛び立って往かれました」

「ありがとうございます。それを聞いて安心しました」

父親はそう言って、また深く頭を下げた。しゃがんでいた母親が嗚咽《おえつ》を漏らした。

「一人息子だったのです」

父親は私に言うともなく言った。それから彼は妻を抱きかかえるようにして立ち上がらせると、もう一度私に礼をして、基地を去っていった。

国分では決して珍しくない光景だった。

特攻隊員が出撃を家族に知らせることは禁じられている。後に残る友人たちが基地の外の人に頼んで手紙などで家族に知らせるのだが、出撃前に間に合うことは稀《まれ》で、多くの家族が出撃した後にやって来て、大きな悲しみと共に基地を後にすることになる。

基地で夫の死を知らされた若い夫人も見た。国分でも宇佐でも沢山見た。悲しみと衝撃で立ち上がれなくなってしまう女性もいた。彼女たちを見ると、自分は結婚していなくてよかったと思った。しかし同時に、愛する女も知らないまま死んでいく自分が哀れにも思えた。

宇佐でも私は特攻要員だった。指名された者から死んでいく。

――その時の気持ちか。恐ろしかったのだろうが、何も覚えていない。

ただ、友を見送る時の切ない気持ちだけははっきり覚えている。あの悲しみだけは忘れようとしても忘れられるはずがない。

国分でも宇佐でも、宮部さんとはついに会わなかった。

しばしの沈黙があった。

最初に口を開いたのは武田の妻だった。

「あなたが特攻の話をなさったのは、初めてですね」

妻の言葉に武田は大きく頷いた。

「特攻の話は誰にも語らなかった。誰に話しても理解して貰えないと思っていたし、言葉足らずで無用な誤解をされるのは耐えられなかったからだ」

「私にもそう思っていらしたのですか」

武田は首を振った。

「何度も話そうと思った。しかし今日まで出来なかった。私の苦しみや悲しみを知って貰いたいと思う反面、お前にだけは知って貰いたくないという思いもあった」

「私も、あなたに今まで一度も言わなかったことがあります」

武田の妻は夫の目を見て言った。

「私があなたと職場で知り合って結婚したのは昭和二十五年でしたね。あなたが元特攻隊員だったということは噂で聞いていましたが、そんなことはまるで想像出来ませんでした。職場ではいつも明るくて笑ってばかりいる人でしたから」

武田は頷いた。

「あなたは結婚する前も特攻隊の話はしませんでした。でも、結婚して驚きました。それは毎夜、あなたがうなされることです。夜中に突然苦しそうに声を上げるのです。昼間には見せたことのない恐ろしい顔で——時には悲鳴のような声さえ上げました。私はそれを見た時に、この人はどれほど苦しい目にあってきたのだろうかと思うと、涙が止まりませんでした」

「知らなかった——」武田は言った。「なぜ、教えてくれなかった」

「言ったところでどうなるものでもないでしょう。私があなたの苦しさを背負えるものでもありませんから。そんな状態が十年以上続きました。上の子が中学生くらいになった頃、ようやく夜中にうなされることがなくなりました。あなたの安らかな寝顔を見て、この人はやっと戦場から戻ったのだと思いました」

武田は、ありがとう、と小さな声で言い、妻の手に自分の手を重ねた。


別れ際に武田は言った。

「宮部さんは立派な人でした。あの人とは数ヵ月足らずしか一緒ではなかったが、本当に素晴らしい人でした」

「ありがとうございます」

「あの人こそ、生き残らなければならない人でした」

「嬉しいお言葉です」

武田は少し表情を硬くして言った。

「宮部教官が九州に向かう零戦に乗り込もうとする時、どうかご無事で、と声をかけました」

「はい」

「すると宮部教官が急に恐ろしい顔で、わたくしは絶対に死にませんと言いました。私は宮部教官の目の中に、凄まじい生への執念を見ました。この人は絶対に死なないと思いました」

「でも戦争は祖父に生きることを許さなかったのですね」

「戦争じゃないわ」

姉が鋭く言った。

「おじいさんは海軍に殺されたのよ」

武田は頷いた。

「あなたのおっしゃるように、あの人を殺したのは海軍かもしれません」

第十章　阿修羅

「奴は死ぬ運命だった」

元海軍上等飛行兵曹、景浦介山《かげうらかいざん》はぼくの目を見据えて言った。

「奴があの戦を生き延びたいと思っていたのは知っていた。だが、その望みを自ら断ち切ったのだ」

胸が激しく動悸を打つのを感じた。ぼくは景浦の顔から感情を読みとろうとしたが、無表情な顔からは何も読みとれなかった。

景浦介山は元やくざだった。家は中野の静かな住宅街にあったが、門には表札がなく、周囲の壁には何台もの防犯カメラが設置されていた。本人は引退していると言っていたが、それでも家を訪問するのはかなり躊躇《ちゅうちょ》した。姉は一緒に行きたいと言ったが、殺人の前科のある人のところへ連れて行く気はなかった。

インターホンを鳴らすと坊主頭の若い男が出てきた。言葉遣いは丁寧だが、目の鋭い男だった。名前と用件を告げると、丁重に応接間に案内された。

応接間は決して豪華ではなかったが、壁も天井もいい材料が使われている感じがした。部屋に調度品の類《たぐい》はまったくなかった。

景浦は背の高い男だった。年齢は七十九歳のはずだが、そんな年には見えなかった。髪の毛は薄かったが、肌の色つや、それに身のこなしを見ていると、六十くらいにも見えた。

景浦の後ろには、玄関に出てきた若い男がずっとついていた。用心棒代わりの男かもしれない。

「お前が宮部の孫か」

景浦はにこりともせずに言った。静かな低い声だが、迫力に満ちていた。

ぼくは少々気圧《けお》されながらも、今回の訪問の目的をあらためて述べた。全部を聞き終えると、景浦が言った。

「俺は奴を憎んでいた」

ぼくは黙って頷《うなず》いた。それは電話の時にも感じていたことだった。それに祖父を嫌う軍人がいても不思議ではないと思っていたから、面と向かって言われても動揺はなかった。

「戦争はもう六十年以上も昔のことだ。その時に出会った人間のほとんどは忘れた。だが、奴のことは今でもはっきり覚えている。不思議なことだ」

俺は宮部が大嫌いだった。それこそ虫唾《むしず》が走るほど憎んでいた。

奴の特攻出撃は覚えている。俺が直掩機として飛んだからな。

残念ながら最後の瞬間は見ていない。沖縄戦以降は、特攻機はほとんどが米艦隊にはたどり着けなかった。機動部隊のはるか手前に敵戦闘機が三段重ねで待ちかまえているんだ。重い爆弾を腹に抱えて敵艦隊近くまで行けるはずはない。身軽な直掩機でさえ、未帰還機が多数出た。おそらく奴は敵戦闘機に喰われたんだろうよ。

何度も言うが、奴のことは心底嫌いだった。

——理由か。理由など特にない。お前の周囲にも何となく虫が好かないという奴がいるだろう。その存在そのものがなぜか無性にしゃくに障って仕方がないという奴だ。俺にとって宮部がそうだった。

宮部は女房とガキの写真を後生大事に持っていた。今時の若い奴らなら、皆そうしていると言いたいのだろう。そのことはとやかく言わん。どうせぬるま湯のような世の中だ。会社しか頼るもののないひ弱なサラリーマンが妻子の写真をお守り代わりに定期入れにしまい込んでいたとしても、むしろ可愛げがある。しかし六十年前はそうではなかった。俺たちは命を的にして戦っていた。

命懸《が》けなどという言葉は今も普通に使われているが、たいていは言葉だけだ。一所懸命ということを派手に言ってるにすぎん。笑わせるんじゃねえ。本当に命懸けということがどんなことか教えてやりたいぜ。俺たちはあの頃、文字通り生命を賭《か》けていたんだ。奴はそんな戦場の中で、今時のサラリーマンみたいに写真を眺めては、「生きて帰りたい」と抜かしていたんだ。命懸けで戦っている横でそんなことをしれっと言われてみろ。

──実際に聞いたのかだと。たしかにはっきり聞いた記憶はない。しかし口にしなくとも奴がそう思っているのは誰の目にも明らかだった。

俺が霞ヶ浦の予科練を出たのは昭和十八年の初めだ。

最初は台湾に、次に比島に行った。さらにジャワへ行き、ボルネオのバリクパパンに行った。もう戦局は駄目になりかけていたな。しかし俺にとってはそんなことはどうでもよかった。俺は戦闘機乗りの本分を務めるだけだった。戦闘機乗りの本分とは何だ──一機でも多くの敵機を墜とすことだ。

初めての戦場がバリクパパンだったのは幸運だった。あそこでは油田があり、燃料が豊富だったからいくらでも訓練が出来た。俺の腕が本当に上がったのはそのおかげだと思っている。

バリクパパンでの初陣で敵戦闘機を墜とした。スピットファイアだった。あの頃、日本から一緒に行った同期の若い搭乗員はほとんど最初の空戦で命を失った。後からやって来る連中も同じだった。まるで死ぬためにやって来るようなものだった。三度の空戦を生き残る奴は稀《まれ》だった。敵戦闘機は零戦を上回る性能で、パイロットの技量も向こうが上だった。しかもレーダーを持っていて、数の上でも我が方を圧倒していた。ベテランでさえ、生き残るのが難しい戦場だった。

俺はそんな中で最初の一週間で四度出撃し、二機を撃墜した。皆の俺を見る目がはっきり変わった。これは自慢ではないが、俺には戦闘機乗りの才能があった。最初の半年で、未確認を含めると十機近い敵機を墜とした。

俺がラバウルに行ったのは十八年の秋だ。

その頃のラバウルはかつての栄光のラバウル航空隊ではなかった。周囲の島々を次々に米軍に奪いかえされ、防戦一方になっていた。ラバウル転勤辞令は片道切符と呼ばれたものだ。

連日、空襲があった。その規模はすごかった。戦闘機、爆撃機合わせて百五十機から二百機くらいの敵機が毎日のようにやって来るのだ。多い時は三百くらいあったか。こちらはせいぜい五十機だ。戦いはほとんどが邀撃戦だった。しかしこれは俺の性に合っていた。足の遅い爆撃機の護衛などははっきり言って嫌だった。言うなれば鎖につながれているようなものだからだ。その点、邀撃戦となれば、自由に空戦が出来る。俺はいいところへ来たと思った。

邀撃戦は基本的に早い者勝ちだ。敵機来襲の報があれば、搭乗員は一目散に戦闘機に向かって走る。整備兵が発動機をかけて用意した機に飛び乗り、上空へ上がる。

俺は大型機は相手にしなかった。俺の敵は戦闘機だった。邀撃機の本分は基地を空襲に来た爆撃機を撃墜することだろうが、知ったことではない。俺は俺の戦い方をする。

敵戦闘機は頑丈だった。七・七ミリではまず墜ちない。二十ミリをぶち込めばさすがに墜ちたが、あれは初速が遅く射程が短いのでめったに当たらない。ところが、俺は二十ミリで敵機を墜とした。

――どうやってだと。見越し射撃だ。照準器に入っていない敵機を撃つのだ。

いいか、飛行機はすごい勢いで動いている。それに空戦の時にはこちらの機も滑っている。だから照準器で捉《とら》えた機体を撃っても、弾が流れたり、落ちたりして、上手《うま》くは当たらん。だから相手の未来位置を予測して何もない空間めがけて撃つのだ。するとそこに敵機が飛び込んで来るというわけだ。

こんなことは飛行訓練では誰も教えてくれない。いや、熟練搭乗員でもこれをやっていた奴がはたして何人いたのか。まあ一種の曲撃ちだからな。自分で言うのも何だが、俺には多分天分があったのだろうと思う。聞けば、ドイツのマルセイユも見越し射撃の名人だったらしいな。

俺はこの訓練を日常でもやった。飛んでいるハエを手で摑《つか》む練習を何度も繰り返した。何度もやるうちにほぼ確実に摑めるようになった。隊では、俺のこの特技はちょっとした評判になった。皆が挑戦したが、やれる者は滅多にいなかった。

俺はラバウルで二十機以上は撃墜した。

公式記録ではない。当時、海軍は個人の記録を認めなかったからだ。撃墜は部隊として記録されるだけだった。いかにも日本的なやり方だ。個人の手柄などはないものとされた。

俺は海軍が個人記録を認めなくなったのは、個人撃墜を公然と発表すれば、誰が一番いい腕なのか誰が一番間抜けなのか明らかになるからだと睨《にら》んでいる。無能な士官にとっては具合も悪かろうぜ。

編隊を指揮する分隊長は腕に関《かか》わりなく士官がなることになっていた。ごく稀に優秀な奴もいたが、たいていの海兵出の分隊長は経験もなく無能な奴が多かった。指揮官の誤った判断で、編隊そのものが危機に陥ったことは山ほどあった。俺も何度も危ない目に遭わされた。しかし軍隊というのは上官の命令は絶対だ。そっちへ飛ぶと危ないとわかっていても、編隊の指揮官が飛べば、ついて行かざるを得ない。そして案の定、敵機の奇襲を喰らうというわけだ。

撃墜数を公にすれば、無能な指揮官が有能な下士官を率いている図が一目瞭然《いちもくりょうぜん》ではないか。

米軍などは違ったらしいな。パイロットは全員士官で、しかも優秀な者が指揮官になっていたということだ。個人の撃墜スコアを発表して堂々と表彰していたらしい。パイロットたちは全員、自らのスコアを上げようと目の色を変えて戦ったそうな。二機で共同撃墜した場合はそれぞれが〇・五機のポイントが与えられたらしい。いかにもアメリカ的じゃないか。これなら他人と組んでも頑張ろうと思うぜ。気合いの入り方が違う。喧嘩はそうでないと勝てるわけがない。

帝国海軍ではそうではなかった。いくら優秀な搭乗員でも下士官は絶対に指揮官にはなれない。せいぜいが小隊長までだ。俺の階級は一等飛行兵だ。下から三番目の兵隊だ。どれだけ敵機を墜とそうが進級速度は上がらない。帝国海軍では個人は決して浮かび上がれないようになっていたのだ。

そんな空気に昂然《こうぜん》と刃向かう男もいた。岩本徹三などは愛機に撃墜マークを勝手に描き入れていたな。奴の機には無数の桜が描かれていた。遠くから見ると、その部分だけ色が違って見えたものだ。

見た目はしょぼくれたおっさんだったが、一旦空に上がれば飛行機ごと輝いて見えた。自ら「天下の素浪人」と名乗っていたな。不思議な男だった。

西澤廣義もある時、新型の夜間戦闘機「月光」でB17を撃墜した搭乗員が武功抜群の軍刀を賜った時に、「俺は何機墜としたら、貰えるのかのう」と聞こえよがしに皮肉を言ったと聞いている。西澤は物静かな男だったが、全身に何とも言えない凄《すご》みがあった。奴は決して自らの撃墜数を誇ったりする男ではない。奴がそう言ったのは、前線で戦い続ける零戦搭乗員があまりに報われることのない現状に不満をぶつけたかったのだと思う。思えば、奴こそはまさに帝国海軍の名刀だった。しかし海軍は比島で輸送機などに乗せて、むざむざとその宝を失った。馬鹿なことを！

俺は機体に撃墜マークこそ描かなかったが、自分の墜とした敵機はすべて覚えていた。誰も知らなくてかまわない。ただ俺だけが知っていればいい。

俺は一機墜とすたびに心の中で数えていた。いつかは百機二百機と墜としてやると思っていた。当時、西澤と岩本が撃墜機数で百機を超えていると言われていた。俺は二人を目標にした。奴らは日中戦争から戦っている歴戦の勇士だ。何年もかかってここまでの撃墜数を伸ばしたのだ。俺はまったくの新参者だ。しかしいつか追いついてやる——。

当時、公式記録はなかったから、それぞれの撃墜数は個人の口から出るものしか明らかにならなかった。西澤や岩本にしても、気のおけない仲間たちとの会話で語った数字が人々の口を通じて広まっていったものだ。そして彼らならそのくらいの撃墜機数はあるだろうと皆が認めているからこそ、数字が一人歩きもしたのだろう。大言壮語したところで、仲間たちは皆そいつの腕を知っている。嘘は通らない世界だ。

俺は空戦が好きだった。空の上こそ、俺の生きる世界だと思った。たとえ敵に撃たれて死んでも悔いはなかった。

俺は戦後、やくざになった。やくざに憧れていたわけではない。むしろ勢を頼んで暴力に訴える輩《やから》ほど忌むべきものはなかった。しかし戦後、すさんだ俺の生き方は自分自身をそんな世界に引きずり込んだ。死に場所を求めて彷徨《さまよ》った果てに、気がつけば無頼の徒になっていた。

人も殺した。刑務所には何度も入ったし、何度も命を狙われもした。しかし悪運強くこの歳まで生き残った。だが娑婆《しゃば》での命のやりとりなど、空の上の戦いと比べれば甘い世界だ。金で済むこともあれば、用心棒で守れる命もある。

空の上では一切の妥協はない。ほんのわずかなミスで命を落とす。しかし俺より技量の上回る敵にやられるなら潔く死のう。

敵の戦闘機はたしかに優秀だったが、攻撃方法は一撃離脱の単純戦法だった。最初の一撃さえかわせば、恐ろしいものではない。奴らはめったに格闘戦に乗ってこなかった。老いたりとはいえ零戦の格闘能力の怖さは奴らも知っている。

しかし俺は敵を空戦に誘い込んだ。敵に襲われると、わざと危険な下方に逃げ、敵に追わせた。この場合、敵の軸線をずらすことが大切だ。軸線とは機首の向かっている線だ。機銃はその線で飛んで来る。だから軸線さえずらしていれば、いくら撃たれようが弾は当たらない。敵がもう少しで墜とせると思って喰いついてきたらこちらのものだ。機首を引き起こし、横の旋回戦に引きずり込むのだ。敵がしまったと思った時はもう手遅れだ。最初の旋回で、俺は敵の後ろにへばりつき、後方から機銃を撃ち込んだ。こうやって何機も撃墜した。

こんなやりかたをするのはあまりいなかっただろう。岩本などは格闘戦をほとんどやらなかったな。あいつは一撃離脱の天才だった。誰よりも早く敵機を発見し、敵の背後に忍びより、後上方から一撃して逃げ切るという米軍のような戦い方を得意としていた。それも単機の敵をよく狙った。邀撃戦では、最初は戦わず、敵が退く時に、後ろからばっさりとやるのだ。喩《たと》えれば居合いの達人のような感じだ。正攻法の格闘戦を得意とする西澤とは正反対だった。思えば、岩本は空の戦いに取り憑《つ》かれた男だったな。敵機を葬り去る——ただそのことに人生を懸けた男だった。俺もまた空戦にすべてを懸けていたが、俺が戦闘機乗りになったのは昭和十八年だ。この時、岩本はすでに五年も戦い続けていた。

西澤が正宗の名刀とすれば、岩本は村正の妖刀だ。もちろん俺の勝手な見方だ。しかしあながち外れてはいないと思う。

妖刀村正はそれを持つ者を恐ろしい殺戮《さつりく》者に変えるという。岩本にとって零戦は村正だったのかもしれん。岩本は戦後、社会にとけ込めず、世の中から忘れられ、戦時中に受けた傷が元で不遇な死を遂げたと聞いている。戦後の日本は、撃墜王の生きる世界ではなくなっていたのかもしれん。


俺は国のために戦ったのではない。もちろん国民のためでもない。家族のためでもない。まして天皇陛下のためではない。断じてない。

俺に身よりはない。だから誰かのために戦うなどということはなかった。

俺は庶子として生まれた。母は妾だ。母は幼少の頃に実母を失い、十五歳の時に実父を失った。生きるために、妾となったのだろう。俺の父は新興の貿易商の男だった。

母は俺が中学に入った年に死んだ。俺は父に引き取られた。大きな屋敷には父の正妻と腹違いの兄たちがいたが、奴等は汚れたものでも見るような目で俺を見た。父からは愛情も姓ももらわなかった。それどころか明らかに厄介者扱いされた。父は婿養子に入った男で、気が弱く、妻には逆らえない男だった。軽蔑すべき男だった。

真珠湾攻撃が行われたのは、俺が中学五年生の時だ。翌年、中学を卒業すると同時に、予科練を受けた。米国との開戦以来、予科練は大量募集を始めていたから、俺のような劣等生でも合格出来た。

以来、一度も家族には会っていない。いや、最初から家族などではなかった。

俺は飛行機乗りになった時から、「武士」として生きると決めた。それは俺の母の言葉だった。母の祖父は長岡藩士で、戊辰の戦いで死んでいる。その息子は、逆賊の息子という汚名をかぶり、維新以降は大変な苦労をして生きた。そして貧困の中で、十五歳の母を残して亡くなった。

母は幼い俺によく言った。

「お前には侍の血が流れている。武士として立派に生きなさい」と。

だから俺にとってあの戦争は自分のための戦争だった。誰のために戦うのでもない。ただ自分のために戦っていたのだ。

宮本武蔵がただ己の剣のために戦ったのと同じように、俺も一人の戦闘機乗りとして戦ったのだ。

俺には友人もいなかった。子どもの時から友など持ったことがない。友情とは何だ。そんなものはただの馴れ合いだろう。世間の友情というのは、いつも一緒に遊んだり酒を飲んだりということだろう。そんな相手を欲しいと思ったことは一度もない。

――妻か。俺に妻はない。この年まで一度も結婚したことはない。もちろん子もいない。

女はいた。女に不自由したことはない。一緒に暮らした女もいた。いずれも戦後の話だ。戦争中は恋人も、想った女もいなかった。戦場では戦うことしか考えていなかった。女を知ったのは、戦後の街娼相手だ。

子供など欲しいと思ったこともない。俺に兄弟はなかったから、景浦家は俺の代で絶える。

しかしそれがどうしたというのだ。子供など所詮《しょせん》、慰みものにすぎん。おのれの生きた証をそれにしか見いだせない男が、子を作り、後生大事に可愛がるのだ。

俺は子供を作らなかった。何度か女が妊娠したが、その都度堕ろさせた。四十の時、知り合いに教えて貰って、パイプカットをした。せいせいした。もうこれでなんのわずらわしさもないと思った。なぜかこれでいつでも死ねるとも思った。もっと早くやるべきだと思ったよ。

子供なんぞを作ってしまえば、男として生きることは出来ないと思った。もちろん女房を貰うことも同じだ。女なぞはただ浮き世の遊び相手にすぎん。何年も暮らした女もいた。しかし俺はただの一度も女を愛さなかった。女もまた俺を愛さなかったと思う。

宮部はしかし生きるか死ぬかの戦いのただ中にあって、家族のことを何より考える男だった。武士が戦場で斬り合っている時に、家族のことを考えるか。今まさに国家の一大事というときに妻と子供が一番大切という男が許せなかった。

それでも奴がただの弱虫なら、俺も笑っていられた。何より我慢がならなかったのは、奴が抜群の腕を持った戦闘機乗りだという噂だった。

家族のことを何よりも考えながら戦い、しかも空戦の腕は凄腕《すごうで》というのが、許せなかった。なぜ、そんなことが許せなかったのか——俺も若かったとしか言いようがない。

しかし俺も含めて全員が命を懸けて戦っている時に、一人、妻と子どものことを思い、まるで余技みたいに空戦をし、しかもその腕前が他の誰よりも優れているということが、我慢ならなかったのだ。

宮部の腕を直接見たわけではない。しかし西澤を始めとする多くの古参搭乗員が宮部に一目置いていた。ところが奴の撃墜数は謎だった。百機近いと言う者から、十機くらいではないのかと言う者まで様々だった。というのも、奴は戦闘報告では「撃墜」をほとんど申告しなかったからだ。「撃墜確実」と認められるのは、撃ち墜とした敵が空中爆発するか、搭乗員が脱出するか、機体が海中に没するところを確認した場合だ。それ以外の墜ちていくのを見たとか、火を噴くのを見たというのは、すべて「不確実」とされた。宮部の場合は、ほとんどが不確実だった。

俺はある日、宮部に直接聞いた。

「宮部飛曹長の撃墜数はいくつですか」

「覚えていません」

奴の返事はあっさりしたものだった。宮部の言葉遣いは馬鹿丁寧だった。三つも階級が下の者に対しても、まるで上官に対する言葉遣いだった。それがまた腹立たしかった。

俺は喰い下がった。

「いろんな人が噂をしています。十機と言う人もあれば、百機という人もいます。実際のところはどうなのですか」

「十機以上は墜としたと思います」

この答えは意外だった。俺は宮部の答え方で何機かおおよその見当をつけようと考えていたのだ。笑ってはぐらかせば、撃墜機数は大したことはない。多く言うようなら、ほら吹きだ。しかし宮部の答えはどちらでもなかった。

宮部は言った。

「敵を何機墜としても、一度でも墜とされたら、それでおしまいです」

俺は一瞬言葉を失った。

「航空隊にとっては、敵機を何機墜としたかは重要なことでしょう。戦争は互いに損失を与える戦いです。こちらの損失が少なくて相手の損失が大きいと、司令部は勝ちと判断します。こちらの損失が一機で相手の損失が十機なら大勝です。しかしその一機が自分ならどうです？」

宮部の質問に俺は戸惑った。

「わたくしはわたくしの戦いをするだけです」

と俺は言った。宮部は笑って言った。

「自分もそう思っています。だから何機墜としたかということより、自分が墜とされないように必死で戦っています」

自分が笑われているような気がした。

俺は空戦を剣豪の戦いと思っていた。死ぬことは微塵も怖れていなかった。秘術を尽くした戦いの末に負けるなら本望だった。宮部の言葉は、その覚悟を真っ向から否定するものだった。

しかし、と言いかけた俺の肩を摑んで、宮部は言った。

「景浦一飛は宮本武蔵を気取っているようだが、武蔵は生涯に何度か逃げている。それに、もう一つ——武蔵は勝てない相手とは決して戦わなかった。それこそ剣の極意じゃないか」

自分の顔が熱くなるのがわかった。こいつは、俺がマフラーに書いている「剣禅一《いち》如《にょ》」という言葉を嗤《わら》っている——「お前など、俺から見れば、子どもみたいなものだ」と言われているような気がした。剣禅一如とは宮本武蔵の言葉だ。

宮部が去った後、俺は自分のマフラーをびりびりに引きちぎり、悔し涙を流した。絶対に宮部以上の戦闘機乗りになってやると思った。

俺の奴に対する憎しみは、なまじなものではなかった。寝ても醒《さ》めても宮部のことばかりが頭の中にあった。夢の中に出てくることさえあった。奴の笑い声に、夜中に、汗びっしょりで跳ね起きたことさえあった。

ある日、ついに俺は宮部に言った。

「宮部飛曹長、お願いがあります」

宮部はいつもの淡々とした表情で「何でしょう」と言った。

「一度、模擬空戦をやっていただきたいのです」

「そんな必要はありません。景浦君は素晴らしい腕を持っている」

「宮部さんの模擬空戦の腕は天下一品だと聞きました。ぜひ、教えていただきたいのです」

「模擬空戦は所詮、練習でしかありません。実戦ではない。実戦は君の方が私より上だよ」

「お願いします」

「ここは前線です。今、我が軍はそんなことをやっている余裕はないし、司令部も許可しない」

俺は宮部の前に土下座して言った。「お願いします」

「断る!」

宮部ははっきりとそう言うと、足早に立ち去った。

こんな屈辱感はなかった。あれから六十年の人生を生きたが、あれほどの悔しい思いを味わったことがない。俺はすんでのところで、奴に飛びかかるところだった。整備員が何人か俺を遠巻きに見ていたが、そうでなければ、そうしていたかもしれん。

それからの数日間は俺は何かに憑かれたように宮部と戦うことばかり考えていた。

俺が米軍の搭乗員なら宮部と空戦が出来るのに、とまで考えた。

数日後、邀撃戦で戦闘機に向かって走る俺の隣に宮部の姿があった。

俺は爆音に消されないように大声で言った。

「宮部飛曹長、今日の防空戦闘が終わったら、模擬空戦をして下さい」

宮部は走りながら、俺の方を見もせずに「断る」と言った。俺は叫ぶように言った。

「宮部飛曹長がやらなくても、私はやります」

宮部はちらりと俺を見た。その顔はこれまで見たこともない厳しい顔だった。そして一言も答えずに、飛行機の方へ走っていった。

その日の防空戦闘の相手はB17三十数機とグラマンが約百五十機だった。邀撃に飛び立った零戦は四十機だった。圧倒的に敵よりも少ない数だが、基地の上空で戦うという有利さがあった。

敵は高度三千メートルで爆撃を開始した。俺たち邀撃隊は爆撃を終えた敵機に襲いかかった。グラマンがそうはさせじと襲いかかる。俺は一旦下方に避退すると見せかけて敵機を誘った。敵は乗ってきた。俺はすぐに機首を上げ、旋回戦に持ち込んだ。相手は喰いついてきた。短い旋回で敵機の後ろにつけた。しまったと思った敵機は急降下で離脱しようとした。俺はそれを待っていた。敵機の逃げていく方向を見越して二十ミリを撃った。敵機はそれに吸い寄せられるように飛び込んだ。パッと黄色い火がついた。搭乗員がパラシュートで脱出するのをちらりと見ると、すぐに別の敵機を捜した。

上方で二機の零戦がB17を攻撃しているのが見えた。俺は機首を上げて、それに向かった。攻撃に参加するのではない。B17を攻撃する零戦に襲いかかるグラマンを攻撃するためだ。

零戦の後ろについて機銃を撃ちまくるグラマンの背後につくと、二十ミリと七・七ミリ機銃をぶっ放した。グラマンが墜ちていったが、同時にグラマンに撃たれた零戦も墜ちていった。

B17はついに墜ちずに逃げていった。

邀撃戦は十数分で終わった。はるか下の海面には飛行機が墜ちたあとの大きな波紋がいくつも出来ていた。どちらの飛行機が沢山墜ちたのかはわからない。

俺の周囲には味方機はなかった。

ラバウルに戻りかけた時、下方に一機の零戦が見えた。宮部機だった。俺は、やると決めた。

ただちに急降下で宮部の機の後方を襲った。そして距離千で機銃を発射した。絶対に当たる距離ではない。この射撃は「模擬空戦をやろう」という俺の意思表示だった。

宮部は機首を上げると、旋回してきた。俺の機と一瞬向かい合う形になったが、距離が近すぎた。そのまま二機はすれ違い、距離はあっというまに二千メートルは開いた。そこで互いに大きく旋回し、向き合った――阿吽《あうん》の呼吸というやつだ。

宮部も模擬空戦に応じたのだ。高度は互いに等しい。いわゆる同位戦というやつだ。

二機は互いに距離を詰めていく。俺は宮部の後ろにつこうと大きく左に旋回した。奴も同じように旋回している。ぐんぐん距離が詰まり互いに相手の後方に取りついた形になった。巴戦というやつだ。英語ではドッグファイトというらしい。二匹の犬が互いに相手の尻尾に噛《か》みつこうとぐるぐる回るところから名付けられたそうな。

互いに翼を傾けて、急旋回を続けた。すりばちを滑るように二機の零戦が回っていく。体中にすごいGがかかってくる。内臓や目の玉がつぶれるような苦しみが同時に襲ってくる。このGの苦しみは味わったことのないものには理解出来ないだろうが、まさに死ぬほどの苦痛だ。自分の体に数百キロの重石がのしかかるようなと言えばわかるかな。背筋と腹筋を鍛えていないものは背骨が折れる。顔面の筋肉は後ろに引っ張られ、人間の顔ではなくなっている。眼球ものすごい力で押さえつけられ、骸骨《がいこつ》みたいに目の玉がぽっかりとへこんでしまうのだ。視界は急速に狭まり、まるで望遠鏡を逆さに覗《のぞ》いているような感じだ。このGの苦しさに負けて旋回をやめた瞬間、空戦は終わるのだ。

俺は模擬空戦といえど、死んでも旋回はやめないつもりだった。たとえ死んでもかまわない。俺は苦しみで悲鳴を上げたが、目玉は脳天の後ろにある宮部機を睨みつけていたし、力いっぱい引いた操縦桿はぴくりとも戻さなかった。

突然、奴が旋回をやめて、水平飛行に移った。勝った——俺は奴の後方に回った。照準器に奴の機体が吸い込まれるように入ってくる。次の瞬間、奴は宙返りした。劣位でしかも速度の落ちた状態での宙返りは自殺行為だ。俺はそのまま奴を追った。奴の機を上目で追ったまま、操縦桿を引いた。宙返りが終わった瞬間、奴の機は俺の照準器には入ってるはずだ。その時、奴の命は俺の手の中にある——。

その時、信じられないことが起こった——奴の機が消えたのだ。照準器どころか俺の視界から完全に消え去ったのだ。

俺は宙返りをしながら、頭をぐるりと回した。奴の機はどこにもなかった。俺は反射的に急降下に入った。その時、背筋に冷たいものが走り、振り返った——奴が後ろにぴたりとつけていた。

あの衝撃は今も忘れない。俺は戦後、何度も命の取り合いをした。殺られたか！と思ったことも一度や二度ではない。しかしあの時ほどの恐怖を感じたことはない。

奴の機体はもう俺の機体に触れんばかりだった。もう照準も何もない。発射レバーを引くだけで俺の機体は吹っ飛ぶ。勝負は完全にあった。俺は気がおかしくなりそうになった。今で言うパニック状態に陥った。

奴は振り向いた俺の顔を確認すると、速度を上げて、俺の横に並んだと思うと、そのまま前へ飛び出した。その時、奴の機が俺の照準器に入ったのだ。あっと思った時は遅かった。俺は機銃の発射レバーを引いていた――。

言い訳はしたくない。

俺はしてはならないことをした。俺のしたことは、竹刀の剣道試合で負けた時に、相手が背中を向けた瞬間に真剣で斬りかかったようなものだ。

俺は奴が憎かった。まして完膚無きまでに負けた相手だ。その相手を撃ち墜とす機会に思わず飛びついたのか――そう言われても仕方があるまい。卑怯《ひきょう》者とののしられようと甘んじて受ける。

しかし本当に驚いたのは、次の瞬間だった。俺の撃った曳痕弾《えいこんだん》は照準器に入っている奴の機体を怖れるようによけていくのだ。俺は悪い夢を見ているような気になった。まるで魔界にでも入ってしまったかのような気になった――奴は魔物か。

奴は素早く機を滑らせると、再び俺の後方についた。俺は今度は振り向かなかった。逃げようとも思わなかった。宮部に撃ち墜とされたかった。機銃の発射レバーを引いた瞬間から、俺は生きている値打ちのない男になったのだ。宮部に撃ち墜とされるなら本望だ。本当の戦闘機乗りに墜とされるのが俺の夢だったのだ。アメリカ人だろうが日本人だろうが関係ない。

しかし宮部は撃たなかった。

「撃て！」

俺は怒鳴っていた。

「撃て！　撃て！」

俺は力の限り怒鳴った。

奴に撃つ気がないことを覚ると、俺は大きくバンクして急降下をした。かくなる上は自爆しかない。しかしまたもや信じられないことが起こった。奴の機が先回りして、俺の機を横切ったのだ。俺は急旋回して奴の機を避けた。奴は操縦席の風防を開けると、手で「やめろ」と合図した。

その合図を見た瞬間、俺は自爆する意志を失った。俺は操縦席から「わかった」と合図した。自爆は卑怯者のすることだ。飛行場に戻り、奴を撃ったことを隊の全員に打ち明けてから、潔く腹を切ろうと決めた。宮部には謝る気はなかった。謝って済むことではない。それに口先だけで謝ってどうなるものか。ただ腹を切ることで俺の気持ちを表すだけだ。

基地の滑走路に着陸して、操縦席から降りて指揮所に向かう俺に、後から着陸した宮部が走ってやって来た。そして言った。

「いいか。何も言うな。これは命令だ」

宮部は恐ろしい形相で言った。

「お前は俺を撃った。しかし俺は生きている。だから何も言うな」

それから、一言つけ加えた。「無駄死にするな」

奴はわかっていたのだ。俺の気持ちが全部わかっていたのだ。俺の中で死の決意が萎《な》えた。

俺は死ななかった。

卑怯者と思うか。祖父なら十文字に腹をかっさばいていただろう。介錯《かいしゃく》もつけずにだ。しかし俺は腹も切らなかった。なぜだと思う――俺の命は奴に握られたと思ったからだ。

ところで、奴のあの技は何だったのか。
答えは瞬時に出た――左捻《ひね》り込み。日本海軍の戦闘機乗りの秘術と言われていた技だ。敵機に後方につかれた時、宙返りの頂点で左に捻るように旋回して、逆に敵機の後ろにつく技だ。飛行練習生時代に何度か聞いたことがあった。しかし教官にそれが出来る者は誰もいなかった。昔、その技を一度だけ模擬空戦で見たという教官がいた。それを使った者は日中戦争以来の熟練搭乗員だったと言っていた。

「空中で、飛行機が消えた。あれは魔法のような技だ」

そしてこう付け加えた。

「もう海軍航空隊に、この技を使える者はほとんど生き残っていないだろう」

この日、宮部が見せた技がそれだった。まさに神技だった。飛行機にそんな動きが出来るなどということが信じられなかった。

しかしそれ以上に驚いたのが、その後のことだった。俺の照準器は奴の機体をはっきり捉えていた。しかし俺の機銃弾はそれを外した。これもすぐに理由はわかった。俺の機が滑っていたのだ。

この説明をするのは難しいが、要するに奴はまっすぐに飛んでいなかったのだ。

俺たちが飛行機乗りになって最初に学ぶのがまっすぐに飛ぶということだ。初めて飛行機を操る者はたいてい機体をどちらかに斜めにして飛ぶ。これを「滑っている」という。訓練生はまずこれを徹底的に直される。これが飛行機乗りの基本中の基本と言っていい。機体が滑っていては戦闘機は機銃を敵機に当てることは出来ない。さらに言えば、爆撃機の爆弾は絶対に命中しないし、雷撃機の魚雷も当たらない。だからまっすぐに飛ぶことを徹底的に叩き込まれる。

ところが奴は、俺の前に飛び出した時、機体を滑らせていたのだ。俺は本能的に奴を追う。しかし奴の機体をまっすぐに追う形を取ると、俺の機も知らずに滑っていることになるのだ。

わかるか、俺は奴の機体の真後ろにつけている。二機の零戦が縦に並んで飛んでいる。しかし実はその二機は平行して滑っていたのだ。俺はその状態で撃った。当然、弾は大きく逸《そ》れていく。

奴は俺の前に不用意に出たわけではなかったのだ——俺を試したのだ。

なぜ奴が真珠湾から今日まで生き延びてきたかがわかった。こんな技を持った奴が米軍のパイロットに墜とされるわけがない。まさに阿修羅のような戦闘機乗りだ。

俺は深い敗北感に打ちのめされた。空戦で負けた上に、さらに試されたのだ。そのことに気がついた時、俺の心に黒い怒りが渦巻いた。俺はいつの日か必ずや奴を墜としてやると誓った。その夜、真っ暗な部屋で宮部の機体が火を噴いて墜ちていく光景を見た。

俺にとってはアメリカも日本もない。俺の敵は戦闘機乗りだ。俺は誰にも負けない戦闘機乗りになる。それが俺の夢であり、望みだった。何度も言うが、死ぬことなどまったく怖れていなかった。力一杯戦って撃墜されるなら、それはむしろ喜びだ。空襲でやられたり、マラリアやデング熱などの下らぬ病気でくたばるよりもよほどすがすがしい。まして老いさらばえて死ぬなどまっぴらだった。そうではないか。しかし俺は空の上で死ねなかった。戦後も俺は何度も命のやりとりをした。死ぬことを怖れたことは一度もない。俺の体には刀傷がいくつもある。弾の痕もある。しかし死に神に見放されたか、一度も死ねなかった。この年まで生きるとは思ってもいなかったよ。

俺の横にいるこの男は、組幹部の者が修行によこしている若い衆だが、組としては俺に用心棒をつけているつもりらしい。余計なお世話だ。俺のタマならいつでもくれてやる。しかしそうなれば、また余計な抗争が起こる。そんなわけで手元に置いているというわけだ。

俺は一度は宮部に負けた。しかし本当の負けではない。奴は俺を撃ち墜とさなかった。だから俺は本当に負けたことにはならない。都合のいい考え方だと思うか。しかし違うぞ。これは理屈ではない。奴は俺を殺せなかった。

俺はその日以来、命が惜しくなった。無駄死にを怖れたのだ。俺が生涯で命を惜しいと思ったのは、この時しかない。

宮部の飛行機を撃ち墜とす日が来るまで、絶対に死なん。その日が来るまでは死んでも死にきれない。俺の夢は宮部と戦い、俺の機銃で奴の機体を蜂の巣にして、奴を叩き墜とすことだった。

そんなことが出来ないのはわかっている。だから俺の望みは宮部よりも長く生き延びることだった。宮部がいつか敵機に撃墜された知らせを聞き、奴を笑ってやると心に決意したのだ。その時こそが俺の勝ちだ。

奴は死んだ。俺は勝った。

こんな事を言う俺が憎いか。しかし俺を憎むのはお門違いだ。奴は特攻で死んだ。俺が殺したんじゃない。

ラバウル航空隊の搭乗員はまもなく内地へと引き揚げた。すべての搭乗員は再編成されることになった。俺と宮部も別れ別れになった。

おかしな話だが「宮部よ、死ぬな」と思った。お前は俺の目の前で死ぬのだ。俺はその日まで絶対に生き残ってやる。

俺は岩国基地で教員になった。大量に入ってきた予備学生を教えるためだ。

教員の仕事は反吐《へど》が出そうなくらい退屈だった。予備学生の飛行訓練は一年とされていた。搭乗員が一年やそこらで作れるはずがない。奴らは熱心で優秀だったが、それでも一年では無理だ。こんな使い物にならない搭乗員を大量に作ってどうするのだと思った。しかし軍は奴らを最初から特攻の搭乗員として採用したのだ。

俺は何度も前線に送ってくれと飛行隊長に訴えたが、その願いは聞き入れられなかった。

十九年の十月、俺はヒヨッコたちを引き連れて、朝鮮の元山に行った。そこで待っていたのはまた教員生活だった。

敷島隊のことを聞いたのはその頃だった。

俺は特攻など絶対にご免だと思った。敵に撃墜されて死ぬのはかまわないが、特攻で死ぬのは嫌だった。俺は戦闘機乗りとして死にたいと思った。死ぬ時は、俺を上回る達人に切られて死にたかった。

後日、元山でも、司令は特攻志願を募った。全員に封筒と紙片が配られた。紙片には「熱望する」「志願する」「志願しない」の三つが書かれてあり、そこに丸印をせよというものだった。

司令官は言った。

「あくまで各自の自由意志である。志願しないと書いてもかまわない。よく考えて書くように」

俺は「熱望する」に丸印を書いた。それ以外のところに丸印を書き込めば、どんな目に会わされるかわかったものじゃない。軍隊というところはそういうものだ。前線にやられるのはかまわないが、飛行機を取り上げられて、島の守備隊などに送られてはたまらない。

――実際に特攻を命じられたら、だと。その時はその時だ。それから考えても遅くはない。ただ、はいそうですかと死ぬつもりはなかった。

翌年一月、元山航空隊で突然、特攻隊が結成された。

第一陣の中に俺の名前はなかった。予備学生出身の士官を中心とする十数人が指名され、内地に向けて飛んで行った。九州の特攻基地から出撃するということだった。隊員たちは後に残る者に別れを告げ、笑って飛び立って行った。

その後も二次三次と特攻隊が編成され、次々と内地へ向けて出撃して行った。

俺は、彼らを見送りながら、こんなことをするようでは日本は終わりだと思った。第一、実戦経験のない新米搭乗員を飛ばせて、効果があるはずもない。敵の邀撃機に撃墜されるのが目に見えていた。

まもなく俺自身が内地へ転勤となった。長崎の大村基地だった。特攻隊としてではない。俺はそこで特攻隊の制空隊と直掩隊にまわされた。

軍は個人の撃墜機数を公認してはいなかったが、それでも俺が相当数の敵機を墜としているのは司令部は知っていたはずだ。その頃にはもう開戦以来の熟練搭乗員はほとんど生き残っていなかったから、ラバウル帰りの俺でも十分熟練搭乗員だった。

三月に米艦隊が沖縄周辺に現れてから、鹿屋では連日のように特攻機が出撃した。特攻の多くは予備学生や予科練の少年飛行兵たちだった。予備学生の連中は気の毒だったな。軍に入っていきなり士官にされてちやほやされたはいいが、飛行機の操縦のやり方だけを習って特攻だ。しかし奴らはほとんど敵艦に突っ込めなかったと思う。一年足らずの訓練で自在に操れるようになるほど飛行機は甘いものではない。

おびただしい数の敵戦闘機に襲いかかられて逃げ切れるはずがない。いや、あの重い爆弾をぶら下げてでは熟練搭乗員でも難しかろう。

あの頃の海軍は、陸軍も同じだが、ただもう特攻に出撃させることだけが目的だったのだ。旧式の九六戦や水上機などでも特攻出撃があった。ひどい時には練習機での特攻もあったと聞く。

俺は軽々しく他人に同情などするような男ではないが、奴らのことは哀れに思っている。日本のために、家族のためにと、悩み苦しんだ末に死んでいったのに、その死はなんら報われることなく、ただの犬死に終わった。その死には何の価値もない。

特攻の出撃というのはそれなりに厳かで苛烈《かれつ》なものだとは思うが、ああも毎日のように続いたら見ている方も慣れてくる。整備員たちも最初は泣きながら帽振れをやっていたが、そのうちにいつもの仕事になったな。

冷酷に聞こえるか。しかしな、人間というものはそういうものに慣れないと神経が持たん。特攻を命じる方も最初は我が身が切られるほどに辛かったろうが、そのうちに事務的に搭乗員割を作っていったのだろう。それが悪いとは言わん。人間とはそういうものだ。

しかし特攻に行かされる方はそんなわけにはいかん。命は一つだからな。

奴らは立派だった。大学出の予備士官なんて甘っちょろい奴らだろうと思っていたが、なかなかどうして、男らしい奴らばかりだった。

口では勇ましいことを言いながら、いざ戦闘に出るとからっきしの海兵出の士官はいくらでも見てきた。しかし、予備士官の連中は操縦は下手だったが、皆堂々と死んでいったな。海兵出の士官が特攻を命じられて「私も行くんですか」と高い声で聞き返していたのを見たことがある。ふん、なんてザマだ。

俺は戦後、何人ものやくざを見てきたが、予備学生の方がはるかに強い奴らだった。奴らは選り抜かれた男たちではない。大量に採った予備学生だ。一年前までは普通の大学生だったのだ。なのに、あの男らしさは何だ。ただの大学生があそこまで強くなれるのか。

愛する者のために死ぬという気持ちが、普通の男をあそこまで強くするというのか

――。

――お前はどう思う。

わかるわけがないな。平成の世の中に澱《よど》んでいる人間に、奴らの強さがわかるはずもない。俺にもわからん。

特攻隊には十七、八の少年兵もいた。きれいな目をした奴らばかりだった。「喜んで死にます」と勇ましいことを言っていたが、心の底で恐怖と懸命に戦っているのがわかった。朝にはたいていの奴が目を腫《は》らしていた。本人も気がつかないうちに布団の中で泣いていたんだろうよ。しかしそんな弱さを誰にも見せなかった。くそっ。何て奴らだ！

しかしな――あえて繰り返す。

奴らの死はまったくの無駄だった。特攻というのは軍のメンツのための作戦だ。沖縄戦の時には、既に海軍には米軍と戦う艦隊はなきに等しかった。本来なら、もう戦えないと双手を挙げるべきだったのに、それが出来なかった。なぜならまだ飛行機が残っていたからだ。ならその飛行機を全部特攻で使ってしまえというわけだ。特攻隊員はそれで殺された。

あの「大和」もそうだ。沖縄上陸の米軍と戦って勝てるわけがない。かといって見殺しには出来ぬ。沖縄で陸軍が勝ち目のない戦いをしているのに、海軍が指をくわえて見ていられない。他の艦が全部やられて、「大和」だけが残っていていいものか。なら、負けるとわかっていても出すしかない。

戦後、俺は何度も賭場《とば》を開いたが、素人ほど熱くなる。有り金のかなりをすってしまうと、頭に血が上って、僅かばかりの小金を残していても仕方がないと、全部を賭けてしまうのだ。

軍令部の連中にとったら、艦も飛行機も兵隊も、ばくちの金と同じだったのよ。勝ってる時は、ちびちび小出しして、結局、大勝ち出来るチャンスを逃した。それで、今度はじり貧になって、負け出すと頭に来て一気に勝負。まさに典型的な素人ばくちのやり方だ。

なら、「大和」の特攻はまったくの無駄か。沖縄戦で死んだ特攻隊員はまったくの無駄か――そうではなかろう。

沖縄では多くの兵士や市民が絶望的な戦いをしていた。圧倒的な米軍相手に玉砕《ぎよくさい》覚悟で戦っていたのだ。行っても無駄だからと、彼らの死を座視出来るか。死ぬとわかっていても、助けに行くのが武士ではないか。

俺は何を言っているのだ。ええい、くそ。今日はどうかしているぜ。

「大和」の海上特攻はまったくの無駄だったか——結果的にはたしかに無駄だった。しかし、伊藤提督と三千余人の乗員たちは沖縄のために殉死したのだ。神風特攻隊も同じだ。

彼らは軍令部と連合艦隊司令部のために殺されたが、彼ら自身は国のため、沖縄のために命を捧げたのだ。

——やめよう。「大和」の話はもう沢山だ。

俺の任務は特攻機の直掩だった。特攻機に襲いかかる敵機を撃ち墜とすのだ。しかしその頃はもう多勢に無勢で、勝ち目はなかった。米軍は機動部隊のはるか手前で監視用の駆逐艦を何隻もくり出し、特攻機をレーダーで捉えるのだ。敵機は特攻機の高度までわかっている。俺たちが三千で行けば四千、五千で行けば六千という具合に、常に俺たちの上空で待ちかまえている。

そして優位の態勢から襲いかかってくる。熟練の直掩機はその一撃をかわすことが出来たが、特攻機はほとんどかわすことも出来ず、最初の一撃でかなりがやられた。

特攻機で敵機動部隊までたどり着けるのは滅多にいなかった。

特攻機の中には、機動部隊まで行くことは不可能と判断して、監視ラインの駆逐艦に突っ込む機もいた。空母を目指してあたら撃墜されるよりも、よほど死に甲斐があるというものだ。

駆逐艦もこれはたまらんと思ったのか、「空母の方向はこっちだ」と言わんばかりに、甲板に大きな矢印を描いた艦もあった。初めてそれを見た時、俺は呆《あき》れはてたが、あとで感心した。ああいうことが出来る軍隊こそ、本当にすごい軍隊ではないのか。

特攻機はついに米軍の大型艦船を沈めることはなかったが、駆逐艦や輸送船などの小型艦船は何隻か沈めたはずだ。機動部隊のはるか前方で、特攻機の矢面に立つ米国の駆逐艦の乗組員もまた勇敢だったと思う。

俺たち直掩機の任務は特攻機を守ることだ。いざとなれば、特攻機の代わりに弾を受けてでも護衛しろと言われていたが、それだけはまっぴらご免だった。

直掩機に出来ることは、特攻機に襲いかかる敵機を追い払うだけだ。しかしいくら追い払っても、敵機は次から次へと襲いかかる。そのたびに一機二機と特攻機は墜ちていく。

目の前で全機が墜とされたこともあった。哀れなものだ。世間では、特攻機というと、華々しく敵艦にぶつかって散っていったと思っているのだろうが、実際はそのはるか手前の洋上で、敵戦闘機に撃墜された者がほとんどだ。マリアナで米軍は日本の攻撃機を面白いように撃ち墜とし、「マリアナの七面鳥撃ち」と嘲《あざけ》ったらしいが、沖縄戦の特攻機を撃ち墜とすのはそれ以上に容易《たやす》かっただろう。

敵機動部隊まで突入出来た奴はほんの一握りだ。たとえ対空砲火でやられたとしても、そこまでたどり着ければ本望だったろう。

特攻機が墜とされた後は、直掩機も自由に空戦が出来るが、そんな余裕はない。多数の敵機に囲まれて、自分の身を守るだけで精一杯だった。しかも相手は零戦よりもはるかに性能で上回るグラマンF6Fやシコルスキーだ。せめて敵と同数の味方機がいれば少しは戦えただろうが、多勢に無勢となれば、まず勝ち目はない。

こちらが敵の一機に喰らいついてもその瞬間に別の敵が背後につく。目の前の敵機を撃ち続ければ撃墜出来るだろうが、自分も死ぬハメになる。それに敵は少々撃ったぐらいでは墜ちないが、こちらは一発でも撃たれればおしまいだ。

敵の搭乗員の技量も二年前のラバウルの時よりも上がっていた。だから直掩の戦闘機でも撃墜されることは多かった。直掩機も全機未帰還という時があった。

それにその頃は飛行機の稼働率も極端に落ちていた。内地の工場が空襲でやられて、満足な航空機が作れなくなっていたのだ。飛べない飛行機はざらだったし、発進出来ても途中で具合が悪くなる機は少なくなかった。実際、毎日出撃した特攻機の何割かは発動機の不調で戻って来た。喜界島に不時着した機も少なくなかったな。運の悪い奴はその前に海に墜ちた。

俺は特攻直掩の任務の間も宮部のことは忘れなかった。

夜、滑走路の近くの土手に横たわり、星を見上げながら、時折宮部のことを思った。今頃、奴もまたこの星を眺めているのだろうか。俺は心の中で言った。「死ぬなよ、宮部」と。

お前が死ぬ時は、俺がこの目で見届けてやる。

沖縄戦は約三ヵ月続いた。

その間、何度も直掩任務をこなした。あるいは制空隊として特攻機の前に出撃して、待ちかまえる敵戦闘機と空戦することもあった。時には敵機を撃墜して帰還した。

六月の末に沖縄は米軍に完全占領された。陸軍と併せて二千機を超える特攻機が散華した。

三月に硫黄島が取られていたから、沖縄が取られた時点で日本の内堀は埋められた。

その前から日本の都市部には、サイパンから連日のように飛来するB29による空襲が行われていたが、硫黄島を取られてからは、P51が護衛戦闘機としてついてくるようになった。この戦爆合わせての大編隊の前には、日本の各基地の防空戦闘隊はもはや蟷螂《とうろう》の斧《おの》だった。

俺も何度か防空戦を戦ったが、P51はすごい戦闘機だった。あれはまさに怪物だった。

手強いなどというものではなかった。零戦との性能はもうそれこそ大人と子供くらい離れていた。P51の巡航速度は時速六百キロ。零戦は最高速度でさえ六百キロは出ない。巡航速度というのは最も燃料消費が少ない飛び方で飛んだ時の速度だ。ちなみに零戦の巡航速度は三百キロ少々だ。P51の最高速度は七百キロを超えた。防弾も武装も零戦をはるかに上回った。しかもこの化け物は硫黄島からゆうゆうと本土まで飛んで来て、そこでたっぷりと戦闘してまた硫黄島に戻っていくのだ。かつて零戦が飛んだラバウル、ガダルカナルよりも長い距離をやって来るのだ。

P51の高高度性能は抜群に素晴らしく、高度八千メートルでも楽々と空戦をこなせた。日本の戦闘機はその高度だと、飛ぶだけで精一杯だ。酸素の薄い高空で発動機は悲鳴を上げた。それに搭乗員は寒さで、とても空戦どころではない。操縦席には酸素マスクはあったが、防寒設備はなかった。マイナス何十度の世界に耐えられる操縦席ではない。だからP51がB29の護衛についている時は、俺たちは完全にお手上げだった。高度八千メートルでP51に勝てる戦闘機はこの世に存在しない。

俺たちは必死で戦ったが、毎回、邀撃に飛び立った我が軍の戦闘機は無惨に墜とされた。

Ｐ51もグラマンも平気で低空に舞い降りて、地上のあらゆるものを銃撃した。建物、汽車、車、そして人間。奴らは逃げまどう民間人を平気で撃った。おそらく日本人など人間と思っていなかったのだろう。動物でもハンティングする気分で撃っていたに違いない。

しかし奴等が低空に降りてきた時はチャンスだった。俺は一度だけＰ51を墜としたことがある。あれは二十年の六月だった。敵機来襲の報に邀撃に上がったものの、敵機を捕捉出来ずに基地に帰投する途中、列車を銃撃している四機のＰ51を発見した時だ。

俺は上方からＰ51に襲いかかった。敵はすぐに俺に気がついた。驚いたことに四機のうちの一機だけが向かってきた。あとの三機は高みの見物だった。日本機を舐《な》めていたのだ。

その頃は、日本軍の搭乗員は素人に毛の生えたような者ばかりで、高性能の米軍機と戦える者はほとんどいなかった。ましてＰ51は無敵の戦闘機だ。俺に向かってきた奴は「こいつは俺が墜とすから、手を出さないでくれ」とでも無線で言ったのだろう。他の三機もにやにやしながら見物していたに違いない。Ｐ51は低空にもかかわらず俺に格闘戦を挑んできた。

どっこい俺は新人ではない。ラバウルで生き残ってきた男だ。それに零戦は低空では強い。俺はP51のシャワーのような連射をかわすと、鋭い旋回で後方につけた。敵は機を滑らせて逃げようとするが、手遅れだった。俺の二十ミリ機銃を受けて翼が吹き飛んだ。

味方が墜とされたのを見て、三機が編隊になって上から俺に向かってきた。俺は上昇しながらそれをかわした。二機は俺にかわされ、前方に突っ込んだが、最後の一機が俺を追った。P51は馬力を生かしてぐいぐい迫って来る。その時、俺は宙返りをした。敵はついて来た。馬鹿め！　俺は短い旋回で敵機の後ろに回った。敵は慌てて急降下で逃れようとする。それが奴等のいつもの手だが、全部お見通しだ。俺は見越し射撃で、敵の急降下する方に向かって二十ミリを撃ち込んだ。P51は俺の撃った弾に自分から突っ込んでいった。二十ミリの機銃弾がP51の機体に刺し込まれていく。操縦席の風防が飛び散るのが見えた。P51は錐揉《きりも》みしながら墜ちていった。

残る二機は上から挟み撃ちのように攻撃してきた。俺は機首を上げ、一機の方に向かって飛んだ。敵は砂でも投げつけるように機銃を撃ちまくったが、俺は軸線を見ている。曳痕弾はすべて上方に流れていく。敵は俺が体当たりをしようとしていると感じて右に逃れようとした。これは自殺行為だ。俺はありったけの機銃弾を撃ち込んだ。P51は腹から黒い煙を噴くと、山の方に墜ちていった。

残る一機ははるか彼方へ逃げていた。

それが俺の唯一のP51の撃墜だ。別に自慢にはならん。相手は低空で零戦に格闘戦を挑むという過ちを犯した上に操縦技術も拙《つたな》かった。高空で、たしかな腕を持った奴ならこうはいかなかったろう。

戦後に知った話だが、有名な赤松貞明はP51の七十五機の大編隊に単機で挑み、一機を撃墜して戻って来たらしい。奴は稀代《きたい》のほら吹きだが、この時は大勢の目撃者がいた。それに奴の空戦の腕前は本物だ。支那事変以来の生き残りってのは、とんでもない奴がいるもんだぜ。

しかし俺はP51に敵《かな》わないと思ったことはない。一対一なら負けない自信はあったし、たとえ奴らが複数でやってきても墜とされない自信はあった。奴らの攻撃は一撃離脱だから、その一撃さえかわせば、実はそれほど恐ろしい敵ではない。ただ、こちらが墜とすのは容易でないというだけだ。とはいえ若い搭乗員ではP51の攻撃をかわすことは難しかっただろう。

二十年の春以降、東京、大阪、名古屋、福岡と日本の主要都市はB29の絨毯《じゅうたん》爆撃で焼け野原にされていた。そんな情報は鹿屋にいても伝わってくる。もうどうあがいても戦争に勝てないのは火を見るよりも明らかだった。軍需工場のほとんどは破壊され、もはやこれ以上の戦争継続さえも無理だと思えた。

五月にはドイツが降伏した。世界を相手に戦っているのは日本だけになった。しかもその命運も尽きようとしている。その頃には、南九州の航空基地は沖縄から飛来する米軍の空襲で壊滅的な打撃を受け、航空機のほとんどを北九州の基地に移していた。俺も大村に移った。

七月には海軍の全航空隊の特攻編成が行われた。若年搭乗員は全員特攻。熟練搭乗員も銃爆撃隊ということになった。戦闘機の任務は終わったと宣言したようなものだ。

八月には広島で新型爆弾が落ちたという話が伝わった。噂では、一瞬で街が消えたということだった。まもなく長崎でも新型爆弾が落ちた。大村は長崎に近かったから、その惨状はすぐに伝わった。しかし俺はそれを聞いても動揺はなかった。俺は俺の戦いをするまでだ。たとえ最後の一機となっても米軍機を迎え撃ってやる。

俺が大村から鹿屋に行けと命じられたのは終戦の少し前だった。鹿屋から出る特攻機の直掩が任務だった。

俺はそこで夢にまで見た男と再会した。そう、宮部だ。およそ一年半ぶりの再会だった。

しかし宮部の顔を見た時、奴とわからなかった。面相がまったく違っていたからだ。頬《ほお》はこけ、無精髭《ぶしょうひげ》が生え、目だけが異様に光っていた。以前の奴は几帳面《きちょうめん》な質《たち》で髭《ひげ》はいつもきれいに剃《そ》っていた。階級章を見ると少尉となっていた。

宮部に会った時の俺の正直な気持ちを教えてやろうか。嬉しかったのだ。なぜだかはわからん。

多分この一年余りであまりにも多くの死を見過ぎたのかもしれん。熟練搭乗員も無理な特攻直掩任務で多くが亡くなっていた。宮部よ、よくぞ生きていた、という喜びがあったのだろう。

「宮部少尉」

俺は声をかけた。しかし宮部はじろっと睨んだだけで一言も返事をしなかった。

「あれから自分も腕を上げました。もう簡単には負けません」

宮部は怪訝《けげん》そうな顔で俺を見ると、曖昧《あいまい》に頷き、何も言わずにくるりと背を向けた。

奴は俺を覚えていなかったのだ——俺の心に一年前の怒りと屈辱が甦《よみがえ》ってきた。この男の死を見たいと心底思った。そして俺が今日まで生き延びてきたのは、この男の死を目の前で見たいからだったということを思い出した。

翌朝未明、搭乗員が指揮所に集められた。滑走路には前日、九州の各地区からかき集められた様々な飛行機が並べられていた。すべての飛行機は発動機が回っていた。暗がりで発動機の唸《うな》るような爆音の中、俺は指揮所の前の黒板に書かれた特攻隊員と制空隊の搭乗員割を見た。俺の名前は前日言われたように直掩隊の中にあった。

司令官の挨拶の後、末期の水杯を酌み交わし、特攻隊員たちが飛行機に向かって歩いて行った。俺は何気なく彼らの姿を見ていたが、刹那《せつな》、俺の体は凍りついた。特攻隊員たちの中に宮部の姿があるではないか——。

次の瞬間、俺は走り出していた。宮部に追いついて言った。

「宮部少尉——」

宮部ははっとしたように振り返った。

「特攻に行くのですか」

宮部は曖昧に頷いた。俺は言葉を失った。

「景浦が援護してくれるなら、安心だ」

宮部はにっこり微笑《ほほえ》むと、俺の肩を叩いた。それから爆装された零戦に向かって歩いて行った。

思ってもいなかった事態だった。まさか宮部が特攻に行くとは——俺はただ呆《ほう》けたように宮部の後ろ姿を見ていた。

数分後にすべての飛行機は飛び立った。

俺の目は宮部の飛行機だけを追っていた。意外なことに宮部の乗っていた零戦は五《ご》二《に》型ではなかった。古い二一《にいいち》型だった。真珠湾の頃の旧式の零戦だ。そんな古い零戦がどこに残っていたのか。その腹には二百五十キロの爆弾がつけられていた。

俺の頭の中は、ただ一つのことしかなかった。宮部を絶対に援護する――それだけだった。

どんなことがあっても宮部の機を守り抜く。敵の銃弾は一発も当てさせない。宮部に襲いかかる敵機はすべて撃ち墜とす。弾がなくなれば、体当たりしてでも墜とす。

しかし俺の機体は突然ものすごい振動と共に発動機から煙を噴き出した。

「このポンコツめ！　気合いを見せろ！」

俺は怒鳴った。しかし発動機の調子は戻らなかった。俺はみるみる遅れていった。宮部たちの編隊が遠くに消えていく。

俺は声の限り叫んだ。ただもう訳もわからず叫んでいた。日本など負けろ！　帝国海軍は滅べ！　軍隊など消えてなくなれ！　そして軍人はすべて死ね！

俺は散々叫びまくったあとで、嗄れた喉《のど》で呟《つぶや》いた。「宮部さん、許して下さい」

自分がそう呟いているのに気づいた時、涙がとめどもなく流れた。


数日後、戦争が終わった。

玉音放送を聞いて、俺は地面に突っ伏して泣いた。それこそ号泣した。何人か同じように泣く者があったが、俺ほど声を限りに泣く者はなかった。しかし俺は日本が負けて泣いたのではない。日本などどうなってもよかった。どうせ負けるのはわかっていたのだ。

俺が泣いたのは他でもない。宮部のことだ。あと一週間生きていれば、命が助かったのだ。奴の愛してやまない妻の元へ戻れたのだ。

俺は戦後、やくざになった。狂った世の中に復讐したいと思ったのだ。力のある者がのさばる世の中がいやだった。

人も殺した。今ここでこうして生きているのが不思議なほど、何人も殺した。

宮部のことは忘れた。今日まで思い出したことはなかった。

「俺の話はこれで終わりだ」

景浦はぶっきらぼうに言った。

彼は話の途中からサングラスをかけていたため、その表情は見えなかった。景浦の後ろにいた若い男は口をしっかりと結んでいた。

「あの時――」不意に景浦は呟くように言った。「奴の目は死を覚悟した目ではなかった」

そして景浦は天井を見つめた。

ぼくには答えようがなかった。景浦は、祖父は最後まで生きる望みを失っていなかったと言いたいのか。景浦は腕を組み、ぼくを見つめた。しかしサングラスの奥の目はどこを見ているのかわからなかった。

ややあって、景浦は言った。

「お前の祖母は死んだといったな」

「六年前に亡くなりました」

「幸せな人生だったか」

「そうだと思います」

景浦の表情が一瞬、緩んだように見えた。しかしそれはぼくの錯覚かも知れなかった。

「それはよかったな」

「祖母に会ったことがあるのですか」

「ない」景浦は即座に否定した。「奴の家族には何の興味もない」

景浦はいきなり立ち上がった。そして、

「俺の話は以上だ。帰ってくれ」

と怒鳴るように言った。それは有無を言わせぬ迫力があった。

ぼくは立ち上がって礼を言った。その瞬間、予期しないことが起きた。景浦がぼくを抱きしめたのだ。どうしていいのかわからず、ただじっとしていた。痩《や》せた老人の体の温もりが伝わった。

景浦はぼくを離すと、「すまん、許せ」と言った。

「俺は若い男が好きでな」

景浦はにやっと笑ってそう言うと、用心棒の青年に「玄関まで案内してやれ」と言い残し、部屋を出た。

青年はぼくを玄関まで見送ってくれた。最後に彼は言った。

「いい話を聞かせていただきました」

青年は深々と頭を下げた。

ぼくもまた頭を下げて、景浦邸を後にした。

第十一章　最期

暑い夏が終わろうとしていた。

祖父を訪ねての旅も終わろうとしていた。

夏の終わりと同時に、母に読ませるための祖父の物語をまとめにかかった。ボイスレコーダーをパソコンにつなぎ、繰り返し祖父の話を聞いた。祖父の話をまとめる仕事はぼくにやらせて欲しいと姉に頼んだのだ。拒否されるかもしれないと思っていたが、姉はすんなり了承してくれた。

「今度の調査は、初めから終わりまで健太郎が頑張ったものね。健太郎がまとめるのは当然だわ」

この物語を慌てて書くつもりはなかった。祖父を美化するつもりはなかったが、祖父の正しい姿を描ききれないうちに文章にするのは嫌だった。しかしボイスレコーダーの証言を何度も聞くうちに、母にはこれらの証言をすべて聞かせるべきだと思った。

江村鈴子から井崎源次郎の訃報《ふほう》を受け取ったのは八月の半ばだった。

「安らかな顔でした」

葬儀で挨拶した時、鈴子は言った。焼香の時、井崎の孫の誠一を見たが、最初誰かわからなかった。病室で見た青年と同じ男とは思えなかったからだ。長い髪が短く切られ、金髪は黒くなっていた。話は交わさなかったが、彼はぼくに気づくと深々と頭を下げた。

ぼくの中にもまたかすかな変化が起こっていた。

長い間ほこりをかぶっていた法律の本を読むようになっていたのだ。司法試験にもう一度挑戦してみようという気になっていた。

かつて人々のために尽くしたいと弁護士を志した気持ちを取り戻したのだ。ずっと、そんな青くさい動機と夢を思い出すのも恥ずかしい気持ちになっていたのに、今は心からそう思えるのが自分でも不思議だった。

八月の終わりに、姉に飲みに誘われた。そんなこと自体珍しかったが、彼女の顔を見た時、何かあるなと思った。

「高山さんから、あらためて結婚を申し込まれた」

店に入り、ビールを注文した後、姉は何気ないふうに言った。

「姉さんはどう答えたの？」

姉は答えなかった。

「ぼくはあの人を義兄さんとは呼びたくないな」

「そんなこと言わないで。あの時のことは高山さんも反省してるのよ。武田さんに自分の会社のことをひどく言われて、カッとなってしまったって――」

「でも、彼は祖父を侮辱した。直接ではないけど、特攻隊員みんなを侮辱した」

「高山さんは反省してたわ。武田さんに言われて、自分の考えが間違っていたと気づいたって。健太郎には信じられないかもしれないけど、涙を流して言っていたわ」

ぼくにはちょっと想像出来ない姿だったが、姉が嘘を言うはずがなかった。

「姉さんはあの人と結婚して幸せになれると思う？」

姉はぼくの言い方に少しむっとしたようだ。

「幸せになれると思うわ。高山さんは私を愛してくれてるし、それに――」

「結婚相手としての条件もいいって」

「それがいけないの」

ぼくは首を振った。女性にとって結婚は「現実」だ。それに高山は姉を愛している。彼は偏った考えの持ち主だったかもしれないが、だからといって悪い人間とは限らない。むしろあれほどのエリートが自分の過ちを認めて涙を流したというのは、真《しん》摯《し》な人間なのではないか。

それに姉には「本を出したい」という強い夢がある。彼はその夢を後押ししてくれる存在だ。

「一つ気になることがあるんだけど」とぼくは言った。「姉さんは肝心なことを言ってないよ」

「何？」

「高山さんを愛しているのか、ということ」

姉は答える代わりに、黙ってビールを飲んだ。グラスが空になった。姉はグラスの縁を指でこすった。

「藤木さんはどうするの？」

姉の顔色が変わった。

「藤木さんが姉さんに結婚したいと言ったということは、おそらくあの人にとっては、清水の舞台から飛び降りる覚悟で言ったんだと思うよ。多分、死ぬほどの勇気を振り絞ったんだと思う」

姉はうつむいた。それから小さな声で、私もそう思う、と言った。

「私、本当に悪いことしたわね」

「姉さんのしたことは子供じみた復讐だと思うよ。でも自分で悪いと思っているんなら、もう何も言わない。ただ、藤木さんには、きちっと謝って欲しい」

姉は頷《うなず》いた。

「姉さんの人生は姉さんのものだから、結婚に関してこれ以上何も言わない。姉さんが自分でいいと思うように決めたらいい」

姉は「わかった」と答えた。

ぼくは話題を自分のことに変えた。もう一度死に物狂いで勉強して、来年、司法試験に挑戦しようと思っていることを言った。姉は、ちょっと驚いていたが、にっこり笑って「頑張って」と言った。

試験に対する焦りはなかった。今思えば初めて司法試験を受けた時は功名心に逸《はや》っていた。そして失敗が焦りを生み、最後は恋人にふられたこともあり、悲愴感に近いものがあった。しかし今、自分でも不思議なくらい落ち着いて勉強に取り組めた。ベストを尽くし、あとは天命に任せる気分だった。落ちれば、何か仕事を探すつもりだった。働くのも悪いことではない。いや、むしろ社会に出て働くべきだと思っていた。その気になれば、祖父のように三十を過ぎてからでも再挑戦出来る。

「ところで、おじいさんは結局、なぜ特攻で死んだのかしら？」

不意に姉が聞いた。

「これはぼくの想像だけど——」

ぼくは言いかけて、やめた。

「言って。いいから」

「景浦が言っていた言葉——大和が沈められるのがわかっていて沖縄に向かったという話。無駄死になんだけど、沖縄で戦う人たちを見殺しには出来ないっていう」

姉は真剣な目でぼくを見つめた。

「おじいさんは多くの特攻機を見送って——その中には自分の教え子も沢山いて、自分一人が生き残ることは出来ないって思ったんじゃないのかな」

姉は視線をテーブルに移し、目の前のグラスをじっと見つめた。そして小さな声で呟《つぶや》いた。

「私はそうは思えない」

ぼくは姉の次の言葉を待ったが、姉はそれ以上何も言わなかった。

「景浦さんの話だけど、私、あの人の気持ちがわかるわ」

不意に姉は言った。

「あの人、おじいさんに心底憧《あこが》れていたのね」

ぼくはそうかもしれないと思った。

「それで、おじいさんの調査はもう終了なのね」と姉が聞いた。

「実は数日前、久しぶりに戦友会の人から電話があったんだ。九州の鹿屋《かのや》基地で通信員をしていた人がいて、その人がおじいさんのことを少し覚えているらしいって——。でも、その人もたいした話は覚えていないらしい。記憶の端に残っているという程度らしいよ」

「じゃあ、行かないの」

「いや、おじいさんが最後に飛び立った地を見に行こうと思ってる。そのついでに、会ってみようと思ってるんだ。そこで、おじいさんを求めての旅は終わりだよ」

「いつ行くの？」

「今週の末」

姉は少し考えていたが、強い口調で言った。

「私も一緒に行っていい？　ううん、ぜひ連れて行って欲しいの」


かつての海軍鹿屋基地は現在は自衛隊の基地になっていた。大隅半島の真ん中に位置し、南西に開聞岳《かいもんだけ》が見えた。

近くにある霧島ヶ丘という小高い山の中腹から滑走路が一望出来た。聞けば、当時の滑走路がそのまま使われているということだった。六十年も前に作られた掩体壕も残っていた。

かつて祖父が見たのと同じ光景を見ていると思うと、感傷的な気分になった。

自衛隊の基地に隣接して、資料館があり、かつての海軍航空隊に関する資料が展示されていた。初めて本物の零戦を見た。思っていたよりもずっと小さい飛行機だった。館内には特攻隊の遺書なども展示されていたが、とても読めたものではなかった。

ぼくはいたたまれない気持ちで資料館を出た。姉はいくつかの遺書を読んでいたが、すぐに目を真っ赤にして出て来た。感想は聞かなかったし、彼女も何も言わなかった。ぼくと姉の二人にとって、特攻隊員の悲しみや苦しみは共通のものとしてあった。

その後、ぼくたちは特攻隊の慰霊塔にお参りして、鹿屋市を後にした。

元海軍一等兵曹、大西保彦の家は鹿児島市内にあった。鹿屋とは鹿児島湾をはさんで反対側だ。鹿屋からバスとフェリーを乗り継いで三時間もかかった。

大西は小さな旅館を経営していた。といっても現在は息子に任せて楽隠居の身だった。

ぼくと姉は旅館の客間に通された。南向きの陽当たりのいい部屋で、小さな庭が見えた。

大西に会って驚いたのは彼が標準語を使うことだった。姉が「鹿児島弁をお使いにならないんですね」と言うと「私はもともと東京出身ですよ」と言って笑った。

大西は机の上に古い大学ノートを拡げた。どのノートも黄ばんで表紙がぼろぼろだった。

「戦後、当時を思い出しながら書いたものです」

大西はページを繰りながら言った。

「私がいた鹿屋基地から飛び立った特攻隊員たちの名前も全部、控えています」

鹿屋へ行ったのは十九年ですから、もう六十年にもなりますね。いまだに地元の言葉が上手《うま》く話せません。けれど、旅館業をやってると、標準語が話せると便利でね。終戦で、東京に帰ろうと思いましたが、実家は空襲で焼けているし、家族は千葉の親戚の家に疎開しているし、帰っても仕方がない状態のところへ、今の家内といい仲になってしまって、そのままここに残ってしまったって訳ですよ。家内は鹿屋の基地の防空壕内の施設で女子挺身隊として働いていたのです。でも戦争中は一度も口を利いたことがなかったですよ。初めて言葉を交わしたのは戦争が終わってからです。

家内の実家がこの旅館をやっていまして、家内の兄が二人いたんですが、二人とも戦死して、私が婿《むこ》入りして跡を継いだって訳ですよ。ええ、今も仲良くやってますよ。

私の鹿屋での任務は通信員です。

通信員は他の部隊との通信連絡や、攻撃隊との交信など、いろんな仕事がありましたが、二十年の春からは、特攻機隊の電信を受けることが大きな仕事になりました。これは辛い仕事でした。

その頃の特攻機隊には戦果確認機はほとんどつけられませんでした。特攻機が見事に敵艦に体当たりしても、それを見て報告する者がいなければ、こちらには何もわからないわけです。

フィリピンの時には必ず戦果確認機が出ていましたが、沖縄戦の頃には、そんなものを出していたら戦果確認機も撃墜されてしまうということで、まったく出されませんでした。

敷島隊の時に大西長官が言ったといわれる、お前たちの戦果は必ず上聞に達するようにするから安心しろという言葉は、とっくに反故《ほご》にされていたのです。特攻機隊員は誰にも知られることなく、たった一人で死んでいったのです。哀れですよ。

それで、戦果確認をどうするかというと、特攻機自身にやらせるわけです。特攻機に無線電信機を取りつけて、特攻の瞬間を電信で伝えさせるのです。当時の日本海軍の無線機の電話は雑音ばかりでまったく使い物にならず、頼りはモールス信号です。そう、トン・ツーの打電です。

特攻機は「敵戦闘機見ユ」の場合は短符連送つまり「ト」を連続して打ちます。そして、いよいよ空母に突入の際は、超長符を打ちます。「ツー」を長く伸ばして打つと、「我、タダイマ突入ス」という意味の電信になります。そして体当たりの瞬間まで電鍵を押し続けるのです。

私たちはその音を聞くと、背筋が凍りつきます。その音は搭乗員たちが今まさに命を懸《か》けて突入している印なのです。その音が消えた時が、彼らの命が消えた時です。しかし私たちにはその死を悼む感傷に浸っていることは出来ません。特攻機が「超長符」を打ち始めて音が消えるまでの時間を計り、その機が見事体当たりをはたしたのか、あるいは対空砲火で撃ち墜とされたのかを判断しなければならないのです。「超長符」を打ち始めてあまりに早くその音が消えた時は、対空砲火でやられたと判断します。しかし長く続いて消えた時は、見事体当たりに成功したと判断します。つまり我々電信員はその音を聞きながら、戦果確認をしなければならなかったのです。

特攻隊員たちがこの世に残した最後のメッセージが司令部に戦果を知らせる合図なのです。今にして思えば、何という残酷なことでしょう。本来なら戦果確認を誰かがしっかりとして、特攻機は一切の雑念を捨て敵艦に体当たりするのが当たり前でしょう。それを死ぬ寸前まで、本人に死の合図をさせて戦果確認の仕事までやらせたのです。こんな非情なことはないですよ。

しかし特攻隊員たちは立派な男たちでした。彼らの多くは突入の際、「超長符」を打ちました。死ぬ寸前にあっても、自らの任務に忠実であろうとしたのです。敵戦闘機のおそろしい邀撃をかわし、凄《すさ》まじい対空砲火の嵐の中に、飛行機を操りながら、敵艦船目がけて体当たりする直前、電信を打つなど――。こんなことは、およそ考えられることではありません。しかも電信機は太ももに固定されており、それを打つには左手に操縦桿を持ち替えなければなりません。今まさに死のうとする極限状態にありながら、この冷静さ――しかも、これは経験を繰り返して身につけたものではないのです。生涯にたった一度の局面で、彼らはやってのけたのです。

当時はそのことに気がつきませんでした。しかし今、彼らの心がいかに強いものだったかわかります。死を前にして狼狽《ろうばい》したり、うろたえたりした者はいなかったのです。

私は何度も「超長符」を聞きました。意識を集中させ、全身を耳にして、彼らの生涯最後の合図を聞きました。「ツー」の音が長く伸ばされると同時に、息を止めます。その音が止むまでの時間の重さは喩《たと》えようがありません。その音が消えた瞬間、一人の若者の命が消えるのです。その時の悲しみと恐ろしさは何と表現していいかわかりませんね。心に釘か何かを打ち込まれるみたいな感じでした。

私の耳には今もその音がこびりついています。その音が何ヘルツなのかは知りません。しかし今でも時々、その同じ「音」を聞くと、体が硬直します。胸の動悸が激しくなり、立っていられなくなります。私は音楽を聴くのが苦手です。沢山の楽器の中にはあの時の超長符の音と同じ音が時々聞こえるのです。その音が聞こえると、もう駄目です。

宮部さんの話でしたね。

あの人のことは覚えています。真珠湾以来の歴戦の搭乗員でしたから、鹿屋の基地でも誰からも一目置かれていた存在でした。

実は私は飛行機乗りになるのが夢でした。搭乗員になりたくて予科練を受けたのですが、残念ながら落ちているのです。こんなことを言うのは、亡くなった方たちに申し訳ないのですが、予科練を落ちてよかったと思います。あの時、予科練に受かっていたら、私が特攻で死んでいたのは間違いありません。

私と宮部少尉は通信室でよく顔を合わせました。

宮部少尉は分隊士でしたから、通信室に来て偵察隊や攻撃隊の通信状況などを聞きに来ました。宮部さんは少尉でしたが、いわゆる特務少尉です。海兵出の士官みたいに威張り散らすことなく、私みたいな兵隊にも気軽に話しかけてくれるから、私はあの人が好きでしたね。

宮部少尉は鹿屋では特攻の直掩任務をこなしていました。

直掩機は特攻機ではありません。特攻機が無事に敵空母にたどり着けるように敵戦闘機から特攻機を守る役目です。私は一介の電信員ですから、飛行機のことはわかりません。しかし性能がはるかにまさる敵戦闘機、しかも数も圧倒的に多い敵戦闘機から、特攻機を守ることがどれほど大変なことなのかは想像がつきます。

実際、直掩機からも毎回必ず未帰還が出ました。全機未帰還ということもありました。つまり特攻機でなくても特攻隊みたいなものだったのです。その頃は脚の速い偵察機でさえも未帰還が出ました。

私は一度そのことを宮部少尉に尋ねたことがあります。

「直掩機も特攻隊みたいなものですね」

宮部少尉は言下に否定しました。

「全然違います。たしかにこの状況下では援護機も大変です。しかしそれでも私たちは九死に一生ということがあります。たとえ絶望的であろうと、生き残るために戦うことが出来ます。しかし特攻隊員たちは、十死零生なのです」

——十死零生。この言葉は当時から神風特攻隊について言われていた言葉です。必死という言葉がありますが、この言葉は「必ず死ぬ」と書きながら実はそうではありません。しかし十死零生はそうではありません。最初から死ぬことは決まっているのです。「断じて行えば鬼神もこれを避く」という言葉がありますが、十死零生は、その覚悟を超えたものでした。

特攻の中でも一番悲惨だったのは神雷部隊です。

神雷部隊とは桜花部隊です。数ある特攻の中でもあれほどひどい特攻はありません。一式陸攻に人間爆弾の桜花《おうか》を積んで行くのですが、あんな無茶な作戦はないでしょう。三月に初めて行われた神雷部隊の出撃の時は、十八機の一式陸攻は全機未帰還でした。直掩の零戦も三十機のうち十機が未帰還でした。援護戦闘機の不足で、何人もの司令や参謀が計画延期を宇垣中将に進言しましたが、中将はそれをはねのけたと言われています。一式陸攻を率いて行った野中少佐は「こんな馬鹿な作戦はない」と言い残して出撃したそうです。

その日、私は一式陸攻からの打電を待っていました。しかしついに一つの打電もありませんでした。「敵戦闘機見ユ」の打電もです。これは奇妙なことです。一式陸攻には専門の電信員が乗っています。敵戦闘機の邀撃を受けても、「敵戦見ユ」と打電するのが普通です。しかし十八機の一式陸攻からはついに一つの打電もありませんでした。

私は、これは野中少佐の無言の抗議ではなかったかと思っています。

しかしその後も神雷部隊の攻撃は何度も続けられました。

あれはたしか五月でした。宮部少尉はその日、鹿屋に来て初めて神雷部隊の直掩を命じられました。桜花を積んだ一式陸攻六機に護衛の零戦が六機でした。一式陸攻の一機は桜花を積まない誘導機でした。珍しく宮部少尉は青い顔をして出撃しました。帰って来たのは宮部機だけでした。宮部少尉は一式陸攻は全機撃墜されたと報告しました。宮部少尉の機体にも多くの弾痕《だんこん》がありました。特に尾部は文字通り穴だらけという惨状でした。宮部少尉があんな状態で帰ってくることなど滅多にないことです。

その夜、私が通信室を出て隊舎に戻ろうとすると、滑走路の近くの土手で、一人の搭乗員が座っているのが見えました。月の明るい夜でした。搭乗員は宮部少尉でした。

宮部少尉は私を認めると手を振りました。

「村田、ここに座るか」

宮部少尉は声をかけました。村田は私の旧姓です。

「座らせていただきます」

私は宮部少尉の隣に座りました。

その時、宮部少尉から酒の匂いがしました。見ると、一升瓶を横に置いているではありませんか。

「お前も飲むか」

宮部少尉は一升瓶を摑《つか》んで私に渡しました。

「杯はないから、そのままいけ」

私はもったいないので遠慮致しますと言いました。宮部少尉は別に気を悪くするでもなく、一升瓶をラッパ飲みしました。

「桜花なんて成功するはずがない」

宮部少尉は吐き捨てるように言いました。私はその声があまりに大きいので驚きました。

「特攻機でも機動部隊に近づくことが難しいのに、桜花を抱いた中攻が近づけるはずがない」

「特攻機でも難しいのですか」

「米軍は電探で我々を見つけ、多数の戦闘機で待ちかまえている。数機の援護機で突破出来るはずもない。まして特攻機は重い爆弾を抱いている。搭乗員は経験の浅い者ばかりだ」

「でも、中には機動部隊にたどり着ける機もありますす」

私は自分で通信を受けているだけにその点は譲れませんでした。

「たしかにたまには突破出来る機もある。しかし数十機に一機あるかどうかだ。沖縄戦では二千機以上の特攻機が出たが、突入の電信を打ってきたのはどれくらいある？」

そう言われれば、私も答えようがありません。私自身これまで何十もの突入電を耳にしましたが、二千機からなる特攻機の何割ということになると、その成功率のあまりに低さに暗澹《あんたん》とした気持ちになります。

「運良く、敵戦闘機の追撃を逃れて、敵空母にたどり着けたとしても、ものすごい対空砲火が待ちかまえている。俺は何度か特攻機が突っ込むところを見た。米軍の対空砲火のものすごさと言ったらない。マリアナの時もすごいと思ったが、今や米軍の対空砲火はそれをはるかに上回るすごさだ。そんな実態を司令部は何も知らない。いや、知っていて知らないふりをしているのか」

宮部少尉は泣いていました。

「急降下で体当たりするのにも技が必要だ。真珠湾をやったかつての艦爆乗りなら成功するだろうが、若い搭乗員では無理だ。敵の対空砲火から逃れるためには、出来るだけ深く突っ込む必要があるんだ。浅い角度で突っ込むと、まともに対空砲火を浴びる。しかし深い角度で突っ込んで急降下すると、速度が出過ぎて、機体が浮く。それを押さえようとしても、速度が出過ぎるとフラップが恐ろしく重くなる。それに方向舵《だ》の利きも悪くなる。体当たり寸前に角度や方向を変えようと思っても容易じゃない。それで海に突っ込んでしまう」

宮部少尉はまるで飛行練習生に言うように喋《しやべ》っていました。明らかに酔っていました。宮部少尉のこんな姿を見るのは初めてでした。

宮部少尉は突然、一升瓶を摑むとそれを滑走路の方に向かって投げました。瓶は月の光に照らされて、大きく弧を描いて地面に落ちました。瓶は粉々に砕けました。

「今日、俺の目の前で、六機の中攻が全機墜とされた。俺は何も出来なかった」

宮部少尉はそう言うと、叫びました。その声は聞いているこちらに震えが来るほどの恐ろしい叫びでした。

「今日の桜花の搭乗員に、筑波での教え子がいた。出撃前に、彼は俺の顔を見て、宮部教官が援護して下さるなら安心ですと言った。しかし俺の目の前で、彼を乗せた一式陸攻は火を吐いて墜ちていった。中攻の搭乗員たちは俺に敬礼しながら墜ちていった」

宮部少尉は私を睨みつけるように言いました。

「一機も守れなかった」宮部さんは悲痛な声で言いました。「ただの一機も守れなかった！」

「仕方がないと思います」

「仕方ないだと！」

宮部少尉は怒鳴りました。

「何人死んだと思ってる！　直掩機は特攻機を守るのが役目だ。たとえ自分が墜とされてもだ。しかし俺は彼らを見殺しにした」

宮部少尉は膝《ひざ》を抱え、頭を垂れました。その肩は小さく震えていました。

私はかける言葉を失いました。宮部少尉の中に自分を責める心と暗い絶望があるのを感じました。

「俺の命は彼らの犠牲の上にある」

「お言葉ですが、それは違うと思います」

「違わない。彼らが死ぬことで、俺は生き延びている」

その言葉を聞いた時、宮部少尉の心がどれほど苛《さいな》まれているかを知りました。あの人は優しすぎたのです。

宮部少尉は黙って立ち上がると、隊舎の方へよろよろと歩いて行きました。私はその背中に声をかけることも出来ませんでした。

沖縄戦の後半から宮部少尉ははっきりと変わりましたね。無精髭《ぶしょうひげ》を生やし、目だけが異様にぎらぎら光るようになりました。もともとが背の高い痩《や》せた人でしたが、更に痩せていきました。頬《ほお》なんかはげっそりと肉が落ちて、人相が変わりました。そして——笑顔は消えました。

特攻機の直掩につくたびに宮部少尉は命を削られていくかのようでした。

ある昼下がり、私は滑走路に立つ宮部少尉を見て、ぞっとしたことを覚えています。陽炎《かげろう》の中に揺られて立つ宮部少尉は、まるでこの世の人に見えなかったからです。すでにその身は彼岸に片足を乗せているといった感じでした。

沖縄が占領された後も特攻は断続的に行われました。

しかし、まもなく沖縄から大量の米軍機が連日空襲に来るようになり、鹿屋を始めとする南九州の各地区は航空機と搭乗員のほとんどを北九州の基地に移動しました。そして特攻部隊が送られる時だけ、鹿屋基地を利用したのです。私は鹿屋に残りました。

私も、もう日本は負けるなと思いました。八月には広島と長崎に新型爆弾が落とされ、もう日本は滅ぶかもしれないという一種の絶望感が漂っていました。

沖縄戦後半から全機特攻の掛け声と共に、司令部は通常攻撃として特攻命令を出していました。予備学生や少年飛行兵以外の予科練出身の古い搭乗員や海兵出の搭乗員にも次々と特攻命令が下されていました。命令に背けばもちろん抗命罪です。ただその頃は出撃しても発動機の不調で引き返す飛行機がかなりありました。あるいは敵艦隊にたどり着く前に海に墜落する飛行機も少なくなかったと聞いています。私自身、鹿屋を飛び立ってすぐに墜落した飛行機を見たことがあります。整備員が必死で整備しても、平均して三機に一機は発動機の不調で戻って来ました。ひどい時にはほとんど全機が戻って来ることさえありました。もう日本には機材も燃料も何もかもなくなっていたのです。

そんな状況の中で、ついに宮部少尉にも出撃命令が出たのです。

出撃の朝、私は宮部少尉に別れの挨拶を告げに行きました。夜明け前でした。あたりは暗く、誰が誰だかわかりませんでしたが、ようやく宮部少尉の姿を見つけました。

私は何と声をかけていいのかわかりませんでした。ようやくのことで「武運を――」と言うのが精一杯でした。宮部少尉は頷きましたが、どんな表情をしていたのかは暗くて見えませんでした。

やがて飛行機の発動機がかけられ、特攻隊員たちはそれぞれの乗機に向かいました。

この時、奇妙なことがありました。

宮部少尉は、一人の予備士官に「飛行機を換えて下さい」と頼んだのです。

宮部少尉の飛行機は零戦五二型《ごうにい》でした。予備士官の零戦は旧式の二一型《にいいち》でした。当時、二一型は非常に珍しく、おそらく、どこかの基地でポンコツになって眠っていたのを、整備し直して運ばれて来たのだと思います。私は初めて見ました。

宮部少尉はその二一型に乗りたいと言ったのです。昔、ラバウルで乗っていた二一型に乗って行きたい、と言いました。五二型と二一型の性能は比べものになりません。五二型の方が馬力も大きく、速度もまさっています。もっとも二一型の方が格闘性能はいいのですが、特攻機に格闘性能は関係ありません。速度が出て、馬力のある方がいいのはわかっています。

宮部少尉に言われた予備士官も、それがわかっていますから譲れません。

「宮部少尉が五二型に乗るべきです。宮部少尉は私よりもはるかに上手です。腕のいい搭乗員がよりいい飛行機に乗るのが当然です」

予備士官ははっきりそう言いました。

宮部少尉は一旦「わかりました」と言って、自分の機に戻って行きました。しかしまもなく戻って来て、また同じように飛行機を換えてくれと頼んだのです。

宮部少尉は発動機の音に負けないくらいの大きな声で言いました。

「自分の腕は一流です。だから二一型に乗っても十分やっていけます」

私はそれを聞いた時、耳を疑いました。およそ宮部少尉に似つかわしくない台詞だったからです。宮部少尉はこんなふうに自分の技量を自慢する人ではありません。いや、こういうことを決して言う人ではなかったはずです。

その時、私は、この人でも、最後にはやはり自分の力を誇示したい気持ちになるのかなあと感じたのを覚えています。

しかし宮部少尉が二一型に乗りたいと言ったのは、もしかしたら意地だったのかもしれません。俺のような優秀な搭乗員に特攻を命じた日本海軍に対する怒りのようなものでしょうか。

よし、特攻に行ってやる。ただし、旧式の二一型に乗って行ってやる、と。

しかし、本当は宮部少尉自身が言うように、懐かしい二一型で行きたいと思ったのかもしれません。

思えば、零戦は帝国海軍を象徴する戦闘機でした。開戦当初は無敵の戦闘機でしたが、後を託す後継機がないまま、ずっと第一線で戦い続けました。かつての天翔る名馬も年老いた駄馬になっていました。二一型は誕生から二年にわたり中国大陸と太平洋を暴れ回り、無敵の零戦神話を作った機です。宮部少尉は二一型に巡り会った時に、古い戦友に会ったような気になったのかもしれません。

宮部少尉と若い予備士官は何度かやりとりした後、ついに予備士官が折れて、飛行機の交換が成立しました。あの時の情景ははっきり覚えています。二人の会話が奇妙なものだったということもありますが、後に起こったある出来事で強く記憶にへばりついたのだと思います。

出撃は夜明け前でした。そして、宮部少尉は戻って来ませんでした。

大西は怖い顔をして、黙っていた。長い沈黙があった後、大西は言った。

「この話には、あまり愉快でない続きがあるのです」

「何ですか」

大西はしかし、口にするのを迷っている感じだった。

「言ってください。何でも」

ぼくの言葉に、大西は意を決したというふうに口を開いた。

「あの時、特攻出撃した爆装零戦は六機でしたが、一機だけ、エンジントラブルで喜界島に不時着しているのです」

　ぼくの背筋に冷たいものが走った。

「それは──もしかして」

「ええ、そうです。最初、宮部少尉が乗るはずだった飛行機です。零戦五二型です。搭乗員は宮部さんに二一型を譲った男です」

　ぼくは言葉を失った。

「もし、宮部さんが飛行機を換えてくれと言わなければ、助かっていたのは宮部さんだったかもしれません」

「そんな！」

　と、姉が悲鳴のような声を上げた。

「これが運命でしょうかね。宮部さんは最後に運命の女神に見放されたのですよ」

「ひどい！」と姉が叫んだ。

　ぼくは呆然《ぼうぜん》とした。

「でも、それが運命というなら、祖父は自ら死への道を選んだのではないですか」

　ぼくの言葉に、大西は何も答えなかった。

　祖父は最後の出撃で、懐かしい二一型を目にして、これに乗って死にたいと考えたのか。真珠湾もガダルカナルも二一型で戦ってきた祖父にとって、古い戦友と共に死にたいと思ったというのか。もし、そこに二一型が現れなければ、祖父はそのまま飛行機を取り替えることもなく出撃し、あるいは命を長らえることが出来たのかもしれなかったのか。

　二一型は祖父を死の世界にいざなう死に神だったのか。世の中にそんな恐ろしい運命があるのか。

　いや、違う——そんなはずはない。あまりに出来すぎた偶然だ。

　その瞬間、ぼくの心に電流が走った。

「大西さん、その人の名前は」

　ぼくは勢い込んで聞いた。

　大西は一瞬、何のことかわからない様子だった。

「不時着した搭乗員の名前は何というのですか」

　大西は老眼鏡をかけると、目の前のノートのページを繰った。

「あった、これだ」

　大西が指さした。そこには二十年の八月の日付と共に、特攻で死んだ人たちの名前が書かれてあった。ぼくはノートを覗《のぞ》き込んだ。五人の隊員の名前の横に「喜界島に不時着」という文字と一人の男の名前が書かれていた。

「ここですね」

　大西は老眼鏡が合わないのか、読みにくそうだった。

「見せていただけますか」

大西が頷くと同時に、ぼくは彼の手からノートを奪い取るように掴んだ。そこには几帳面《きちようめん》な字で「大石賢一郎少尉、二十三歳。予備学生十三期、早稲田大学」と書かれていた。

ぼくは、ああ、と声を上げた。

「ねえ、どうしたの」

姉が怯《おび》えたように聞いた。そしてノートを覗き込んだ。そして、あっと声を上げた。

ぼくは姉に何か言おうとしたが、声が出なかった。歯がかちかちと鳴った。

ようやくにして絞り出すように言った。

「大石賢一郎——ぼくたちの、おじいちゃんだ！」

第十二章　流星

祖父は書斎の椅子にもたれてじっと目をつぶっていた。

それから、やがて目を開けて言った。

「いつかお前たちに語らなければならないと思っていた」

ぼくは黙って頷《うなず》いた。隣には姉がいた。

「お前が宮部さんのことを調べていると聞いた時、この日が来ることを覚悟した」

祖父はそう言うと、小瓶からカプセルの心臓の薬を取りだして、水と一緒に飲んだ。

「松乃は子供たちに言う必要はないと言っていたが、私はいつかは話すつもりだった。もし、万が一、その機会がなくとも、すべてを書き残した手紙がある。もう十年以上前に後輩の弁護士に預けた。もし私が突然死んだ時は、その手紙が清子に届けられるようになっていた」

宮部さんと出会ったのは筑波の航空隊だった。

私たちはそこで特攻隊員としての訓練を受けた。初めから特攻隊員として訓練を受けると聞かされたわけではない。最初は基本的な飛行訓練だった。宮部さんはそこの教官だった。

飛行課程を終えた時、私たち飛行学生に特攻隊に志願するか否かの用紙が配られた。私は志願すると書いた。だが本当は志願したくなかった。誰だってそうだろう。しかし全員が志願した。私たちは勇気がなかったのか。そうではないだろう。

あの頃は、大陸や太平洋の島々でも、毎日のように多くの兵士が死んでいった。新聞には、大本営発表の勇ましい記事が載っていたが、その一方で「玉砕《ぎょくさい》」という文字も並んでいた。そんな中、たとえ我が身を失っても、祖国と愛する人を守るためなら、死んでもいいと思った。たとえ特攻でもだ。

しかし一方で、死にたくないという気持ちはあった。私たちは狂人ではない。群になって海に飛び込んで死ぬというレミングでもない。その死を意味のあるものにしようと考えたのだ。

宮部さんは態度や言葉遣いの柔らかな人だった。数え切れないほどの修羅場をくぐり抜けてきた男とは思えない静かな物腰は、他の教官とは違っていた。

何より私が宮部さんから感じたのは、彼が私たちを教えることに矛盾を覚えていたことだ。繰り返すが私たちは特攻要員だった。宮部さんはそんな私たちに飛行技術を教えることに苦痛を感じていた。私たちが上達すると、宮部さんはいつも褒《ほ》めたが、その笑顔の奥には悲しみがあった。

宮部さんは惻隠《そくいん》の情を持った男だった。

一度飛行訓練中に私たちの仲間が亡くなる事故があった。悲しむ私たちの前で、あ る士官が暴言を吐いた。その時、宮部さんは死んだ予備士官の汚名を体を張ってそそいでくれたのだ。

私たちは皆、この教官のためなら死んでもいいと思った。

もし、あの時、宮部さんが黙っていたなら、私と宮部さんの運命もまったく違ったものになっていただろう。人の運命はささいなことで大きく振れるという。私はつくづく運命の不思議を思う。

その出来事はそれから一月《ひとつき》後に起こった。

その日、飛行訓練をしている時、突然、敵機が襲ってきた。宮部教官は私たちに気を取られていて敵機に気づかなかった。宮部さんほどのベテランでもあんな時があったのだ。

私は敵機に気づいた。ちょうど急降下を終えたところで、編隊に戻ろうとしていたところだった。私は夢中で敵機と教官の間に突っ込んだ。あの時、何を考えていたのかはわからない。ただ無我夢中だった。宮部教官の身代わりになるという気持ちだったと言えば恰好いいのだろうが、よくわからない。しかし宮部教官には指一本触れさせないぞという気持ちはあった。

私たち学生の飛行機には機銃弾は積まれていなかった。それでも私は敵の前に突っ込んだ。まともに敵の機銃弾を喰らった。弾は操縦席を粉々にした。私は気を失い、そのまま降下したが、地面すれすれで意識が戻り、機首を立て直すことが出来た。上を見上げると敵機が墜ちていくのが見えた。

そのあとのことはよく覚えていない。着陸した後、本当に気を失ったからだ。

私は海軍病院に入院した。宮部さんは一度だけ見舞いに来てくれた。その時、私に外套《がいとう》をくれた。当時、私の外套はすり切れてボロボロだった。宮部さんはそれを見ていたのだ。宮部さんの外套ももちろん官給品だったが、手が加えてあり、内側に綿が入り、襟《えり》の所に革が張られていた。

しかしその外套に一度も袖《そで》を通す機会がなく春を迎えた。退院して隊に戻ったが、その時はもう宮部教官の姿はなかった。そして同期の連中の姿もなかった。彼らはすでに先に逝《い》ってしまったのだと思った。

私も後に続くという気持ちだった。

その当時の気持ちは実に複雑だった。最初は死を受け入れることは出来なかった。こんな理不尽なことはないと思っていた。しかしそれが徐々に死を受け入れる気持ちに傾いていった。これは決して時代に流されたものではない。また易々と死ぬことを決意したのではない。あらん限りの苦しみと葛藤《かっとう》を経て、たどり着いた心境だった。この気持ちを説明するには一言では無理だ。時間をかければ説明出来るかと言えばそれも難しい。私は戦後もそのことを長く考えた。晩年になっても考えた。だが、当時の思考を再現することは出来なかった――。

あの時は深い思考の末にたどり着いた結論だと思っていたが、しかしそれもどうだかわからない。狂気の時代の中にあって、狂った思考であったのかもしれない。

しかしこれだけは言える。私たちは熱狂的に死を受け入れたのではない。喜んで特攻攻撃に赴いたのではなかった。あの時ほど、真剣に家族と国のことを思ったことはなかった。あの時ほど、自分がなき後の、愛する者の行く末を考えたことはなかった。

私に出撃命令が下ったのは七月だった。行く先は九州の大村基地だった。

その直後、母から悲しい手紙を受け取った。私の許嫁《いいなずけ》が亡くなったという知らせだった。彼女は私の従妹で、幼い時から仲が良く、大きくなってからは自然に周囲から許嫁として見られ、形だけの婚約をしていた。二人ともお互いに好きだったが、恋の感情ではなかったと思う。手も握らない清い交際だった。しかし飛行予備学生になった時、私の方から婚約を解消した。自分はこの戦争で命を長らえることが出来ないと思ったからだ。

母からの手紙には、彼女は五月の東京空襲で大やけどを負い、二週間後に亡くなったと書かれてあった。愛する者を守りたいと特攻に志願したにもかかわらず、その守るべき人を失ったのだ。彼女が死ぬ間際に私の名を呼んだという文字を目にした時は涙が止まらなかった。

八月に広島と長崎に新型爆弾が落ちたということを聞いた。

大村は長崎から目と鼻の先なので、その惨状はすぐに伝わった。京大で物理学を学んでいた同期の予備士官は「長崎に落ちた爆弾は、もしかしたら原子爆弾かもしれない」と言った。

「それはどういうものなのか？」と誰かが聞いた。

京大出身の男は、原子爆弾とは原子核分裂を利用した爆弾で、従来の火薬を原料とした爆弾とは比較にならない破壊力を持った恐ろしい爆弾だと説明した。

「長崎に落ちたのは本当に原子爆弾なのか？」

「わからない。しかし、噂に聞く被害状況の話が本当だとしたら、その可能性がある。広島に落ちたという新型爆弾もそうかもしれない」

もしそうだとすれば、日本という国は本当に滅んでしまうかもしれないと思った。自分たちが特攻で死ぬことで祖国を守れるなら、潔く死のうと思った。それに死ねば許嫁の元に行ける――。


まもなく私に特攻命令が下った、同期の寺西という友人も一緒だった。覚悟は出来ていたから動揺はほとんどなかった、と思う。二人で「一緒に行こうな」と言った。行く先は鹿屋だった。

私はそこで宮部さんに再会した。

久しぶりに見る宮部さんは別人のようだった。何というか――半ば死人の顔だった。目が血走り、全身から殺気がほとばしっていた。こんな宮部さんを見るのは初めてだった。

私は声をかけられなかった。しかし宮部さんは私に気づいた。

「お怪我は治りましたか？」

宮部さんは表情のない顔で聞いた。

「はい、おかげさまで」

「それはよかったです」

宮部さんと話したのはそれだけだった。

鹿屋に着いたその日、二日後の出撃を言い渡された。動揺はなかった。ただ母に会って別れを告げることが出来ないのが心残りだった。その夜、母に遺書を書いた。

次の日、私は基地の外を散歩した。集落を離れ、山の方を歩いた。

暑い日だった。しかし流れる汗さえ心地よいと思った。もう明日からは汗をかくことさえない。

目に入るすべてのものがいとおしかった。何もかもが美しいと思った。道ばたの草さえも限りなく美しいと思った。しゃがんで見ると、雑草が小さな白い花を咲かせているのが見えた。小指の先よりも小さな花だった。美しい、と心から思った。その花は生まれて初めて見る花だったが、この世で一番美しい花ではないだろうかと思った。

小川があった。靴を脱いで、足を流れの中に入れた。水の冷たさが心地よかった。

両足を水に浸したまま川縁に寝そべった。瞼《まぶた》を閉じると、蟬《せみ》の声が聞こえた。蟬がこんなにも美しく鳴くものかと初めて気がついた。この蟬の子どもたちは七年後の夏にも同じように鳴くのだろうなと思った。その時、日本はどうなっているのだろうかと考えると、たまらなく切ない気持ちになった。

翌朝未明、私たちは指揮所で出撃前の司令官の言葉を聞いた。

その時、特攻隊員の中に宮部さんの姿を見つけて驚いた。宮部さんは直掩機だと思っていたからだ。海軍はついにこの人まで殺す気なのかと思った。

水杯の儀式を終え、全員が飛行機に向かう時、私と寺西は宮部さんに挨拶に行った。

「宮部教官と一緒に死ねるなら本望です」

寺西の言葉に、宮部さんは黙って頷くと私たちの肩に手を置いた。その手は力強かった。宮部さんの無精髭《ぶしょうひげ》はきれいに剃られていた。

私は宮部さんに言った。

「宮部教官からお借りした外套をまだ返していません」

——あの時、私はなぜあんなことを言ったのだろう。

宮部さんは笑って答えた。

「夏には不要です」

私も思わず笑った。

「では、行きましょうか」

宮部さんはそう言って、滑走路の方へ歩いて行った。発動機はすでに回っていた。私が飛行機に乗り込もうとした時、宮部さんがやって来て声をかけた。

「大石少尉、お願いがあります」

「何ですか」

「飛行機を換わってくれませんか」

宮部さんは、五二型から二一型に換えて欲しいと言ったのだ。二一型よりも五二型の方が速度が出る。私は、宮部さんがよりいい飛行機に乗るべきだと思ったから断った。

宮部さんは一旦は引き下がった。しかしまもなく戻って来て、もう一度、機を換わってくれと言った。何度か押し問答をした末に、私は飛行機を交換することを了解した。

私は二一型から降り、五二型に乗り込んだ。

まもなく車輪止めが外され、飛行機がゆっくりと動き出し、それから離陸した。

私の横に宮部さんの機があった。操縦席に宮部さんの姿が見えた。突然、涙が溢《あふ》れてきた。私が死ぬのはいい。しかし宮部さんだけは助かって欲しいと心から思った。

この人を失えば、もう日本は終わりだ。私が死ぬことで、この人を助けられないのか――。

私は、この身を宮部さんに捧げようと思った。最後の最後まで宮部さんにぴったりとついていく。敵戦闘機が宮部さんを狙うなら、私が代わりに的になる。対空砲火も全部、私が受ける。

編隊は南に向かって飛んだ。東の空がほんのりと明けて来るのが見えた。うっすらと明けゆく空を見て東雲《しののめ》という言葉を思い出した。

しののめ――か。昔の人は美しい言葉を作ったなあと思った。

私は後ろを振り返った。鹿児島湾がきらきらと光るのが見える。そしてその後ろに九州の山々が朝日を浴びつつ、緑の色に塗られていく。美しい、と思わず呟《つぶや》いた。

この美しい国を守るためなら、死んでも惜しくはないと思った。

今、自分は真に立派な一人の男と共に死ぬのだ。

許嫁のことを思った。もうすぐ君の元へ行く――。

お母さん、ごめんなさい、と心の中で叫んだ。私の一生は幸せでした。お母さんの愛情を一杯に受けて育ちました。もう一度生まれることがあるなら、またお母さんの子供に生まれてきたいです。出来るなら、今度は女の子として、一生、お母さんと暮らしたいです。

私は、母に向かって、そう心の中で叫ぶと、一切の未練を断ち切った。祖国の美しさも、許嫁への想いも、母への思慕も、一切合切だ。今からは敵艦に体当たりすることだけが、すべてだった。そして私は宮部さんのために死ぬ。

ところが出撃して一時間もたたないうちに、機体の調子がおかしくなった。機が時々振動を始め、発動機から潤滑油が噴き出した。油は風防にかかり、まもなく風防前面は真っ黒に染まった。前方の視界がまったく利かなくなった。

私は時折、機体の角度を変えながら、編隊を崩さずに、飛び続けた。たかが前方の視界が悪くなったくらいがなんだという気持ちだった。

しかし発動機の調子は、更におかしくなってきた。出力が大幅に減り、速度が出なくなった。スロットルを開いて速度を出しても、すぐに遅れてしまう。

分隊長機が横につき、「どうした？」と手振りで聞いてきた。私は発動機の調子がおかしいと伝えた。隊長は私の風防が真っ黒に染まっているのを見て、「引き返せ」と手で指示した。私は「嫌だ」と答えた。しかしその途端、機体がまたガタガタと震えだした。

隊長はもう一度「戻れ」と指示すると、私の機から離れていった。

私はいろいろやってみたが、もはや発動機は甦《よみがえ》らなかった。私の機は編隊から取り残された。

「宮部さん！」と私は力の限り叫んだ。そして泣きながら機首を反転させた。

しかし飛行機はもう限界だった。鹿屋まではとても戻れそうにない。地図で喜界島を捜した。西におよそ五十浬《かいり》だった。発動機が持つかどうかは運次第だった。喜界島到着までに発動機が止まれば死ぬ。途中で敵戦闘機に出くわしても死ぬ。すべては私の運だった。

私は機体を軽くするために、爆弾を切り離すべく投下索を引いた。ところが爆弾は落ちない。何度やっても落ちない。投下出来ないようにされていたのだ。何という冷酷なことをするのか――。これでは不時着さえかなわないではないか。司令部の意向は、特攻へ出たからには全員死んでこいと言うのが本音だったのだ。

二十分後、視界に喜界島を捉《とら》えた。島上空に敵機の姿はなかった。

島が見えた時、ついに発動機が止まった。あとは滑空しかない。しかも風防は前面黒いグリースで覆われ、視界はゼロ。着陸の角度を間違えれば、胴体下の爆弾が炸裂する。上昇は不能なので着陸のやり直しは出来ない。

私は死を覚悟した。その時、宮部さんの声が聞こえた。

「大石少尉。絶対にあきらめるな。何としても生き残れ！」

私ははっきりその声を聞いた。六十年たっても、その声が記憶に残っている。空耳などではない。そういうことがあるのだ。

私は滑走路に入る手前で、機体を傾けて飛行場全体を見渡した。その距離と角度を脳裏に叩き込んで、機体を元に戻した。そして目をつむった。あとは心の目で着陸してやると決めたのだ。

頭の中に、飛行場の様子がくっきりと見えた。まるで目に見えるようにはっきりと見えたのだ。乗機が滑走路に近づいていく様子さえありありとわかった。降下する機体を水平に戻し、三点着陸の姿勢を取る。飛行機は更に降下する。高度五十メートル、二十メートル、五メートル——あと一メートルと思った時、車輪が滑走路を叩いた。機体はそのまま滑走し、やがて止まった。

あれは今思っても奇跡だ。もう一度やれと言われても絶対に不可能だ。まるで自分に何かが取り憑《つ》いたのだ、そうとしか思えない稀有《けう》な体験だった。

私は助かった。しかし再び内地に戻り、特攻隊として出撃することに変わりはない。

ところが飛行機は発動機が完全にやられていて、簡単には直らないということだった。

夕刻、基地の通信員から、この日の特攻は私を除いて全機未帰還ということを知らされた。

宮部さんは死んだのだ——。

私は玉音放送を喜界島で聞いた。


「それがおじいさんの運命だったのね——」

姉は呟いた。

「運命ではない」

祖父はきっぱりと言った。

「喜界島で操縦席から降りようとした時に、一枚の紙があるのに気がついた。それは宮部さんが走り書きしたものだった」

ぼくは思わず、えっと声を上げた。

「紙にはこう書かれていた。『もし、大石少尉がこの戦争を運良く生き残ったら、お願いがあります。私の家族が路頭に迷い、苦しんでいたなら、助けて欲しい』と。おそらく一度、五二型に戻った時に書いたんだろう。これでも偶然と思うか」

ぼくは黙って首を振った。やはりそうだったのか。

ぼくはやっとのことで口を開いた。

「一体、なぜ——」

祖父はゆっくりと首を振った。

「それは、私にもわからない。ただ──」

祖父はぼくの目を睨《にら》むようにして言った。

「宮部さんは五二型に乗り込んだ時、エンジンの不調を見抜いたんだと思う。その時、あの人は自分が生き残りのクジを手にしたことを覚《さと》ったのだ──」

ぼくは心の中で、声にならない声を上げた。運命の女神は土壇場で宮部に何という残酷な選択を与えたのか。

宮部は一度は五二型に戻っている。彼は最後に逡巡《しゅんじゅん》したのだ。しかしその迷いを振り切り、生き残りのクジを大石に渡した──。

ぼくの隣で、姉がうつむいていた。その頬には涙が流れていた。

やがて祖父は再び静かに語り出した。


しかし宮部さんの妻に会うのに四年かかった。

宮部さんの家は横浜にあったが、五月の大空襲で町はすべて焼き払われていた。近隣に彼女の消息を知っている者はなかった。

私は大学に戻った。そして時間があれば、宮部さんの奥さんを訊ね歩いた。しかしその消息はようとして知れなかった。二年後、私は大学を卒業し、国鉄に入った。

その頃になると、宮部さんの妻が住んでいた町にも多くの人々が戻って来てはいたが、彼女の姿はなかった。私は同期の連中にもしょっちゅう連絡を取った。もし、宮部さんの奥さんが、困窮すれば、戦友の誰かに連絡してくるかもしれないと思ったのだ。

しかし何の手がかりもないまま更に一年が過ぎた。

当時は、誰もが自分の生活に手一杯だった。私が終戦後に大学に戻れたのは、恵まれすぎた境遇だった。母は東京の小学校教師をしていたので、何とか日々の食べ物に困ることはなかった。

しかしそれでも楽な生活だったことはない。服は、軍隊時代の服を直して着ていたし、外套は宮部さんからいただいたものをずっと着ていた。

宮部さんの家族の行方がわかったのは厚生省に勤める友人からの知らせだった。

宮部さんの未亡人から、厚生省の復員局に遺族年金の申請があったというのだった。遺族年金の制度が出来るのは後の話だったが、復員局がそうした準備をしていたのだ。

住所は大阪だった。私は早速大阪に出向いた。二十四年の冬だった。

当時は東京から大阪までは十数時間かかった。今なら、アメリカにでも行ける時間だ。

寒い日だった。住所を頼りに訪ねると、そこはスラムと呼んでいいくらいの貧しい町だった。

バラックのような長屋が並び、住人たちも貧しかった。町全体から鼻を突くような臭いがした。

私は胸が締めつけられるような気がした。宮部さんがあれほど守りたかった妻子がこんな最底辺の町で生きているということが悲しかった。いや、悲しさを通り越して、怒りに似た感情にとらわれた。

小さな路地に入ると、女の子がぽつんと立っていた。つぎはぎだらけの服を着た子供だった。赤い毛糸のマフラーをしていた。人なつっこい顔だった。そして愛らしい目で私を見た。その顔を見た時、私は宮部さんの顔を思い出した。

「宮部さん？」

私は尋ねた。女の子は、背中を向けて駆け出した。私はその後を歩いた。

女の子は長屋の中の一軒の家の中に入った。それが家と呼べるものならば、だ。壁は雑多な古板を張り合わせたもので屋根はトタンで覆われていた。

私は家の前に立った。かまぼこ板が表札代わりにしてあった。そこには美しい文字で「宮部」と書かれていた。

「ごめんください」と挨拶した。すぐに「はい」という声と共に、一人の女性が出てきた。

女性はもんぺを穿き、手ぬぐいを姉さんかぶりにしていた。貧しい身なりだったが、美しい人だった。

私はしばし言葉も忘れて、彼女を見た。

不思議なことに、彼女もまた、私を見て、呆然《ぼうぜん》としたように立っていた。まるで幽霊か何かを見るように、何か怖いものでも見るように、私を見つめていた。

「私は、大石賢一郎と言います。戦争中、ご主人にお世話になりました」

彼女は、はっとしたように、深々とお辞儀した。

「宮部の妻です。宮部がお世話になりました」

「いえ、お世話になったのは、私の方です」

彼女の横で、先程の女の子が私を見ていた。

「よろしければ、お上がり下さい」

私はお言葉に甘えることにした。玄関から中に入ると、たたきはなく、すぐに部屋だった。しかも部屋は四畳一間だった。よく見ると、床は畳ではなく、板の上に茣蓙《ござ》が敷いてあるだけだった。

部屋の中には、おびただしい数のボタンが山のようにあった。

て、お金を出した。

「内職で、散らかっていて申し訳ありません」

彼女は娘を呼び、ジュースを買って来なさいと言い、胸元からがま口を取り出し
て、お金を出した。

「ジュース！　本当？」

女の子は声を上げた。

「いえ、お構《かま》いなく」

私は慌てて言うと、自分の財布からお金を取り出して、女の子に握らせた。

「これでジュースでもお菓子でも何でも好きなものを買っておいで」

「困ります、そんなことをされては」

「いいのです。何も持たずに突然訪問した私に、出させてください」

私が何度もそう言うと、彼女も「それではお言葉に甘えます」と言った。

私は彼女に、飛行予備学生時代に宮部教官にお世話になったこと、そして鹿屋基地で宮部さんと一緒だったことを言った。

しかし特攻出撃の日のことは口に出来なかった。宮部さんが私の身代わりに死んだことは、どうしても言えなかった。その代わり、宮部さんには空戦で死ぬところを助けていただいたと言った。彼女は静かに聞いていた。

「今、私がこうして生きていられるのは、宮部さんのお陰なのです」

「そうですか。宮部が……。宮部は人のお役に立ったのですね」

彼女はしみじみとした声で言った。

「宮部さんは、私だけでなく、多くの人を助けられました」

「宮部の死は無駄ではなかったのですね」

彼女の言葉を聞いた途端、私の目から涙が溢れた。

「許して下さい」

私は床に両手を突いていた。

「私が代わりに死ねばよかったのです」

私の手の甲に涙がぼたぼたと落ちた。

「顔を上げて下さい」

彼女は言った。

「宮部は私たちのために死んだのです。いえ、宮部だけではなく、あの戦争で亡くなった方たちはみんな、私たちのために死んだのでしょう」

私は顔を上げた。彼女は微笑《ほほえ》んでいた。

「宮部の最期はどんなでしたか」

「軍人らしく立派な最期を遂げられました」

「嬉しいです」

彼女はそう言ってもう一度笑った。私はなんと気丈な女なのかと思った。

「でも、あの人は私に嘘をつきました」

突然、彼女は冷たい口調で言った。

「必ず帰ってくると約束したのに」

言い終えた途端、その目にみるみる涙が溢れた。目を閉じると、大粒の涙が頬《ほお》を伝った。

私は胸が締めつけられるように痛んだ。そしてこの四年間、幾たびも後悔した念が襲った。

なぜ、あの時、飛行機を交換してしまったのか。なぜ断固として、宮部さんの要求をはねのけなかったのか。それなら、今、彼女は宮部さんと幸せに暮らしていたはずなのだ——。

その時、女の子が戻って来た。

彼女は母親が泣いているのを見て驚いた。

「何でもないのよ」

彼女は娘に言った。

「お父さんの話をしてたら、ちょっと悲しくなって」

「清子のお父さん？」

「ええ、そうよ」

「お父さんて、どんな人だったの」

私が代わって答えた。

「立派な男だった。誰よりも勇敢で、優しい人だった」

「でも、死んじゃった」

再び胸が締めつけられるように痛んだ。

私は別れ際に、持参した封筒を、宮部さんの妻に差し出した。

「これは僅《わず》かですが、お受け取り下さい」

「何ですか、これは」

「戦争中、宮部さんにお世話になった何分の一かのお返しです」

「受け取れません」

しかし私は断固として、受け取って貰わないといけないと言った。

「命の恩人にお返しが出来ないとあれば、私は人非人になってしまいます」

何度かのやりとりの後、ついに彼女は折れた。

これが松乃との出会いだった。

私は数ヵ月に一度、母に出張と偽り、大阪の彼女の家を訪ねた。そのたびに彼女にお金を渡した。

松乃は、金は貰えないと言ったが、私は無理に置いていった。金額はもう忘れたが、多分、給料の半分くらいを渡していたと思う。私は松乃に給料の額を偽った。大学出の国鉄職員は高給なのだと。

お陰で、母はやりくりが大変だったようだ。私が大学を出て国鉄に勤めたと同時に母は体調を崩して小学校の教師を辞めていたからだ。

母は私が悪い遊びを覚えたと思っていたようだ。しかし何も言わなかった。私が特攻隊員だったことを知っていたし、その辛い体験を放漫な生活で忘れようとしていたと思っていたのだろう。

国鉄の同僚たちは、私のことを大変な吝嗇家《りんしょくか》と思っていたようだ。同僚たちと遊びに行くことはせず、服は相変わらず、仕立て直した軍服のままだったからだ。「あいつはかなりため込んでいるらしいぞ」という噂は私の耳にも入ってきたが、何と思われようと平気だった。中には「女に入れ込んでいるらしい」という噂もあった。

その噂に関しては、あるいは半分当たっていたかも知れない。私は松乃に惹《ひ》かれていたからだ。

大阪にはいつも夜行で行った。

朝、彼女の家に行き、その日はたいてい松乃と清子と一緒に、街へ出た。

大阪の町はほとんど回った。新世界、大阪城、道頓堀、天六、千日前。

大阪に来るたびに、町が復興していくのがわかった。人々の顔が明るくなり、町には賑やかさが増してきていた。しかし戦争の傷跡はいたるところにあった。空襲で壊れたままのビルもあったし、焼け野原に闇市のバラックが建ったままの町もあった。また大阪駅の前には沢山の傷痍《しょうい》軍人がいた。目を失った男、手を失った男、足を失った男、手も足も失った男などが、白い傷病衣を着て道に座っていた。東京でも、至る所に見られた光景だ。

彼らの姿を見るのは胸が痛んだ。国のために戦い、体の一部を失って、長く辛い人生を生きて行かなくてはいけないのだ。その一方で、街は戦争のことなど忘れようとでもするかのように復興していく。そのギャップは私には恐ろしいものに見えた。

松乃は傷痍軍人の前を通るたびに、清子にお金を持たせ、募金箱にお金を入れさせた。

私たちは食堂で昼ご飯を食べた。私は予備飛行学生時代の話をした。宮部教官がいかに優しい教官であったかを話した。松乃は夫の話を嬉しそうに、時に悲しそうに聞いた。

松乃は宮部さんのことをほとんど話さなかったが、一度だけ結婚の話をしたことがある。宮部さんとは見合いで結ばれたと言っていた。宮部さんが十六年に中国から戻って一時横浜の航空隊にいた時、その地で食堂を営んでいた松乃の父が、宮部さんを気に入って一人娘を娶《めと》らせたのだ。彼は一目で宮部さんが娘にふさわしい男と見抜いたのだろう。たいした人だと思う。二十年の横浜空襲で亡くなられた。宮部さんと松乃は一言も話を交わすことなく祝言を挙げたという。

私と松乃はどこに行っても子連れの夫婦と間違われた。清子は私になつき、私はよく清子を肩車して歩いた。一日そうして街を歩いた後、私は再び夜行に乗って東京に戻った。

こんなことが数ヵ月ごとに続いた。

何度目かの大阪訪問の時、松乃がスカートを穿いて現れた。ずっともんぺ姿しか見たことがなかったので、新鮮な驚きだった。

「この前、知り合いに生地を安く売っていただいて、それで作ったのです」

松乃は恥ずかしそうに言った。

「とても似合います。それに――」

すごく綺麗《きれい》です、と言おうとしたが、口にすることが出来なかった。

その日は清子がいなかった。学校の友だちと一緒に遊びに行っているらしかった。松乃と心斎橋を歩いた。初めての二人だけの逢瀬に胸が高鳴った。しかし同時に罪悪感も覚えた。

夕刻、高島屋の食堂で、彼女が言った。

「大石さんは、なぜ、私にこんなにも親切にして下さるのですか」

彼女は真剣な表情だった。

「宮部さんに命を助けて貰ったからです」

「それは戦場では当たり前のことではないのですか」

「いえ、宮部さんは、本当に命を懸《か》けて私を守ってくれたのです」

「それはいつ、どこで、ですか？」

彼女は詰問するように言った。

「前にも聞きましたが、あなたは答えてくれませんでした」

私は言葉に詰まった。

「本当のことを言って下さい」

私は心を決めた。

「わかりました。言いましょう」

私は、松乃にあの日のことを話した。宮部さんと私が最後に出撃した日のことを、すべてだ。

松乃は話の途中から下を向いて聞いていた。

話し終えた後も、彼女はうつむいたまま、一言も喋《しゃべ》らなかった。

「私は戦後ずっとあの時の宮部さんのことを考え続けました。あの時、宮部さんは絶望的状況の中に、助かるかもしれない一本の蜘蛛《くも》の糸が目の前に垂れているのを見つけたのです。これを摑《つか》めば助かるかもしれない——しかし他の者は死ぬ。そして宮部さんはついにそれを摑むことを拒否したのです」

松乃はじっと下を向いたまま黙っていた。そしてやがて呟くように言った。

「宮部はなぜあなたを選んだのでしょう」

「わかりません。ただ——一つだけ思い当たることがあります」

私は飛行学生時代の出来事を語った。宮部教官の命を救ったあの日のことを、そして重傷を負い、病院に見舞いに来た宮部さんに外套をいただいたことを。

松乃は小さな声で言った。「あの外套は、私が仕立て直したものでした」

私は外套の内側に綿が入り、襟に革が張られていたのを思い出した。

「そうだったのですか——宮部さんはそんな大切なものをくれたのですね」

松乃は顔を上げて言った。

「特攻の日、宮部があなたと出会ったのは、運命だったのですね」

松乃は私の目をじっと見つめた。悲しみに満ちたその目を見た時、私の胸に再び強い後悔の念が起こった。なぜ、あの時、飛行機を交換してしまったのか――。

「許してください」

と私は言った。松乃は黙ってうつむいた。

「私が今日、こうして生きていられるのは、宮部さんのお陰なのです。だから、私の気の済むようにさせてください。宮部さんは私にあなたと清子ちゃんのことを託したのです。それゆえ私は生かされたのです。もし、それがかなわないなら、私の人生の意味はありません」

松乃は何も答えなかった。しかし私の行為を拒否はしなかった。彼女の内心がどうであれ、私は彼女への援助をやめるつもりはなかった。

こうして、私の大阪通いは続いた。

二年後に彼女は大阪市内から豊中に引っ越した。小さなアパートだったが、部屋が台所と併せて二つもあった。松乃は同じ豊中市内の運送会社に就職した。その会社は国鉄の関連会社で、私がつてを使って頼んだのだった。

私は彼女に一つだけ嘘をついていた。

宮部さんの遺言を守るために松乃と清子に尽くしていたと言ったのは本当だが、実はそれだけではなかったのだ。私は松乃に会いたかったのだ——。

私が大阪に通う理由も、本当はなかった。金銭的に援助したければ、金だけを送れば済むことだった。わざわざ夜行列車に乗って届けるのは、松乃に会いたかったからに他ならない。

松乃はわかっていたのだろうか。いや、もしかしたら、わかっていなかったのかもしれない。私は自分の気持ちを覚られないようにしていたから。

だが普通に考えれば、私に何の気持ちもないとは考えられなかったはずだ。しかしだからといって、松乃は「金だけを送れ」と言うような女性ではなかった。

こうして私たちの奇妙な関係は五年続いた。

その間に、私の母は死に、清子は中学生になった。利発な美しい娘になっていた。私は三十歳になり、松乃は三十三歳になっていた。

あれは昭和二十九年の八月だった。

その日は宮部さんの命日だった。

二人で墓参りをした。松乃は二年前に大阪の北部の共同墓地を買い、そこに夫の小さな墓を建てていた。松乃は夫の戒名をつけなかった。墓にはただ「宮部久蔵の墓」と刻まれていた。

そこは丘陵地を切り開いて作られた共同墓地で、周囲は緑に囲まれていた。墓からかなり離れたところに寺があり、私たちは墓参りを済ませた後、寺に寄った。

寺には人の姿はなく、二人は本堂の縁側に腰をかけた。

不意に松乃が言った。

「大石さん、長い間、有り難うございました」

私は突然のことで驚いた、いったい何を言い出すのかと思った。

「大石さんにはもう十分すぎるくらいお世話になりました」

そう言って松乃は深々と頭を下げた。

「これ以上、あなたのお世話になるわけにはいきません」

「私はまだ宮部さんへの恩返しは終わっていません」

松乃は私の顔をまっすぐに見て言った。

「恩返しはいつ終えるおつもりですか？」

私は言葉に詰まった。

「あなたがもし宮部に恩があるとするなら、もう十分に恩を返しました」

「いや、まだです」

私はかろうじて言った。

「あなたは、こうして一生、私たちのために生きるつもりですか」

「いけませんか。私は宮部さんに命を助けられたのです。いや、宮部さんは私のために亡くなられたのです」

「あなたの人生はどうなるのですか。あなたの幸せはどうなるのですか」

「私には許嫁がいました。予備学生となった時点で婚約は解消しましたが、もし生きて帰ることが出来れば一緒になろうと思っていた女性です」

「その人とはどうなったのですか？」

「彼女は空襲で亡くなりました」

松乃は黙った。

二人の間に長い沈黙があった。それを破ったのは松乃だった。

「あなたがこれほどまでに私たちに尽くして下さるのは、宮部への恩義だけですか？」

私は言葉に詰まった。

松乃は私の目をまっすぐに見た。その目は私の心を突き通すような鋭さがあった。

私は思わず目を逸《そ》らした。

「私は、恥ずかしい」

私は松乃に背を向けた。

「宮部さんの恩義は確かにあります。しかし私があなたに尽くすのはそれだけではありません。私は汚い男です」

どこかで蟬《せみ》の声が聞こえた。自分の醜さと恥ずかしさに思わず涙がこぼれた。

その時、私の肩にそっと触れるものがあった。振り返ると、松乃が私の肩に手を置いていた。

松乃の目から大粒の涙がこぼれていた。

「聞いてくれますか」

松乃は言った。私は頷いた。

「最後に宮部と会った時——宮部が南方から内地に戻り、数日の休暇を取って、横浜に戻ってきた時です。あの人は別れ際に言いました。必ず生きて帰ってくる。たとえ腕が無くなっても、足が無くなっても、戻ってくる——と」

私は頷いた。

「そして、宮部はこう言いました。たとえ死んでも、それでも、ぼくは戻ってくる。生まれ変わってでも、必ず君の元に戻ってくる、と」

松乃の目は私を睨んだ。その目は初めて見る恐ろしい目だった。

「私が初めてあなたを見た時、私は宮部が生まれ変わって帰ってきたのだと思いました。あの日、あなたが宮部の外套を着て、家の前に立っているのを見た時、宮部は約束を守ったのだ、と思いました」

私は松乃を抱きしめた。松乃もまた私を強く抱きしめた。私は泣いた。彼女もまた静かに泣いた。

「所詮《しょせん》、男と女の話だと思うか？」

語り終えて、祖父は聞いた。ぼくは首を振った。言葉が出なかった。

「こうして、私と松乃は結婚した。戦争が終わって、九年の月日が経っていた。それから二人の間に、宮部さんの名前は一度も出たことがない。しかし二人とも宮部さんのことを一時も忘れたことはない。松乃は死ぬまで私に尽くしてくれた」

ぼくは目を閉じて祖母の面影を追った。やさしくにこにこ笑っているだけの印象しかなかった祖母がこんな人生を送っていたとは――。

祖父は静かに言った。

「これはお前たちにだけ言っておこう。清子には言いたくない。これだけは私が墓まで持っていこうと思っていたことだ」

ぼくは黙って頷いた。

「松乃は戦後大変な苦労をした。その頃、幼い子を抱えた身よりのない女が生きていくのは大変なことだった。私の言う意味がわかるか」

ぼくの胸の動悸が早まった。

「松乃は結婚前にすべてを教えてくれた。自分が戦後をどのように生きてきたかを。私に嘘をつきたくなかったんだろう。私はすべてを聞いて松乃を受け入れた。そこには何の躊躇《ちゅうちょ》もなかった」

祖父は大きく息を吐いた。

「松乃はだまされて――あるやくざの組長の囲い者となった。松乃は詳しくは語らなかったが、おそらく金と暴力に屈したんだろう。もしかしたら、宮部さんを失って自暴自棄になっていたのかもしれない」

姉は両手で顔を覆った。

「普通なら、そうした悪鬼の支配から抜け出すことは難しかったと思う。ところが、驚くことが起こった。世の中には、これほど不思議なことがあるのかと思えるほどの不思議な出来事だ」

祖父は低い声で言った。

「そのやくざの組長は、松乃を囲っていた別宅で何者かに襲われて殺された。用心棒代わりの組員の二人も重傷を負ったらしい」

ぼくは背筋に冷たいものが走るのを感じた。

「この時、松乃は奇妙な体験をしている。松乃は殺人現場に居合わせたのだが――その時、血刀をぶら下げた男を見ている。見知らぬ若い男だったという。全身に返り血を浴びたその男は、震えて動けない松乃に財布を投げ、生きろ、と言ったというんだ」

瞬間、ぼくの脳裏に一人の男の顔が浮かんだ。

「松乃はその男も宮部さんの生まれ変わりだと思っていたらしい。そんなはずはないのはわかっているが、世の中には奇跡が起こることがあるんだ。宮部さんの松乃に対する思いが通じたのかもしれない。松乃は宮部さんに守られていたんだと思う。私を松乃に引き合わせたように、宮部さんがその殺人者を動かしたのだと思っている」

その男は彼だと思った。根拠はない。しかし確信した。彼もまた戦後ずっと祖父の妻を捜していたのだ——。

彼もまた宮部久蔵のために命を懸けたのだ。

ぼくの目から涙がこぼれた。祖父はぼくをじっと見つめ「ショックだったか」と言った。

ぼくは首を振った。祖父は黙って頷いた。

「松乃は、いまわの際《きわ》に、私にありがとうと言った」

それはぼくも覚えていた。祖母の最後の言葉だった。これがまさに死のうとしている人間の言葉かと思えるほどのしっかりした声だった。それから祖母は目を閉じた。

「私があの時、泣いたのを覚えているか」

ぼくは頷いた。あの時、祖父は号泣した。祖父は祖母の体にしがみつき、声を震わせて泣いた。病室に響き渡るような大きな声で泣いていたのだ。

「私は、ありがとうと言うのは私の方だと言いたかったんだ。しかし、泣いたのはもう一つ理由がある。私はあの時、宮部さんの姿を見たんだ。松乃の横に、飛行服を着た宮部さんが立っていた。松乃を迎えに来たのだ——。こんな話は信じられないだろうな」

祖父は遠い目をして言った。

「信じなくてもいい。私自身もまるで幻でも見たような気持ちでいる。おそらく幻だったんだろう。しかし、その時ははっきりと感じた。そして宮部さんと松乃は共に去っていった。松乃は去り際《ぎわ》に、私に、ありがとう、と言った」

「おじいちゃん、それは違うよ！」

ぼくは言った。

「おばあちゃんは、おじいちゃんを愛していたんだよ」

「私もそう思う！」

姉が言った。

祖父は何も答えなかった。その目に、一筋の涙がこぼれた。

「私ももう長くないだろう。若い頃は死が怖かった。特攻の出撃命令が下った時も、やはり怖かった。あの時は必死でその恐怖と戦った。しかし、今は、怖くない。幸せな一生だった。死ぬ時は松乃が迎えに来てくれると思う。その時は宮部さんも一緒だろう」

祖父はそう言った。そして「少し、一人にして欲しい」と言った。

ぼくと姉は部屋を出た。

祖父の家を出た時は、すっかり夜になっていた。

門を出た途端、姉が激しく泣き出した。それはまるで堰《せき》を切ったような激しい泣き方だった。

ぼくは姉の肩を抱いた。姉はぼくの胸にしがみついて泣いた。姉と抱き合うなんて子供の時以来だった。姉がこんなに小柄だったとは知らなかった。暗く静かな住宅街の通りに姉の泣き声だけが聞こえた。夕立があったのか、道は濡れていた。

しばらくすると、姉は落ち着いた。

ごめんねと言う姉の言葉に、ぼくは首を振った。

「私、高山さんとは結婚できない」と姉は言った。

「ずっと悩んできたけど、今日、自分の気持ちがはっきりしたわ」

姉の顔は涙で濡れていたが、水銀灯に照らされたその顔はむしろ晴れ晴れとしていた。

「ライターとしてのチャンスを逃すかもよ」

ぼくの冗談に、姉は「それがどうしたのよ」と言って笑った。

そして静かに言った。

「健太郎には言ってなかったんだけど、藤木さんから長い手紙が届いたの」

「うん」

「藤木さんは、電話であんなことを言ったことを謝っていた。幸せになってくださいって書いてあった。それから、昔の思い出がいっぱい綴《つづ》られていた。私が忘れていた素敵な思い出もいっぱい――。藤木さんは、私のことを、ずっと、大事に見つめてくれていた」

姉は言いながら、また泣いた。ぼくは何も言わなかった。姉は涙を拭くと、笑って言った。

「大好きな人と結婚しないと、おじいちゃんに怒られちゃうわ」

姉はそう言って涙で濡れた顔で微笑んだ。

ぼくは頷いてから、何気なく夜空を見上げた。驚いたことに満天の星空だった。東京でこんな美しい星を見たのは初めてだった。姉も空を見上げた。
その時、東の空に流れる星が見えた。星は一筋の短い線を引いて消えた。

エピローグ

今、思い返してもあのゼロには悪魔が乗っていたと思う。

五五〇ポンドの爆弾を腹に抱えて、あれほどの動きが出来るなんて、信じられない。コクピットには、人間ではなく悪魔が乗っていたんだと思う。

ゼロは低空ギリギリにやって来た。ほとんど海面すれすれだった。しかも空母の真後ろからだ。俺たちは近接信管付きの砲を撃ちまくったが、海面が電波を反射して、目標に到達する前に爆発してしまう。奴は、近接信管の弱点を知っていたのだろうか。

しかし近接信管が駄目でも、近づけば機銃がある。この頃、エセックス級の空母にはおびただしい数の対空砲と機銃が備えつけられていた。五インチ砲十二門、四〇ミリ機銃七十二挺、二〇ミリ機銃五十二挺、まさにハリネズミ状態だ。このハリネズミに嚙《か》みつくことは不可能だ。

ゼロが四〇〇〇ヤードまで近づいた時、四〇ミリ機銃が一斉に火を噴いた。たった一機の飛行機に何千発もの機銃弾が撃ち込まれるのだ。機銃ごとに色違いになった無数の曳痕弾《えいこんだん》がゼロに向かって飛んでいく。

ついにゼロが火を噴くのが見えた。やったぞ、と俺は叫んだ。黒煙を吐いたゼロはいきなり急上昇した。機銃員たちは慌ててその後を追ったが、鋭い動きについて行けなかった。ゼロは燃えながら上昇し、機体を捻《ひね》って背面になった。そして空母上空に達すると、背面のまま、逆落としに落ちて来た。俺たちはなす術《すべ》もなく、悪魔が上空から降りて来るのを見ていた。あんな急降下は一度も見たことがない。いや、燃える飛行機にあんな動きが出来るのか。

ゼロはまさに直角に落ちて来た。命中の瞬間、俺は目をつむった。

ゼロは飛行甲板の真ん中にぶつかった。ものすごい音がしたが、爆弾は炸裂しなかった。不発だったんだ。ゼロは甲板の真ん中で燃えていた。周りには飛び散ったゼロの破片が散乱していた。後になって何人かの水兵に聞いたが、ゼロは甲板にぶつかる直前、翼が吹き飛んだという。

俺たちは全員、声も出ないほど震えていた。

甲板にゼロのパイロットのちぎれた上半身があった。それは悪魔ではなかった。俺たちと同じ人間だった。誰かが大声で叫びながら、その死体に拳銃を撃った。

甲板の火はまもなく消し止められた。そこに艦長が降りてきた。

艦長は半分にちぎれた遺体をじっと見ていたが、その遺体に向かって言った。

「我が軍の優秀な迎撃戦闘機と対空砲火をくぐり抜け、よくぞここまでやってきた」

その思いは俺たちも同じだった。このゼロは、俺たちの猛烈な対空砲火を見事に突破した。

艦長は皆に向かって、大きな声でこう言った。

「我々はこの男に敬意を表すべきだと信じる。よって、明朝、水葬に付《ふ》したい」

周囲の者たちに動揺が走った。俺も驚いたし、とんでもないことだと思った。もしこの男の爆弾が不発でなかったら、我々の何人かは死んでいたかもしれないのだ。しかし艦長は我々を睨《にら》みつけた。それは「この決定には口を挟ませないぞ」という目だった。

われわれは飛び散った遺体を集めた。その時、誰かが日本兵の胸ポケットから一枚の写真を取り出した。

「赤ん坊だ」

その声に、皆が写真を覗《のぞ》き込んだ。俺も見た。着物を着た女が赤ん坊を抱いている写真だった。

「くそっ。俺にもガキがいるんだ！」

ルー・アンバーソン曹長が吐き捨てるように言った。それから写真を丁寧に遺体の胸ポケットに返した。そして部下の水兵たちに言った。

「一緒に葬ってやれ」

遺体は白い布でくるまれ、艦橋下の待機所に安置された。俺は遺体をくるむ時、パイロットの開いていた目を閉じてやった。怖かった顔が優しい顔になったのを覚えている。

ゼロの残骸は海に投棄された。コクピットに残っていた遺体の半分は取り出すことが出来ず、そのまま投棄された。ゼロが抱いていた爆弾も信管が抜かれ、同じように投棄された。

翌朝、手空きの総員が甲板に集まった。

今では、あの時の艦長の態度は立派だったと思っている。艦長の息子は真珠湾で戦死したと知ったのは戦後だ。それを聞いて、尚《なお》のこと、あの時の艦長は立派だと思った。

一夜明けると、我々のほとんどが、この名も知らぬ日本人に敬意をいだいていた。特にパイロットたちは、彼に対して畏怖《いふ》の念さえ持っていたようだ。彼らが言うには、ゼロのパイロットはレーダーに捕捉《ほそく》されないように何百キロも海面すれすれを飛んで来たのだろうということだった。それには超人的なテクニックと集中力、そして勇気が必要だということだ。

「奴は本物のエースだ」

とカール・レヴィンソン中尉が言った。レヴィンソン中尉は「タイコンデロガ」のエースパイロットだった。多くのパイロットが頷《うなず》いた。

「日本にサムライがいたとすれば――奴がそうだ」

俺もそうだと思った。しかしこのパイロットがサムライなら、俺たちもナイトでありたい。

手空きの総員が甲板に整列する中、弔銃が鳴り響いた。艦長以下、士官の挙手の礼に送られて、白布でくるまれたパイロットの遺体は道板から海中に滑り落とされた。

鎖の錘《おもり》をつけられた遺体は、ゆっくりと海の底に沈んでいった。

主要参考文献

『零戦最後の証言』（神立尚紀　光人社）
『零戦最後の証言Ⅱ』（神立尚紀　光人社）
『戦艦ミズーリに突入した零戦』（可知晃　光人社）
『大空のサムライ』（坂井三郎　光人社 NF 文庫）
『海軍航空隊生活』（ミリタリー・クロニクル編集室編　株式会社ダイアプレス）
『零戦燃ゆ』（柳田邦男　文春文庫）
『空母零戦隊』（岩井勉　文春文庫）
『カミカゼの真実』（須崎勝彌　光人社）
『指揮官たちの特攻』（城山三郎　新潮文庫）
『日本海軍戦闘機隊』（本の森出版センター編　コアラブックス）
『第二次大戦撃墜王』（オフィス J・B 編　双葉社）
『艦爆隊長の戦訓』（阿部善朗　光人社 NF 文庫）
『空母艦爆隊』（山川新作　光人社 NF 文庫）
『空母雷撃隊』（金沢秀利　光人社）
『奇蹟の雷撃隊』（森拾三　光人社 NF 文庫）
『最強撃墜王』（武田信行　光人社）
『零戦撃墜王』（岩本徹三　光人社 NF 文庫）
『彗星夜襲隊』（渡辺洋二　光人社 NF 文庫）
『空母入門』（佐藤和正　光人社 NF 文庫）
『特攻』（森本忠夫　光人社 NF 文庫）
『神風特攻の記録』（金子敏夫　光人社）
『遠い島ガダルカナル』（半藤一利　PHP）
『太平洋戦争日本海軍戦場の教訓』（半藤一利　秦郁彦　横山恵一　PHP）
『KAMIKAZE 神風』（石丸元章　文春文庫）
『もう、神風は吹かない』（シュミット村木眞寿美　河出書房新社）
『ドキュメント太平洋戦争 2』（NHK 取材班編　角川書店）
『ドキュメント太平洋戦争 3』（NHK 取材班編　角川書店）
『軍艦武蔵　上・下』（手塚正己　太田出版）

解説

児玉　清

心を洗われるような感動的な出来事や素晴らしい人間と出逢いたいと、常に心の底から望んでいても、現実の世界、日常生活の中ではめったに出逢えるものではない。しかし、確実に出逢える場所がこの世にある。その場所とは、本の世界、つまり読書の世界だ。もっと場所を小さく限定すれば、小説《フィクション》の世界と言っていい。

作者がそれぞれの思いや願いをこめて、様々なテーマで、人物や舞台や時代を設定して物語を紡ぎ出す小説。そこには当然のことながら、好むと好まざるとにかかわらず、作者の全人格が投影される。従って、常に読む者の心を清々《すがすが》しく洗うことのできる小説を書ける作家、素晴らしき感動をもたらす小説を書ける作者というのは自ずと限定されてくる。

今回、紹介することとなった作家、百田尚樹氏は、まさにそうした範疇《はんちゅう》に入る作家の一人で、デビュー作である本書『永遠の0《ゼロ》』と出逢えたときの喜びは筆舌に尽し難い。それこそ嬉しいを何回重ねても足りないほど、清々しい感動で魂を浄化してくれる稀有《けう》な作家との出逢いに天を仰いで感謝の気持を表わしたものだ。

さて、『永遠の0《ゼロ》』とは、いったい何なのだろう？　とタイトルの意味を計りかねて、本書を手にした方も沢山いるのではないか、と思うのだが、どうだろう。実を言えば、僕もその一人であった。ところが、読みはじめて暫《しばら》くして零戦《ぜろせん》パイロットにまつわる話だと徐々にわかってきたとき、僕の胸は破裂するほどの興奮に捉われた。零戦という戦闘機に戦争中の子どもの頃から憧れを抱いていたこともあるが（このことは後述するが）、現代と戦争中を交錯する物語の面白さにぐいぐいと引き込まれ夢中になってしまったのだ。しかも途中、何度も心の底からこみあげてくる感動の嵐に胸は溢《あふ》れ、突如うるうると涙し、本を閉じたときには、なにやらハンマーで一撃を喰らったような衝撃とともに、人間として究極とも思える尊厳と愛を貫いた男の生き様に深々と頭を垂れ、心の中を颯と吹き抜けた清々しい一陣の風とともに美《うる》わしい人間の存在に思いっ切り心を洗われたのだ。

0《ゼロ》とは太平洋戦争中、日本が世界に誇る名戦闘機としてその名を轟《とどろ》かせた海軍零式戦闘機、つまり「零戦」のこと。振り返れば、日本の敗戦からすでに六十四年が過ぎようとしている今日、この「零戦」の名を聞いて、何かしらの想いを抱く人たちもぐんと減ってしまっているにちがいない。いや「零戦」はもちろんのこと、今や、日本が戦争をしたことも、戦争に負けたことすら知らない若者たちもいるやに聞く。まさに明治ならぬ、昭和も遠くなりにけりの御時世だ。が、敗戦の年、小学校、いや当時は国民学校六年生だった僕にとって戦争の記憶はまだ生々しい。と同時に、日本の世界に誇るエースであった零戦への憧れは今も僕の胸の奥底に沸沸《ふつふつ》と熱く滾《たぎ》っている。というのも僕の夢、いや当時の僕と同じ子どもたち全員の夢といってもいいのが、少年航空兵として一日も早くお国のために役立つことだったし、零戦のパイロットとして戦うことだったからだ。

しかし、戦争のことも、零戦のことも知らない若者たちが読んでも素晴らしい感動が彼らの心を包むであろうことはまちがいないことをここで強調しておきたい。いや、むしろそういう若者たちにこそ、ぜひ本書を読んでもらいたいと痛切に思っている一人だ。作者の一つの意図もそこにあったと思う。事実、本書の中では、太平洋戦争とはどんな戦争で、どのような経過を辿ったのか。また、この戦争に巻き込まれた我々日本人は、軍人は、国民は、その間に、どのように戦い、どのように生きたのか。国を護るために戦わなくてはならなくなった若者たちの心とは、命とは。彼ら若者たちを戦場に送り出したエリート将校たちの心は、といったことを作者はものの見事にわかりやすく物語の中にちりばめているからだ。なまじの歴史本などより、はるかに面白く戦争の経緯とその実態を教えてくれる点でも実に秀逸な物語だと思うのは僕だけであろうか。しかも零戦の物語としても面白く、空中戦時のパイロットの心の中や、個性が丸出しとなる戦法の楽しさなどパイロットたちの戦い振りが精緻に描かれていて、零戦ファンにとっても舌舐《したなめず》りするような愉悦を味わえることもつけ加えておく。

さて、だいぶ前置きが長くなってしまった感じだが、物語に触れると、そもそもは、四年連続で司法試験に落ちてしまい、なにやら人生の目標を失いかけてしまっている二十六歳の佐伯健太郎と、人生に「愛」は最優先させるべきものなのか、と悩み、仕事と結婚の狭間《はざま》で人生の岐路に立つフリーライターの姉、慶子が、太平洋戦争で戦死した祖父、宮部久蔵のことを姉弟二人で調べはじめるところから話がスタートする。

実は、宮部久蔵が本当の祖父であると知らされたのは六年前に祖母が他界したときであった。それまで血のつながっていると思い込んでいた祖父から、突然、宮部久蔵という人物こそが本当の祖父であり、彼は日本の終戦の数日前に神風特攻隊の一員として南西沖に散華したこともはじめて明かされたのだ。

寝耳に水といった唐突な話に二人は驚いた。祖母は最初の夫である宮部久蔵を戦争で失ったため結婚生活は短かったとのことだが、その短い間に生れた子どもが健太郎と慶子の母親であり、祖母が戦後に再婚した相手を祖母が亡くなった六年前まで、ずっと実の祖父だと思っていたのだ。その祖父は二人を実の孫のように心底可愛がってくれていたし、また、なさぬ仲だった母とも非常に仲が良く、再婚したあと二人の弟（つまり健太郎と慶子の叔父たち）を祖母は生み、この叔父二人と母も実の姉弟のように仲が良かったから、まったく他人であることに気づかなかったのだ。

しかし、実の祖父の存在を知らされたものの健太郎はその人に対してなんら特別な感情を抱かなかった。彼の生れる三十年も前に死んだ人だし、家に一枚の写真も残されていなかったから、どだい何らかのシンパシーを感じろということ自体が無理な話で、言ってしまえば、突然、亡霊が現われたといった感じであった。

そんな健太郎にアルバイトしない、と言って、特攻で亡くなった実の祖父のことを調べようと誘ったのが慶子だった。宮部久蔵が戦死したとき三歳だった母は、父に対してまったく記憶が無く、最近になって、ふと、死んだお父さんて、どんな人だったのかな、と呟《つぶや》くのを聞いた姉の慶子が、お母さんのためにも本当の父親がどんな人だったのかを知りたいと健太郎に調査の誘いをかけてきたのだ。かくして姉弟二人の祖父探しの旅がはじまり、物語が動き出した。

ところが、元戦友たちの証言から浮かび上がってきた宮部久蔵の姿は、健太郎たちが予想もしないものだった。戦闘機乗りとして凄腕を持ちながら、同時に異常なまでに死を恐れ、生き残ることにのみ執着する零戦パイロット、それが祖父だったというのだ。「奴は海軍航空隊一の臆病者だった」「宮部久蔵は何よりも命を惜しむ男だった」「あいつは戦場から逃げ回っていたんだ」と侮蔑の言葉を吐いた、最初に訪ねた元戦友は、奴の「お命大事」は隊でも物笑いの種だったと言ったあと、奴の「生きて帰りたい」という名言を誰知らぬ者はなかった、と卑怯者と言わんばかりに切り捨てた。

健太郎も慶子も、初めて得た元戦友からの祖父像の意外さにショックを受けた。しかも「臆病者」という言葉は、健太郎の胸にぐさりと突き刺さった。その言葉は恰も健太郎自身に向けられたように思えたからだ。なぜならば健太郎はいつも何か人生の大事から逃げているような気がしていたからだ。ぼくには祖父の血が流れていたのか。衝撃に挫け、一時は祖父の調査を諦めかけた姉と弟だったが、姉が仕事のため行けなくなった代りに一人で四国の松山へ新たなる元戦友を訪ねた健太郎は、「臆病者のパイロットだったと聞いた」と切り出すと、「臆病者ですか——宮部がですか」と疑問符を繰り返し、臆病者という言葉を否定しなかったが、「たしかに宮部は勇敢なパイロットではなかったと思います。しかし優秀なパイロットでした」と言った。二度目の元戦友の話は健太郎の心を圧倒した。初めて聞く祖父の戦友が語るパイロットとしての太平洋戦争の体験談は新しい驚きの連続であり、航空母艦の戦い、祖父のパイロットとしての優秀な技倆《ぎりよう》を聞き、人間の勇気と決断力、それに冷静な判断力が勝敗と生死を分けることを知り、つい六十年前に、こんな非情な戦いが行われていたことに愕然とする思いとともに、祖父が二十六歳という若き兵士の一人としてこの戦いの現実の中にいたことを改めて痛感したのだった。

健太郎は一つだけ聞かせてください、と質問した。健太郎も今、二十六歳であった。「祖父は、祖母を愛していると言っていましたか」と。元戦友は答えた。「愛している、とは言いませんでした。われわれの世代は愛などという言葉を使うことはありません。それは宮部も同様です。彼は妻のために死にたくない、と言ったのです」元戦友は続けて言った。「それは私たちの世代では、愛しているという言葉と同じでしょう」健太郎の心に祖父への愛《いと》しさの小さな灯《とも》が点った。

仲間から「臆病者」とさげすまれた祖父の久蔵、絶対に妻と子のために生きて帰るのだと宣言し、必死で生き残りをかけて空戦にのぞんでいた彼が、ではいったいなぜ終戦直前に特攻を志願したのか？

読み進むほどに宮部久蔵の真の姿が次第に浮かび上がってくる。男として、人間として、いかに彼が素敵な奴であったかが、読む者の心にぐいぐいと迫ってくる。彼は決して臆病者でもなければ、ましてや卑怯者では絶対に無いことが、恰も濃かった霧が少しずつ薄れていくかのようにわかってくる。このあたりの作者の技は見事で、一挙に宮部久蔵への愛しさといったものが読者の胸のうちに増殖される。彼は戦争から逃げようとしたのでは断じてない。むしろ逆に、敢然として敵と闘いながら、自分の全能力を駆使してこの戦争に生き残ることを決意したのだ。

それはまさしく運命というものへの苛酷な挑戦であり、愛する者のために何が何でも生き残りをかけた壮絶な運命との戦いでもあった。周囲からどう見られようと、どう思われようとかまわない。そんなことは大事に較《くら》べれば些細なことでしかない。肝腎なのは形振《なりふ》りかまわず、どんな手段を取ろうが、愛する人のために絶対に死んではならないということだ。しかしパイロットという、それも戦闘機乗りという死亡率から言えば最も高い兵士として生き残りを期すということが、どれほど無謀なことか。言葉を替えれば、絶体絶命の状態の中での希望なきチャレンジであり、このこと自体が不可能、いやナンセンスとも思える悲劇そのものだ。果たして彼は生き残れるのか？

だから、彼の行動や言動は周りのパイロットたちにとっては、また戦場にいる者たちにとっては実にもって奇異な存在となる。国のために死を覚悟した者たちにとっては誠に情け無い、ひたすら命を惜しむ滑稽《こっけい》で見苦しい人間に見えてしまったのも不思議ではない。彼の真意を汲みとった人間は理解したかもしれないが、それすら、当時の情勢を考えると、無理なことだったと思う。彼は孤独だった。凄まじいまで。

どんなに生き残りを願っても、もし下手くそなパイロットだったら、いくら逃げても命は長くは保《も》たないのは自明の理だ。技倆が敵機より抜きん出ていなければ空戦で生き残れない。宮部久蔵が生き残るためにはパイロットとして最高に優秀でなければならない。それは絶対条件だ。事実、彼の操縦技術は天才を思わせる神技の域に達していた。このあたりがまた零戦ファンをわくわくさせるところで、彼が智恵と技を駆使して、空戦に出撃する度に生き残りを策すところも読み処だ。

翻って、ここで戦闘機の空戦がどんなものなのかをちょっと考えてみよう。実は日本には太平洋戦争を無事生き残った零戦パイロットがいる。零戦に憧れていた僕は、そんな彼らに心底傾倒し、彼らの著わした実戦談を夢中になって読み漁ったものだ。中でも僕の心を虜にしたのは、坂井三郎中尉だ。彼こそ生き残りの零戦の撃墜王として敵国アメリカからも畏敬の念で見られたパイロットの一人だが、彼の著書『大空のサムライ』『続・大空のサムライ』は零戦ファンの僕の心を熱く溶かした。

それこそむさぼるように読んだ『大空のサムライ』とその続編には、坂井中尉がなぜ撃墜王となり、なぜ苛酷な空の戦いで生き残れたかの秘密が見事に記述されていた。戦闘機のパイロットはまさに剣豪を思わせる存在であったことを知り、僕は拍手喝采した。剣豪宮本武蔵や千葉周作ではないが、パイロット坂井中尉の修行振りも面白く、実際に敵と遭遇したときの一騎討ち、空中戦でどちらが敵の後尾につくかの我慢較べや、智恵と技の競い合い、そして策略の巧みさ、などなど、戦闘機乗りが生き残っていくための厳しさは剣豪の生き様そのものといった感じで興奮した。

一瞬の判断ミスが、一瞬の心の迷いが、一瞬の心の隙が、そして日頃の訓練と技倆の差が天国と地獄をわける。その全智力と能力を結集した戦いには、さらに運の強弱も加わりまったく予断を許さない。ただ一つだけ確実なことがある。それはダメな奴は決して生き残れないという非情なほど厳然とした大空の戦場の掟ともいえる。

敵を追いかけるあまり我を忘れ、眼前の敵のみに心を奪われてしまうと、いつの間《ま》にか他の敵機に後尾につけられ簡単に撃墜されてしまうパイロットを坂井中尉は何度も見てきた。坂井はどんなときでも後《うしろ》を必らず見ると言ったが、彼の言葉は今でも僕の胸のうちに響いている。戦闘機は後から攻められるのが一番弱い。後には機銃も無いし、狙われたら一発でやられることが多い。だから絶対に敵を後につかせてはいけない。しかも日本の戦闘機は特に後尾が弱点だった。人命軽視の日本軍にあっては搭乗員の坐席後部の防禦壁《ぼうぎょへき》の鉄板の厚さが極端に薄かったため、銃弾が簡単に貫通してしまいパイロットもやられるわ、燃料タンクも爆発するわで、すべて致命傷になってしまうことが多かったという。戦闘機の全体の重量を軽減することで機の運動性能を高めるということもあったが、事実、零戦はその運動性能において世界一と称えられたほど抜群に優れた戦闘機であったが、御多分にもれず防禦力は弱く、その結果、戦争が激化する中で折角の熟練パイロットたちが次々と消えいくことの大きな原因となったのは悲しい事実だ。さらに戦争が深まるにつれ、次から次へと物量作戦で新鋭機を戦場に送り出してくるアメリカ軍に対し、火力、装備、出力など改良を重ねたものの、ほとんど開戦当時のままともいえる零戦は次第に苦戦を強いられるようになり、零戦に限らずすべてのパイロットの生き残る確率はさらに低くなった。

長々と零戦について書いてしまったのも、第一線で戦う戦闘機乗りの剣豪そのものといった戦い振り、すべての失敗が即、死につながる苛酷な生き残り条件を理解してもらいたかったからで、さらに敗色の濃くなった戦場で加速度的に悪化した生き残り率の低さの中で、いかに宮部久蔵が人智の限りを尽して生存を期したか、その想像を絶する彼の意志と力の凄さをわかってもらいたかったからにほかならない。

クリフハンガーとなった宮部に読者の心は金縛り状態となり、やがて彼が終戦の数日前に特攻の一員として南西沖に散華することをすでに冒頭で知らされていることから、いつそのときが、どういう状態で訪れるのか、ひょっとして実は生き残っていたのではないか、などと勝手に妄想を抱いたりして、気をもませられる。そしていつの間にか、宮部よ生き残ってくれ!!　と心の中で叫ぶこととなる。

物語は宮部久蔵の謎の人物像を戦友たちの証言によって、また姉弟の個々の心情をまじえてつまびらかにしつつ、太平洋戦争の実情、兵の命を軽んじ、作戦の失敗の責任もとらないエリート将校たちの夜郎自大さも鋭く暴きながら、まさに驚愕の大どんでん返しといえるクライマックスの終末へと疾走する。

なぜ、あれだけ死を避け、生にこだわった宮部久蔵が特攻で死んだのか。それは読んでのお楽しみだが、僕は号泣するのを懸命に歯を喰いしばってこらえた。が、ダメだった。目から涙がとめどなく溢れた。今、この本を手にしているあなたは、どんな想いを抱くのだろうか。泣かずに読めるのか、それとも滂沱《ぼうだ》と流れ落ちる涙に頬《ほお》を濡らすのか。いや、ちょっぴりの涙なのか。実に興味深い。

なんと美わしい心の持主なのか。なんと美わしい心を描く見事な作家なのか。なんと爽《さ》やかな心か。涙の流れ落ちたあと、僕の心はきれいな水で洗われたかのごとく清々しさで満たされた。

ただひたすら、すべての責任を他人に押しつけようとする、総クレイマー化しつつある昨今の日本。利己主義が堂々と罷り通る現代日本を考えるとき、太平洋戦争中に宮部久蔵のとった行動はどう評価されるのだろうか。男が女を愛する心と責任。男らしさとは何なのか。愛するとは何なのか。宮部久蔵を通して様々な問いかけが聞こえてくる。

特攻で散華した宮部久蔵二十六歳、彼の生きた足跡を辿る孫の健太郎も同じく二十六歳。日々死と対峙し、愛する者のために生き残りをかけたパイロットとして史上空前の大空の戦いに挑んだ宮部久蔵と、止むを得ずとはいうもののニートとして無為な生活を送る現代の健太郎をリンクさせた壮大なロマンは、抱きしめたくなるような宮部久蔵への愛しさを覚える中で、人間とは、戦争とは、何なのかを痛切に考えさせられる筆者渾身のデビュー作となっている。

●本書は二〇〇六年八月、太田出版より単行本として刊行されました。
●著作権者との契約により、本著作物の二次及び二次的利用の管理・許諾は株式会社太田出版に委託されています。

|著者| 百田尚樹　1956年、大阪生まれ。同志社大学中退。放送作家として人気番組「探偵！ナイトスクープ」など多数を構成。2006年、太田出版より刊行された『永遠の0《ゼロ》』で作家デビュー。'13年『海賊とよばれた男（上下）』（講談社）で第10回本屋大賞を受賞。他の著書に『輝く夜』『風の中のマリア』『影法師』『ボックス！（上下）』（すべて講談社文庫）、『錨を上げよ』（講談社）、『夢を売る男』（太田出版）などがある。

永遠《えいえん》の0《ゼロ》

百《ひゃく》田《た》尚《なお》樹《き》

2009年7月15日第1刷発行
2014年2月12日第53刷発行

発行者──鈴木　哲

発行所──株式会社　講談社

東京都文京区音羽2-12-21　〒112-8001

電話　出版部（03）5395-3510
　　　販売部（03）5395-5817
　　　業務部（03）5395-3615

Printed in Japan

講談社文庫

定価はカバーに表示してあります

デザイン──菊地信義
本文データ制作──講談社デジタル製作部
印刷──株式会社廣済堂
製本──株式会社若林製本工場

ISBN978-4-06-276413-1

講談社文庫刊行の辞

二十一世紀の到来を目睫に望みながら、われわれはいま、人類史上かつて例を見ない巨大な転換期をむかえようとしている。

世界も、日本も、激動の予兆に対する期待とおののきを内に蔵して、未知の時代に歩み入ろうとしている。このときにあたり、創業の人野間清治の「ナショナル・エデュケイター」への志を現代に甦らせようと意図して、われわれはここに古今の文芸作品はいうまでもなく、ひろく人文・社会・自然の諸科学から東西の名著を網羅する、新しい綜合文庫の発刊を決意した。

激動の転換期はまた断絶の時代である。われわれは戦後二十五年間の出版文化のありかたへの深い反省をこめて、この断絶の時代にあえて人間的な持続を求めようとする。いたずらに浮薄な商業主義のあだ花を追い求めることなく、長期にわたって良書に生命をあたえようとつとめるところにしか、今後の出版文化の真の繁栄はあり得ないと信じるからである。

同時にわれわれはこの綜合文庫の刊行を通じて、人文・社会・自然の諸科学が、結局人間の学にほかならないことを立証しようと願っている。かつて知識とは、「汝自身を知る」ことにつきていた。現代社会の瑣末な情報の氾濫のなかから、力強い知識の源泉を掘り起し、技術文明のただなかに、生きた人間の姿を復活させること。それこそわれわれの切なる希求である。

われわれは権威に盲従せず、俗流に媚びることなく、渾然一体となって日本の「草の根」をかたちづくる若く新しい世代の人々に、心をこめてこの新しい綜合文庫をおくり届けたい。それは知識の泉であるとともに感受性のふるさとであり、もっとも有機的に組織され、社会に開かれた万人のための大学をめざしている。大方の支援と協力を衷心より切望してやまない。

一九七一年七月

野間省一

東野圭吾　宿命
東野圭吾　変身
東野圭吾　仮面山荘殺人事件
東野圭吾　天使の耳
東野圭吾　ある閉ざされた雪の山荘で
東野圭吾　同級生
東野圭吾　名探偵の呪縛
東野圭吾　むかし僕が死んだ家
東野圭吾　虹を操る少年
東野圭吾　パラレルワールド・ラブストーリー
東野圭吾　天空の蜂
東野圭吾　どちらかが彼女を殺した
東野圭吾　名探偵の掟
東野圭吾　悪意
東野圭吾　私が彼を殺した
東野圭吾　嘘をもうひとつだけ
東野圭吾　時生
東野圭吾　赤い指
東野圭吾　流星の絆

東野圭吾　新装版 浪花少年探偵団
東野圭吾　新装版 しのぶセンセにサヨナラ
東野圭吾　新参者
東野圭吾作家生活25周年祭り実行委員会　東野圭吾公式ガイド〈読者1万人が選んだ東野作品人気ランキング発表〉
広田靚子　イギリス花の庭
姫野カオルコ　ああ、懐かしの少女漫画
姫野カオルコ　ああ、禁煙vs.喫煙
日比野宏　アジア亜細亜 無限回廊
日比野宏　アジア亜細亜 夢のあとさき
日比野宏　夢街道アジア
平山壽三郎　明治おんな橋
平山壽三郎　明治ちぎれ雲
火坂雅志　美食探偵
火坂雅志　骨董屋征次郎手控
火坂雅志　骨董屋征次郎京暦
平野啓一郎　高瀬川
平野啓一郎　ドーン
平山譲　ありがとう
平田俊子　ピアノ・サンド

ひこ・田中　新装版 お引越し
平岩正樹　がんで死ぬのはもったいない
百田尚樹　永遠の0《ゼロ》
百田尚樹　輝く夜
百田尚樹　風の中のマリア
百田尚樹　影法師
百田尚樹　ボックス！(上)(下)
ヒキタクニオ　東京ボイス
ヒキタクニオ　カワイイ地獄
平田オリザ　十六歳のオリザの冒険をしるす本
ビッグイシュー 枝元なほみ　世界一あたたかい人生相談
久生十蘭　久生十蘭「従軍日記」
東直子　さようなら窓
平敷安常　キャパになれなかったカメラマン(上)(下)〈ベトナム戦争の語り部たち〉
樋口明雄　ミッドナイト・ラン！
平谷美樹　藪の奥〈眠る義経秘宝〉
蛭田亜紗子　人肌ショコラリキュール
藤沢周平　義民が駆ける
藤沢周平　新装版 春秋の檻〈獄医立花登手控え(一)〉

藤沢周平 新装版 風雪の檻〈獄医立花登手控え(二)〉
藤沢周平 新装版 愛憎の檻〈獄医立花登手控え(三)〉
藤沢周平 新装版 人間の檻〈獄医立花登手控え(四)〉
藤沢周平 新装版 闇の歯車
藤沢周平 新装版 市塵 (上)(下)
藤沢周平 新装版 決闘の辻
藤沢周平 新装版 雪明かり
古井由吉 野川
福永令三 クレヨン王国の十二か月
船戸与一 山猫の夏
船戸与一 神話の果て
船戸与一 伝説なき地
船戸与一 血と夢
船戸与一 蝶舞う館
船戸与一 夜来香《イエライシャン》海峡
深谷忠記 黙秘
藤田宜永 樹下の想い
藤田宜永 艶《つや》めき
藤田宜永 異端の夏
藤田宜永 流砂
藤田宜永 子宮の記憶〈ここにあなたがいる〉
藤田宜永 乱調
藤田宜永 壁画修復師
藤田宜永 前夜のものがたり
藤田宜永 戦力外通告
藤田宜永 いつかは恋を
藤田宜永 喜の行列 悲の行列 (上)(下)
藤田宜永 老猿
藤川桂介 シギラの月
藤水名子 赤壁の宴
藤水名子 紅嵐記 (上)(中)(下)
藤原伊織 テロリストのパラソル
藤原伊織 ひまわりの祝祭
藤原伊織 雪が降る
藤原伊織 蚊トンボ白鬚の冒険 (上)(下)
藤原伊織 遊戯
藤田紘一郎 笑うカイチュウ
藤田紘一郎 体にいい寄生虫〈ダイエットから花粉症まで〉
藤田紘一郎 踊る腹のムシ〈グルメブームの落とし穴〉
藤田紘一郎 ウッふん
藤田紘一郎 イヌからネコから伝染《うつ》るんです。
藤田紘一郎 医療大崩壊
藤本ひとみ 聖ヨゼフの惨劇
藤本ひとみ 新・三銃士 少年編・青年編〈ダルタニャンとミラディ〉
藤本ひとみ シャネル
藤本ひとみ 皇妃エリザベート
藤野千夜 少年と少女のポルカ
藤野千夜 夏の約束
藤野千夜 彼女の部屋
藤沢周 紫の領分
藤木美奈子 ストーカー・夏美
藤木美奈子 傷つけ合う家族〈ドメスティック・バイオレンスを乗り越えて〉
福井晴敏 Twelve《トゥエルブ》 Y.O.《ワイオー》
福井晴敏 亡国のイージス (上)(下)
福井晴敏 川の深さは
福井晴敏 終戦のローレライ I～IV
福井晴敏 6ステイン

講談社文庫　目録

福井晴敏　平成関東大震災〈いつか来るとは知っていたが今日来るとは思わなかった〉
福井晴敏　人類資金1〜5
福井晴敏作 霜月かよ子画　C－blossom《シーブロッサム》〈case《ケース》729〉
藤原緋沙子　遠花火〈見届け人秋月伊織事件帖〉
藤原緋沙子　春疾風《はるはやて》〈見届け人秋月伊織事件帖〉
藤原緋沙子　暖鳥《ぬくめどり》〈見届け人秋月伊織事件帖〉
藤原緋沙子　霧の路《みち》〈見届け人秋月伊織事件帖〉
藤原緋沙子　鳴子守《なるこもり》〈見届け人秋月伊織事件帖〉
藤原緋沙子　夏ほたる〈見届け人秋月伊織事件帖〉
福島章　精神鑑定　脳から心を読む
椹野《ふしの》道流　暁天の星〈鬼籍通覧〉
椹野道流　無明の闇〈鬼籍通覧〉
椹野道流　壺中《こちゅう》の天〈鬼籍通覧〉
椹野道流　隻手《せきしゅ》の声〈鬼籍通覧〉
椹野道流　禅定の弓〈鬼籍通覧〉
古川日出男　ルート3《サン》5《ゴー》0《マル》
福田和也　悪女の美食術
藤田香織　ホンのお楽しみ
深水黎一郎　エコール・ド・パリ殺人事件〈レザルティスト・モウディ〉

深水黎一郎　トスカの接吻〈オペラ・ミステリオーザ〉
深水黎一郎　ジークフリートの剣《つるぎ》
深見真　猟犬〈特殊犯捜査・呉内冴絵〉
深見真　硝煙の向こう側に彼女〈武装強行犯捜査・塚田志士子〉
藤谷治　遠い響き
深町秋生　ダウン・バイ・ロー
冬木亮子　書けそうで書けない英単語〈Let's enjoy spelling!〉
辺見庸　永遠の不服従のために
辺見庸　いま、抗暴のときに
辺見庸　抵抗論
星新一　エヌ氏の遊園地
星新一編　ショートショートの広場①〜⑨
本田靖春　不当逮捕
堀江邦夫　原発労働記
保阪正康　昭和史七つの謎
保阪正康　昭和史七つの謎Part2
保阪正康　昭和史忘れ得ぬ証言者たち
保阪正康　あの戦争から何を学ぶのか
保阪正康　政治家と回想録〈読み直し語りつぐ戦後史〉

保阪正康　昭和の空白を読み解く〈昭和史忘れ得ぬ証言者たちPart2〉
保阪正康　「昭和」とは何だったのか
保阪正康　大本営発表という権力
堀和久　江戸風流女ばなし
堀田力　少年魂
星野知子　食べるが勝ち！
北海道新聞取材班　追及・北海道警「裏金」疑惑
北海道新聞取材班　日本警察と裏金〈底なしの腐敗〉
北海道新聞取材班　実録・老舗百貨店凋落〈流通業界再編の光と影〉
北海道新聞取材班　追跡・「夕張」問題〈財政破綻と再起への苦闘〉
堀井憲一郎　『巨人の星』に必要なことはすべて人生から学んだ。あ。逆だ。
堀江敏幸　熊の敷石
堀江敏幸　子午線を求めて
本格ミステリ作家クラブ編　紅い悪夢の夏〈本格短編ベスト・セレクション〉
本格ミステリ作家クラブ編　透明な貴婦人の謎〈本格短編ベスト・セレクション〉
本格ミステリ作家クラブ編　天使と髑髏の密室〈本格短編ベスト・セレクション〉
本格ミステリ作家クラブ編　死神と雷鳴の暗号〈本格短編ベスト・セレクション〉
本格ミステリ作家クラブ編　論理学園事件帳〈本格短編ベスト・セレクション〉
本格ミステリ作家クラブ編　深夜バス78回転の問題〈本格短編ベスト・セレクション〉

本格ミステリ作家クラブ編 大きな棺の小さな鍵〈本格短編ベスト・セレクション〉
本格ミステリ作家クラブ編 珍しい物語のつくり方〈本格短編ベスト・セレクション〉
本格ミステリ作家クラブ編 法廷ジャックの心理学〈本格短編ベスト・セレクション〉
本格ミステリ作家クラブ編 見えない殺人カード〈本格短編ベスト・セレクション〉
本格ミステリ作家クラブ編 空飛ぶモルグ街の研究〈本格短編ベスト・セレクション〉
星野智幸 毒身
星野智幸 われら猫の子
本田靖春 我、拗ね者として生涯を閉ず(上)(下)
本田透 電波男
本城英明 警察庁広域特捜官 梶山俊介〈広島・尾道「刑事《デカ》殺し」〉
堀田純司 スゴい雑誌〈「業界誌」の底知れない魅力〉
本多孝好 チェーン・ポイズン
穂村弘 整形前夜
堀川アサコ 幻想郵便局
堀川アサコ 幻想映画館
松本清張 草の陰刻
松本清張 黄色い風土
松本清張 黒い樹海
松本清張 連環

松本清張 花氷
松本清張 遠くからの声
松本清張 ガラスの城
松本清張 殺人行おくのほそ道(上)(下)
松本清張 塗られた本
松本清張 熱い絹(上)(下)
松本清張 邪馬台国 清張通史①
松本清張 空白の世紀 清張通史②
松本清張 カミと青銅の迷路 清張通史③
松本清張 天皇と豪族 清張通史④
松本清張 壬申の乱 清張通史⑤
松本清張 古代の終焉 清張通史⑥
松本清張 新装版大奥婦女記
松本清張 新装版増上寺刃傷
松本清張 新装版 彩色江戸切絵図
松本清張 新装版 紅刷り江戸噂
松本清張他 日本史七つの謎
松谷みよ子 ちいさいモモちゃん
松谷みよ子 モモちゃんとアカネちゃん

松谷みよ子 アカネちゃんの涙の海
眉村卓 ねらわれた学園
眉村卓 なぞの転校生
丸谷才一 恋と女の日本文学
丸谷才一 闊歩する漱石
丸谷才一 輝く日の宮
丸谷才一 人間的なアルファベット
麻耶雄嵩 翼ある闇〈メルカトル鮎最後の事件〉
麻耶雄嵩 夏と冬の奏鳴曲《ソナタ》
麻耶雄嵩 木製の王子
松浪和夫 摘出
松浪和夫 非常線
松浪和夫 核の柩
松浪和夫 警官魂〈激震篇〉〈反撃篇〉
松井今朝子 仲蔵狂乱
松井今朝子 奴《やっこ》の小万《こまん》と呼ばれた女
松井今朝子 似《に》せ者《もん》
松井今朝子 そろそろ旅に
松井今朝子 星と輝き花と咲き

講談社文庫　目録

町田　康　へらへらぼっちゃん
町田　康　つるつるの壺
町田　康　耳そぎ饅頭
町田　康　権現の踊り子
町田　康　浄　土
町田　康　猫にかまけて
町田　康　真実真正日記
町田　康　宿屋めぐり
町田　康　猫のあしあと
舞城王太郎　煙か土か食い物〈Smoke, Soil or Sacrifices〉
舞城王太郎　世界は密室でできている。〈THE WORLD IS MADE OUT OF CLOSED ROOMS〉
舞城王太郎　熊の場所
舞城王太郎　九十九十九
舞城王太郎　山ん中の獅《し》見《み》朋《とも》成《なる》雄《お》
舞城王太郎　好き好き大好き超愛してる。
舞城王太郎　N《ネ》EC《ッ》K《ク》
舞城王太郎　SPEEDBOY!
舞城王太郎　獣の樹
松尾由美　ピピネラ
松久淳
田中渉・絵　四月ばーか
松浦寿輝　花　腐《くた》し
松浦寿輝　あやめ鰈ひかがみ
真山　仁　虚像の砦
真山　仁　レッドゾーン(上)(下)
真山　仁　新装版　ハゲタカ(上)(下)
真山　仁　新装版　ハゲタカII(上)(下)
毎日新聞科学環境部　理系白書
毎日新聞科学環境部　「理系」という生き方〈理系白書2〉〈この国を静かに支える人たち〉
毎日新聞科学環境部　迫るアジア　どうする日本の研究者〈理系白書3〉
前川麻子　すきもの
町田　忍　昭和なつかし図鑑
松井雪子　チル☆
牧　秀彦　裂《れっ》帛《ぱく》〈五坪道場一手指南〉
牧　秀彦　凜《りん》々《りん》〈五坪道場一手指南〉
牧　秀彦　雄《ゆう》飛《ひ》〈五坪道場一手指南〉
牧　秀彦　清《せい》冽《れっ》〈五坪道場一手指南〉
牧　秀彦　美《び》剣《けん》〈五坪道場一手指南〉
牧　秀彦　無《む》我《が》〈五坪道場一手指南〉
真梨幸子　孤《こ》虫《ちゅう》症《しょう》
真梨幸子　深く深く、砂に埋めて
真梨幸子　女ともだち
真梨幸子　クロク、ヌレ!
まきの・えり　ラブファイト〈聖母少女〉(上)(下)
牧野　修　黒娘　アウトサイダー・フィメール
毎日新聞夕刊編集部　女はトイレで何をしているのか?〈現代ニッポン人の生態学〉
前田司郎　愛でもない青春でもない旅立たない
間庭典子　走れば人生見えてくる
松本裕士　兄　弟〈追憶のhide〉
枡野浩一　結婚失格
円居　挽　丸太町ルヴォワール
円居　挽　烏丸ルヴォワール
松宮　宏　秘剣こいわらい
松宮　宏　くすぶり亦《また》蔵《ぞう》〈秘剣こいわらい〉
丸山天寿　琅《ろう》邪《や》の鬼
三好　徹　政・財　腐蝕の100年
三好　徹　政・財　腐蝕の100年　大正編
三浦哲郎　曠野の妻

三浦綾子　ひつじが丘
三浦綾子　岩に立つ
三浦綾子　青い棘《とげ》
三浦綾子　イエス・キリストの生涯
三浦綾子　あのポプラの上が空
三浦綾子　小さな一歩から
三浦綾子　増補決定版 言葉の花束〈愛といのちの792章〉
三浦綾子　愛すること信ずること
三浦光世 三浦綾子　愛に遠くあれど〈夫と妻の対話〉
三浦明博　死《し》水《すい》
三浦明博　サーカス市場
三浦明博　感染広告
宮尾登美子　東福門院和子《まさこ》の涙
宮尾登美子　新装版天璋院篤姫(上)(下)
宮尾登美子　新装版 一絃の琴
皆川博子　冬の旅人(上)(下)
宮崎康平　新装版 まぼろしの邪馬台国 第1部・第2部
宮本輝　朝の歓び(上)(下)
宮本輝　ひとたびはポプラに臥す1～6

宮本輝　骸骨ビルの庭(上)(下)
宮本輝　新装版二十歳《はたち》の火影《ほかげ》
宮本輝　新装版命の器
宮本輝　新装版避暑地の猫
宮本輝　新装版ここに地終わり 海始まる(上)(下)
宮本輝　新装版花の降る午後(上)(下)
宮本輝　新装版オレンジの壺(上)(下)
宮本輝　にぎやかな天地(上)(下)
峰隆一郎　寝台特急「さくら」死者の罠
宮城谷昌光　侠骨記
宮城谷昌光　夏姫春秋(上)(下)
宮城谷昌光　花の歳月
宮城谷昌光　重耳《ちょうじ》(全三冊)
宮城谷昌光　春秋の色
宮城谷昌光　介《かい》子《し》推《すい》
宮城谷昌光　孟嘗君 全五冊
宮城谷昌光　春秋の名君
宮城谷昌光　子産(上)(下)
宮城谷昌光他　異色中国短篇傑作大全

宮城谷昌光　湖底の城〈呉越春秋〉一
宮城谷昌光　湖底の城〈呉越春秋〉二
水木しげる　コミック昭和史1〈関東大震災～満州事変〉
水木しげる　コミック昭和史2〈満州事変～日中全面戦争〉
水木しげる　コミック昭和史3〈日中全面戦争～太平洋戦争開始〉
水木しげる　コミック昭和史4〈太平洋戦争前半〉
水木しげる　コミック昭和史5〈太平洋戦争後半〉
水木しげる　コミック昭和史6〈終戦から朝鮮戦争〉
水木しげる　コミック昭和史7〈講和から復興〉
水木しげる　コミック昭和史8〈高度成長以降〉
水木しげる　総員玉砕せよ！
水木しげる　敗走記
水木しげる　白い旗
水木しげる　姑《クー》娘《ニャン》
宮脇俊三　古代史紀行
宮脇俊三　平安鎌倉史紀行
宮脇俊三　室町戦国史紀行
宮脇俊三　徳川家康歴史紀行5000キロ
宮部みゆき　ステップファザー・ステップ

宮部みゆき　震える岩〈霊験お初捕物控〉
宮部みゆき　天狗風〈霊験お初捕物控㈡〉
宮部みゆき　ICO《イコ》—霧の城—(上)(下)
宮部みゆき　ぼんくら(上)(下)
宮部みゆき　新装版　日暮らし(上)(下)
宮部みゆき　おまえさん(上)(下)
宮部みゆき　小暮写眞館(上)(下)
宮子あずさ　看護婦が見つめた人間が死ぬということ
宮子あずさ　看護婦が見つめた人間が病むということ
宮子あずさ　ナースコール
宮本昌孝　夕立太平記
宮本昌孝　影十手活殺帖
宮本昌孝　おねだり女房〈影十手活殺帖〉
皆川ゆか　機動戦士ガンダム外伝〈THE BLUE DESTINY〉
皆川ゆか　新機動戦記ガンダムW（ウイング）外伝～右手に鎌を左手に君を～
皆川ゆか　評伝シャア・アズナブル〈《赤い彗星》の軌跡〉
三浦明博　滅びのモノクローム
三好春樹　なぜ、男は老いに弱いのか？
見延典子　家を建てるなら

道又力　開封　高橋克彦
三津田信三　忌《い》館《かん》〈ホラー作家の棲む家〉
三津田信三　作者不詳〈ミステリ作家の読む本〉(上)(下)
三津田信三　蛇《じゃ》棺《かん》葬《そう》
三津田信三　百《ひゃく》蛇《じゃ》堂《どう》〈怪談作家の語る話〉
三津田信三　厭魅《まじもの》の如き憑くもの
三津田信三　凶鳥《まがとり》の如き忌むもの
三津田信三　首無《くびなし》の如き祟るもの
三津田信三　山魔《やまんま》の如き嗤《わら》うもの
三津田信三　水魑《みづち》の如き沈むもの
三津田信三　密室《ひめむろ》の如き籠《こも》るもの
三津田信三　スラッシャー　廃園の殺人
宮下英樹と「センゴク」取材班　センゴク合戦読本
宮下英樹と「センゴク」取材班　センゴク武将列伝
三輪太郎　あなたの正しさと、ぼくのセツナさ
三輪太郎　死という鏡〈この30年の日本文芸を読む〉
汀《みぎわ》こるもの　パラダイス・クローズド〈THANATOS〉
汀《みぎわ》こるもの　まごころを、君に〈THANATOS〉
汀《みぎわ》こるもの　フォークの先、希望の後〈THANATOS〉

宮田珠己　ふしぎ盆栽ホンノンボ
道尾秀介　カラスの親指〈by rule of CROW's thumb〉
村上龍　海の向こうで戦争が始まる
村上龍　アメリカン★ドリーム
村上龍　ポップアートのある部屋
村上龍　走れ！タカハシ
村上龍　愛と幻想のファシズム(上)(下)
村上龍　村上龍全エッセイ〈1976～1981〉
村上龍　村上龍全エッセイ〈1982～1986〉
村上龍　村上龍全エッセイ〈1987～1991〉
村上龍　超電導ナイトクラブ
村上龍　イビサ
村上龍　長崎オランダ村
村上龍　フィジーの小人
村上龍　368Y Par4 第2打
村上龍　音楽の海岸
村上龍　村上龍料理小説集
村上龍　村上龍映画小説集
村上龍　ストレンジ・デイズ

村上　龍　共生虫
村上　龍　新装版 限りなく透明に近いブルー
村上　龍　新装版 コインロッカー・ベイビーズ
村上　龍　歌うクジラ (上)(下)
村上　龍・坂本　龍一　EV. Café──超進化論
向田邦子　眠る盃
向田邦子　夜中の薔薇
村上春樹　風の歌を聴け
村上春樹　1973年のピンボール
村上春樹　羊をめぐる冒険 (上)(下)
村上春樹　カンガルー日和
村上春樹　回転木馬のデッド・ヒート
村上春樹　ノルウェイの森 (上)(下)
村上春樹　ダンス・ダンス・ダンス (上)(下)
村上春樹　遠い太鼓
村上春樹　国境の南、太陽の西
村上春樹　やがて哀しき外国語
村上春樹　アンダーグラウンド
村上春樹　スプートニクの恋人
村上春樹　アフターダーク
村上春樹・佐々木マキ絵　羊男のクリスマス
村上春樹・佐々木マキ絵　ふしぎな図書館
村上春樹・糸井重里　夢で会いましょう
村上春樹・文　安西水丸・絵　ふわふわ
U・K・ル＝グウィン　村上春樹訳　空飛び猫
U・K・ル＝グウィン　村上春樹訳　帰ってきた空飛び猫
U・K・ル＝グウィン　村上春樹訳　素晴らしいアレキサンダーと、空飛び猫たち
U・K・ル＝グウィン　村上春樹訳　空を駆けるジェーン
T・ファリッシュ著　B・ルート絵　村上春樹訳　ポテト・スープが大好きな猫
群ようこ　濃い人々 〈いとしの作中人物たち〉
群ようこ　いいわけ劇場
群ようこ　浮世道場
群ようこ　馬琴の嫁
室井佑月　Piss《ピス》
室井佑月　子作り爆裂伝
室井佑月　ママの神様
室井佑月・丸山あかね　プチ美人の悲劇
村山由佳　すべての雲は銀の… (上)(下)
村山由佳　永遠。
室井滋　ふぐママ
室井滋　心ひだひだ
室井滋　うまうまノート
室井滋　気になり飯《めし》 〈うまうまノート②〉
村野薫　死刑はこうして執行される
睦月影郎　義《あ》姉《ね》 〈武芸者　冴木澄香〉
睦月影郎　有《う》情《じょう》 〈武芸者　冴木澄香〉
睦月影郎　忍《しの》び萌《もえ》
睦月影郎　変《かわ》り萌《もえ》
睦月影郎　卍《まんじ》萌《もえ》
睦月影郎　甘《あま》蜜《みつ》三《ざん》味《まい》
睦月影郎　平成好色一代男　独身娘の部屋
睦月影郎　平成好色一代男　清純コンパニオンの好奇心
睦月影郎　平成好色一代男　和装セレブ妻の香り
睦月影郎　新・平成好色一代男　秘伝の書
睦月影郎　新・平成好色一代男　元部下のOL
睦月影郎　新・平成好色一代男　隣人と。女子アナと。
睦月影郎　武家娘 〈明暦江戸隠密控〉

睦月影郎　Gのカンバス
睦月影郎　密通妻
睦月影郎　姫《ひめ》遊《なそび》
睦月影郎　肌《はだ》褥《しとね》
向井万起男　渡る世間は「数字」だらけ
向井万起男　謎の1セント硬貨〈真実は細部に宿る in USA〉
村田沙耶香　授乳
村田沙耶香　マウス
村田沙耶香　星が吸う水
森村誠一　暗黒流砂
森村誠一　殺人の花客
森村誠一　ホームアウェイ
森村誠一　殺人のスポットライト
森村誠一　殺人プロムナード
森村誠一　流星の降る町〈『星の町』改題〉
森村誠一　完全犯罪のエチュード
森村誠一　影の祭り
森村誠一　殺意の接点
森村誠一　レジャーランド殺人事件
森村誠一　殺意の逆流
森村誠一　情熱の断罪
森村誠一　残酷な視界
森村誠一　肉食の食客
森村誠一　死を描く影絵
森村誠一　エネミイ
森村誠一　深海の迷路
森村誠一　マーダー・リング
森村誠一　刺客の花道
森村誠一　殺意の造型
森村誠一　ラストファミリー
森村誠一　夢の原色
森村誠一　ファミリー
森村誠一　虹の刺客(上)(下)〈小説・伊達騒動〉
森村誠一　雪煙
森村誠一　殺人倶楽部
森村誠一　ガラスの密室
森村誠一　作家の条件〈文庫決定版〉
森村誠一　死者の配達人
森村誠一　名誉の条件
森村誠一　真説忠臣蔵
森村誠一　霧笛の余韻
森村誠一　悪道
森村誠一　悪道　西国謀反
森瑤子　夜ごとの揺り籠、舟、あるいは戦場
守誠　3分単〈1日3分・「簡単パズル」で覚える・英単語〉
毛利恒之　月光の夏
毛利恒之　地獄の虹
毛利恒之　虹の絆〈ハワイ日系人 母の記録〉
森まゆみ　抱きしめる、東京〈町とわたし〉
森田靖郎　東京チャイニーズ〈裏歌舞伎町の流氓《コンス》たち〉
森田靖郎　TOKYO犯罪公司
森博嗣　すべてがFになる〈THE PERFECT INSIDER〉
森博嗣　冷たい密室と博士たち〈DOCTORS IN ISOLATED ROOM〉
森博嗣　笑わない数学者〈MATHEMATICAL GOODBYE〉
森博嗣　詩的私的ジャック〈JACK THE POETICAL PRIVATE〉
森博嗣　封印再度〈WHO INSIDE〉
森博嗣　まどろみ消去〈MISSING UNDER THE MISTLETOE〉

講談社文庫　目録

- 森　博嗣　幻惑の死と使途〈ILLUSION ACTS LIKE MAGIC〉
- 森　博嗣　夏のレプリカ〈REPLACEABLE SUMMER〉
- 森　博嗣　今はもうない〈SWITCH BACK〉
- 森　博嗣　数奇にして模型〈NUMERICAL MODELS〉
- 森　博嗣　有限と微小のパン〈THE PERFECT OUTSIDER〉
- 森　博嗣　地球儀のスライス〈A SLICE OF TERRESTRIAL GLOBE〉
- 森　博嗣　黒猫の三角〈Delta in the Darkness〉
- 森　博嗣　人形式モナリザ〈Shape of Things Human〉
- 森　博嗣　月は幽咽のデバイス〈The Sound Walks When the Moon Talks〉
- 森　博嗣　夢・出逢い・魔性〈You May Die in My Show〉
- 森　博嗣　魔剣天翔〈Cockpit on knife Edge〉
- 森　博嗣　今夜はパラシュート博物館へ〈THE LAST DIVE TO PARACHUTE MUSEUM〉
- 森　博嗣　恋恋蓮歩の演習〈A Sea of Deceits〉
- 森　博嗣　六人の超音波科学者〈Six Supersonic Scientists〉
- 森　博嗣　捩れ屋敷の利鈍〈The Riddle in Torsional Nest〉
- 森　博嗣　朽ちる散る落ちる〈Rot off and Drop away〉
- 森　博嗣　赤緑黒白〈Red Green Black and White〉
- 森　博嗣　虚空の逆マトリクス〈INVERSE OF VOID MATRIX〉
- 森　博嗣　φ《ファイ》は壊れたね〈PATH CONNECTED φ BROKE〉
- 森　博嗣　θ《シータ》は遊んでくれたよ〈ANOTHER PLAYMATE θ〉
- 森　博嗣　τ《タウ》になるまで待って〈PLEASE STAY UNTIL τ〉
- 森　博嗣　ε《イプシロン》に誓って〈SWEARING ON SOLEMN ε〉
- 森　博嗣　λ《ラムダ》に歯がない〈λ HAS NO TEETH〉
- 森　博嗣　η《イータ》なのに夢のよう〈DREAMILY IN SPITE OF η〉
- 森　博嗣　目薬α《アルファ》で殺菌します〈DISINFECTANT α FOR THE EYES〉
- 森　博嗣　イナイ×イナイ〈PEEKABOO〉
- 森　博嗣　キラレ×キラレ〈CUTTHROAT〉
- 森　博嗣　タカイ×タカイ〈CRUCIFIXION〉
- 森　博嗣　議論の余地しかない〈A Space under Discussion〉
- 森　博嗣　探偵伯爵と僕〈His name is Earl〉
- 森　博嗣　レタス・フライ〈Lettuce Fry〉
- 森　博嗣　君の夢　僕の思考〈You will dream while I think〉
- 森　博嗣　四季　春〜冬
- 森　博嗣　森博嗣のミステリィ工作室
- 森　博嗣　アイソパラメトリック
- 森　博嗣　悠悠おもちゃライフ
- 森　博嗣　僕は秋子に借りがある I'm in Debt to Akiko〈森博嗣自選短編集〉
- 森　博嗣　どちらかが魔女 Which is the Witch?〈森博嗣シリーズ短編集〉
- 森　博嗣　的を射る言葉〈Gathering the Pointed Wits〉
- 森　博嗣　森博嗣の半熟セミナ 博士、質問があります！
- 森　博嗣　DOG&DOLL
- 森　博嗣　TRUCK&TROLL
- 森　博嗣　100人の森博嗣〈100 MORI Hiroshies〉
- 森　博嗣　銀河不動産の超越〈Transcendence of Ginga Estate Agency〉
- 森　博嗣　つぶやきのクリーム〈The cream of the notes〉
- 森　博嗣　つぼやきのテリーヌ〈The cream of the notes 2〉
- 森　博嗣　喜嶋先生の静かな世界〈The Silent World of Dr. Kishima〉
- 森　博嗣 ささきすばる絵　悪戯王子と猫の物語
- 土屋賢二 森　博嗣　人間は考えるFになる
- 森枝卓士　私的メコン物語〈食から覗くアジア〉
- 森　浩美　推定恋愛
- 森　浩美　推定恋愛 two-years
- 諸田玲子　鬼あざみ
- 諸田玲子　笠《かさ》雲《ぐも》
- 諸田玲子　からくり乱れ蝶
- 諸田玲子　其《そ》の一《いち》日《にち》
- 諸田玲子　天女湯おれん

講談社文庫　目録

諸田玲子　末世炎上
諸田玲子　昔日《せきじつ》より
諸田玲子　日月《にちげつ》めぐる
諸田玲子　天女湯おれん　これがはじまり
森福都　楽昌珠
森津純子　家族が「がん」になったら〈誰も教えてくれなかった介護法と心のケア〉
森達也　ぼくの歌、みんなの歌
桃谷方子　百合祭
森孝一　「ジョージ・ブッシュ」のアタマの中身〈アメリカ「超保守派」の世界観〉
本谷有希子　腑抜けども、悲しみの愛を見せろ
本谷有希子　江利子と絶対〈本谷有希子文学大全集〉
本谷有希子　あの子の考えることは変
森下くるみ　すべては「裸になる」から始まって
茂木健一郎　「赤毛のアン」に学ぶ幸福《しあわせ》になる方法
茂木健一郎　セレンディピティの時代〈偶然の幸運に出会う方法〉
茂木健一郎　漱石に学ぶ心の平安を得る方法
茂木健一郎 with ダイアログ・イン・ザ・ダーク　まっくらな中での対話
望月守宮　無貌伝〈～双児の子ら～〉
森川智喜　キャットフード
山口瞳 常盤新平 編　新装版 諸君！この人生、大変なんだ
山田風太郎　婆沙羅
山田風太郎　甲賀忍法帖〈山田風太郎忍法帖①〉
山田風太郎　忍法忠臣蔵〈山田風太郎忍法帖②〉
山田風太郎　伊賀忍法帖〈山田風太郎忍法帖③〉
山田風太郎　忍法八犬伝〈山田風太郎忍法帖④〉
山田風太郎　くノ一忍法帖〈山田風太郎忍法帖⑤〉
山田風太郎　魔界転生(上)(下)〈山田風太郎忍法帖⑥⑦〉
山田風太郎　江戸忍法帖〈山田風太郎忍法帖⑧〉
山田風太郎　柳生忍法帖(上)(下)〈山田風太郎忍法帖⑨⑩〉
山田風太郎　風来忍法帖〈山田風太郎忍法帖⑪〉
山田風太郎　かげろう忍法帖〈山田風太郎忍法帖⑫〉
山田風太郎　野ざらし忍法帖〈山田風太郎忍法帖⑬〉
山田風太郎　忍法関ヶ原〈山田風太郎忍法帖⑭〉
山田風太郎　妖説太閤記(上)(下)
山田風太郎　新装版戦中派不戦日記
山田風太郎　奇想小説集
山村美紗　三十三間堂の矢殺人事件
山村美紗　ヘアデザイナー殺人事件
山村美紗　京都新婚旅行殺人事件
山村美紗　大阪国際空港殺人事件
山村美紗　小京都連続殺人事件
山村美紗　グルメ列車殺人事件
山村美紗　天の橋立殺人事件
山村美紗　愛の立待岬
山村美紗　花嫁は容疑者
山村美紗　十二秒の誤算
山村美紗　京都・沖縄殺人事件
山村美紗　京都三船祭り殺人事件
山村美紗　京都絵馬堂殺人事件〈名探偵キャサリン傑作集〉
山村美紗　京都不倫旅行殺人事件
山村美紗　京友禅の秘密
山村美紗　京都・十二単衣《じゅうにひとえ》殺人事件
山村美紗　燃えた花嫁
山村美紗　千利休・謎の殺人事件
山田正紀　長靴をはいた犬〈神性探偵・佐伯神一郎〉
山田詠美　晩年の子供
山田詠美　熱血ポンちゃんが来りて笛を吹く

矢口敦子　傷痕
山形優子フットマン　なんでもアリの国イギリス　なんでもダメの国ニッポン
柳内たくみ　戦国スナイパー〈信長との遭遇篇〉
山口正介　正太郎の粋　瞳の洒脱
夢枕獏　大江戸釣客伝(上)(下)
柳美里　家族シネマ
柳美里　オンエア(上)(下)
柳美里　ファミリー・シークレット
唯川恵　雨心中
吉村昭　新装版　日本医家伝
吉村昭　私の好きな悪い癖
吉村昭　吉村昭の平家物語
吉村昭　暁の旅人
吉村昭　新装版　白い航跡(上)(下)
吉村昭　新装版　海も暮れきる
吉村昭　新装版　間宮林蔵
吉村昭　新装版　赤い人
吉田ルイ子　ハーレムの熱い日々
吉川英明　新装版　父　吉川英治

淀川長治　淀川長治映画塾
吉村達也　ランプの秘湯殺人事件
吉村達也　有馬温泉殺人事件
吉村達也　回転寿司殺人事件
吉村達也　黒白の十字架〈完全リメイク版〉
吉村達也　[会社を休みましょう]殺人事件
吉村達也　富士山殺人事件
吉村達也　蛇《じゃ》の湯《ゆ》温泉殺人事件
吉村達也　十津川温泉殺人事件
吉村達也　霧積温泉殺人事件
吉村達也　ダイヤモンド殺人事件
吉村達也　クリスタル殺人事件
吉村達也　大江戸温泉殺人事件
吉村達也　「初恋の湯」殺人事件
横田濱夫　〈12歳までに身につけたい〉お金の基礎教育
青木雄二　横田濱夫　ゼニで死ぬ奴　生きる奴
吉村葉子　お金がなくても平気なフランス人　お金があっても不安な日本人
吉村葉子　激しく家庭的なフランス人　愛し足りない日本人
吉村葉子　お金をかけずに食を楽しむフランス人　お金をかけても満足できない日本人

吉村葉子　宇田川悟　パリ20区物語
米山公啓　沈黙野
米原万里　ロシアは今日も荒れ模様
横山秀夫　半落ち
横山秀夫　出口のない海
横森理香　横森流キレイ道場
吉田戦車　吉田自転車
吉田戦車　吉田電車
吉田戦車　なめこインサマー
吉田戦車　吉田観覧車
吉田修一　日曜日たち
吉田修一　ランドマーク
Yoshi　Dear Friends
吉井妙子　頭脳のスタジアム〈一球一球に意思が宿る〉
吉橋通夫　なまくら
吉橋通夫　京のほたる火〈京都犯科帳〉
吉本隆明　真贋
横関大　再会
横関大　グッバイ・ヒーロー

有限会社養老研究所／写真・関 由香　まる文庫
吉川永青　戯史三國志 我が糸は誰を操る
吉川永青　戯史三國志 我が槍は覇道の翼
吉川永青　戯史三國志 我が土は何を育む
長坂秀佳／真保裕一／川田弥一郎／新野剛志／高野和明　乱歩賞作家 赤の謎
鳥羽亮／中嶋博行／福井晴敏／首藤瓜於　乱歩賞作家 白の謎
鳴海章／桐野夏生／野沢尚／三浦明博　乱歩賞作家 黒の謎
赤井三尋／阿部陽一／藤原伊織／渡辺容子／池井戸潤／不知火京介　乱歩賞作家 青の謎
隆慶一郎　柳生非情剣
隆慶一郎　捨て童子・松平忠輝 全三冊
隆慶一郎　柳生刺客状
隆慶一郎　花と火の帝(上)(下)
隆慶一郎　時代小説の愉しみ
隆慶一郎　見知らぬ海へ
リービ英雄　千々にくだけて
連城三紀彦　戻り川心中
連城三紀彦　花塵
令丈ヒロ子　ダブル・ハート
渡辺淳一　秋の終りの旅
渡辺淳一　解剖学的女性論
渡辺淳一　氷紋
渡辺淳一　神々の夕映え
渡辺淳一　長崎ロシア遊女館
渡辺淳一　長く暑い夏の一日
渡辺淳一　風の岬(上)(下)
渡辺淳一　わたしの京都
渡辺淳一　うたかた(上)(下)
渡辺淳一　化身(上)(下)
渡辺淳一　麻酔
渡辺淳一　失楽園(上)(下)
渡辺淳一　いま脳死をどう考えるか
渡辺淳一　風のように・みんな大変
渡辺淳一　風のように・母のたより
渡辺淳一　風のように・忘れてばかり
渡辺淳一　風のように・返事のない電話
渡辺淳一　風のように・嘘さまざま
渡辺淳一　風のように・不況にきく薬
渡辺淳一　風のように・別れた理由
渡辺淳一　風のように・贅を尽くす
渡辺淳一　風のように・女がわからない
渡辺淳一　手書き作家の本音 風のように
渡辺淳一　ものの見かた感じかた〈渡辺淳一エッセンス〉
渡辺淳一　男と女
渡辺淳一　泪《なみだ》壺《つぼ》
渡辺淳一　秘すれば花
渡辺淳一　化粧(上)(下)
渡辺淳一　男時《おどき》・女時《めどき》 風のように
渡辺淳一　みんな大変
渡辺淳一　あじさい日記(上)(下)
渡辺淳一　熟年革命
渡辺淳一　幸せ上手
渡辺淳一　新装版 雲の階段(上)(下)
渡辺淳一　麻酔〈渡辺淳一セレクション〉
渡辺淳一　阿寒に果つ〈渡辺淳一セレクション〉
渡辺淳一　何《いず》処《こ》へ〈渡辺淳一セレクション〉
渡辺淳一　光と影〈渡辺淳一セレクション〉
渡辺淳一　花《はな》埋《うず》み

渡辺淳一　氷紋
渡辺淳一　長崎ロシア遊女館
渡辺淳一　遠き落日(上)(下)
和久峻三　午前三時の訪問者〈赤かぶ検事奮戦記〉
和久峻三　片目の蠅〈赤かぶ検事奮戦記〉
和久峻三　京都釘《くぎ》ぬき地蔵殺人事件〈赤かぶ検事シリーズ〉
和久峻三　大原・貴船街道殺人事件〈赤かぶ検事シリーズ〉
和久峻三　大和路 鬼の雪隠殺人事件〈赤かぶ検事シリーズ〉
和久峻三　京都東山「哲学の道」殺人事件〈赤かぶ検事シリーズ〉
和久峻三　熊野路安珍清姫殺人事件〈赤かぶ検事シリーズ〉
和久峻三　京都冬の旅殺人事件〈赤かぶ検事シリーズ〉
和久峻三　京都・鎌倉・大和 あじさい古都の寺殺人ライン〈赤かぶ検事シリーズ〉
和久峻三　飛驒高山からくり人形殺人事件〈赤かぶ検事シリーズ〉
和久峻三　遠野・京都 橋姫鬼女伝説の旅殺人事件〈赤かぶ検事シリーズ〉
和久峻三　悪女の玉手箱〈告発弁護士シリーズ〉
和久峻三　危険な依頼人〈告発弁護士・猪狩文助〉
和久峻三　証拠崩し〈告発弁護士・猪狩文助〉
和久峻三　Zの悲劇〈告発弁護士・猪狩文助〉
和久峻三　日本三大 水仙郷殺人ライン〈赤かぶ検事シリーズ〉
和久峻三　伊豆死刑台の吊り橋〈赤かぶ検事シリーズ〉
若竹七海　閉ざされた夏
若竹七海　船上にて
渡辺容子　左手に告げるなかれ
渡辺容子　ターニング・ポイント〈ボディガード八木薔子《しょうこ》〉
渡辺容子　無制限
渡辺容子　薔薇恋
渡辺容子　流さるる石のごとく
和田はつ子　猫始末〈お医者同心 中原龍之介〉
和田はつ子　なみだ菖《しょう》蒲《ぶ》〈お医者同心 中原龍之介〉
和田はつ子　走り火〈お医者同心 中原龍之介〉
和田はつ子　冬亀〈お医者同心 中原龍之介〉
和田はつ子　花《はな》御《み》堂《どう》〈お医者同心 中原龍之介〉
和田はつ子　お十夜恋〈お医者同心 中原龍之介〉
和田はつ子　金魚心〈お医者同心 中原龍之介〉
和田はつ子　師走うさぎ〈お医者同心 中原龍之介〉
渡辺篤史　渡辺篤史のこんな家を建てたい
わかぎゑふ　大阪弁の詰め合わせ
渡辺球　俺たちの宝島
渡辺精一　三國志人物事典(上)(中)(下)
輪《わ》渡《たり》颯介　掘割で笑う女〈浪人左門あやかし指南〉
輪渡颯介　百物語〈浪人左門あやかし指南〉
輪渡颯介　無縁塚〈浪人左門あやかし指南〉
輪渡颯介　狐憑きの娘〈浪人左門あやかし指南〉

江戸川乱歩賞全集

日本推理作家協会編

中島河太郎　① 探偵小説辞典
仁木悦子／多岐川恭　② 猫は知っていた／濡れた心
新章文子／陳舜臣　③ 危険な関係／枯草の根
戸川昌子／佐賀潜　④ 大いなる幻影／華やかな死体
藤村正太／西東登　⑤ 孤独なアスファルト／蟻の木の下で
西村京太郎／斎藤栄　⑥ 天使の傷痕／殺人の棋譜
海渡英祐／森村誠一　⑦ 伯林—一八八八年／高層の死角
大谷羊太郎／和久峻三　⑧ 殺意の演奏／仮面法廷
小峰元／小林久三　⑨ アルキメデスは手を汚さない／暗黒告知
日下圭介／伴野朗　⑩ 蝶たちは今…／五十万年の死角
梶龍雄／藤本泉　⑪ 透明な季節／時をきざむ潮
栗本薫／井沢元彦　⑫ ぼくらの時代／猿丸幻視行
長井彬／高橋克彦　⑬ 原子炉の蟹／写楽殺人事件
中津文彦／岡嶋二人　⑭ 黄金流砂／焦茶色のパステル
鳥井架南子／東野圭吾　⑮ 天女の末裔／放課後
山崎洋子／石井敏弘　⑯ 花園の迷宮／風のターン・ロード
坂本光一／長坂秀佳　⑰ 白色の残像／浅草エノケン一座の嵐
鳥羽亮／阿部陽一　⑱ 剣の道殺人事件／フェニックスの弔鐘

古典

高橋貞一校注　平家物語(上)(下)
中西進校注　万葉集 全訳注原文付 全四冊
中西進編　万葉集事典（万葉集全訳注原文付・別巻）
世阿弥編　川瀬一馬校注　花伝書（風姿花伝）

2013年12月15日現在